94,50.

ESSAIS
DE LINGUISTIQUE GÉNÉRALE

DU MEME AUTEUR

ROMAN JAKOBSON

ESSAIS DE LINGUISTIQUE GÉNÉRALE

★ ★

RAPPORTS INTERNES ET EXTERNES DU LANGAGE

ARGUMENTS
57

LES ÉDITIONS DE MINUIT

Pour tous les noms cités (à l'exception de Kandinsky, Khrouchtchev, Pouchkine et Trubetzkoy) on a adopté la transcription scientifique internationale.

PREMIÈRE PARTIE

RAPPORTS INTERNES
ET EXTERNES DU LANGAGE

Chapitre Premier

RELATIONS
ENTRE LA SCIENCE DU LANGAGE
ET LES AUTRES SCIENCES *

A Claude Lévi-Strauss

... La Science ayant dans le Langage trouvé
une confirmation d'elle-même, doit maintenant devenir une CONFIRMATION du
Langage.

Stéphane Mallarmé.

... Je pense que, devant l'accroissement
toujours plus large et plus rapide du champ
de la Science, la confrontation des disciplines devient plus que jamais nécessaire.

Jacques Monod.

I. *Perspectives linguistiques*

Si nous voulions caractériser brièvement la pensée directrice
de la science actuelle dans ses manifestations les plus variées,
nous ne trouverions pas d'expression plus juste que *structuralisme*.
Chaque ensemble de phénomènes que traite la science actuelle
est envisagé, non comme un assemblage mécanique, mais comme

(*) Cette étude est une version remaniée et élargie du chapitre VI,
« La linguistique », paru dans le volume *Tendances principales de la
recherche dans les sciences sociales et humaines* (Mouton/Unesco, Paris-
La Haye (1970). L'auteur tient à témoigner sa reconnaissance à George
Beadle, Emile Benveniste, Suzanne Bourgéois, Jacob Bronowski, Jérôme
Bruner, Zellig Harris, François Jacob, Claude Lévi-Strauss, A.R. Luria,
André Lwoff, Leslie Orgel, David McNeill, Talcott Parsons, Karl Pribam,
Jonas Salk, Francis Schmitt et Thomas Sebeok, avec qui il a eu des
discussions fécondes, ainsi qu'au Research Laboratory of Electronics
(MIT), au Center for Cognitive Studies (Harvard) et au Salk Institute
for Biological Studies, qui ont aimablement facilité ses recherches.

une unité structurale, comme un système, et la tâche fondamentale est de découvrir ses lois intrinsèques — aussi bien statiques que dynamiques. Ce n'est pas l'impulsion extérieure, mais les conditions intérieures de l'évolution, ce n'est pas la genèse sous son apparence mécanique, mais la fonction, qui sont au centre de l'intérêt scientifique actuel. Et ce n'est donc pas par hasard si l'étude structurale et immanente de la langue et de la littérature a occupé une place si importante dans les débats du Congrès [international des slavistes]. De même, n'est pas dû au hasard le paragraphe sur la linguistique structurale dans la résolution du plenum du Congrès.

Le Cercle linguistique de Prague qui, dès avant le Congrès, a développé l'ensemble des problèmes de la linguistique structurale (cf. 132), réunit plusieurs jeunes savants tchèques et allemands de Tchécoslovaquie ainsi que plusieurs jeunes linguistes russes. Les travaux du Cercle ne sont pas ceux d'un groupe isolé, ils sont étroitement liés aux efforts actuels de la linguistique occidentale et russe. Il est certain que ces travaux ne sauraient être appréciés sans tenir compte des tendances de la linguistique internationale contemporaine, des réussites méthodologiques remarquables de la linguistique française, de la crise fructueuse de la science allemande ou encore des tentatives de synthèse entre l'école du Polonais Baudouin de Courtenay et celle du Russe Fortunatov. Les problèmes de la linguistique structurale sont pour ainsi dire dans l'air. Lors du Congrès, aucune réserve fondamentale n'a été formulée face aux *Thèses du Cercle* (48) et, en particulier, la résolution sur les tâches de la linguistique structurale slave a été votée à l'unanimité. Cependant, si l'on avait fait voter à bulletin secret, il y aurait certainement eu des oppositions. C'était, en tout cas, ce qui se disait dans les couloirs. Quel sens peuvent avoir des oppositions qui ne s'accompagnent d'aucun effort d'argumentation ? Ce sont les voix de ceux qui reconnaissent que l'acceptation des fondements de la linguistique structurale comporte la nécessité de transformations décisives également dans le domaine de la synchronie et de l'histoire des langues, ainsi que de leur géographie et de la description des langues littéraires, mais qui trouvent qu'une reconstruction aussi fondamentale est contraire à leur tempérament. Il s'agit donc plutôt d'une opposition psychologique que logique. La méthodologie de la science littéraire étant moins élaborée que celle de la linguistique, elle est menacée d'une crise plus durable. Une période transitoire dans la science littéraire promet une marée de tentatives infructueuses en vue d'une solution éclectique ; mais, dans l'ensemble, la science littéraire slave suit une évolution parallèle à celle de la linguistique slave.

Čin, 31 oct. 1929 (140).

Le 1er Congrès des philologues slaves a siégé à Prague en octobre 1929, et, bien que les quarante ans bibliques se soient écoulés depuis, les grandes lignes de cette assemblée historique notées à la hâte dans ce bref compte rendu sont loin d'être tombées en désuétude.

A première vue, la théorie linguistique de notre temps paraît se distinguer par un ensemble étonnamment varié et disparate de doctrines opposées. Comme toute époque d'expérimentation et d'innovation, la période actuelle de réflexion sur le langage a été marquée par des luttes serrées et des controverses tumultueuses. Cependant, un examen minutieux et objectif de toutes ces croyances sectaires et de toutes ces polémiques véhémentes fait apparaître un ensemble essentiellement monolithique sous les divergences frappantes des termes, des formules et des artifices techniques. Pour employer la distinction entre structures latentes et structures apparentes, aujourd'hui courante dans la phraséologie linguistique, on peut affirmer que la plupart de ces contradictions prétendument inconciliables semblent être limitées à la surface de notre science, tandis que, dans ses fondations profondes, la linguistique des dernières décennies révèle une remarquable uniformité. Cette unité des tendances de base est particulièrement frappante si on la compare aux principes très hétérogènes qui caractérisaient la linguistique de certaines époques antérieures, à savoir du XIX° siècle et des premières années du XX°. En réalité, la plupart des désaccords récents sont dus en partie à des écarts de terminologie et de présentation et en partie à une répartition différente des problèmes linguistiques choisis et signalés par des chercheurs individuels ou des équipes de spécialistes comme étant les plus urgents et les plus importants. Il arrive en fait que pareille sélection aboutisse à confiner la recherche dans des limites étroites et à faire négliger les sujets qui ont été écartés.

On constate actuellement des phénomènes analogues dans différentes sciences. De même que la topologie générale soustend et embrasse toute une gamme de démarches mathématiques, de même les multiples traitements du langage ne font que refléter la pluralité de ses aspects qui sont complémentaires les uns des autres. Cette thèse commence à gagner du terrain chez les spécialistes. Ainsi, Noam Chomsky (en 1968) souligne la nécessité d'une synthèse entre deux grands courants linguistiques dont l'un « a élevé la précision du discours sur le langage à des degrés entièrement nouveaux », tandis que l'autre est « voué à une généralisation abstraite » (54).

L'étude de la structure verbale est l'objectif incontestable de la linguistique contemporaine sous tous ses aspects, et les principes cardinaux de cette étude structurale (ou nomothétique) du langage qui sont communs à toutes les nuances et à tous les secteurs de cette recherche peuvent être définis comme les idées conjuguées d'*invariance* et de *relativité*. Le parti pris habituel, cette « tenace acceptation des absolus » stigmatisée par Sapir, a été progressivement surmonté. L'examen du système linguistique a exigé une vue toujours plus approfondie de sa cohérence intrinsèque et de la nature strictement *relationnelle* et *hiérarchique* de tous ses éléments consti-

tutifs. Il était indispensable ensuite de faire une étude analogue des lois générales régissant tous les systèmes linguistiques
et, finalement, des relations entre ces lois. Ainsi, la mise en
lumière et l'interprétation de l'ensemble du réseau linguistique
ou, en d'autres termes, « la recherche d'une adéquation explicative », ont été les thèmes dominants du courant qui s'est
constitué entre les deux guerres sous le nom de « linguistique
structurale », forgé à Prague en 1928-1929 (cf. 139).

L'importance exagérée accordée dans telle ou telle chapelle
aux dissentiments risque de déformer l'histoire de la linguistique entre la première guerre mondiale et l'époque actuelle.
En particulier, le mythe inflationniste des révolutions graduelles
qui auraient marqué la science du langage pendant toute cette
période assigne arbitrairement certains efforts et certaines idées
à des moments particuliers de cette période. C'est ainsi qu'on
reproche aujourd'hui au courant structuraliste en linguistique
générale, qui a pris naissance dans des congrès internationaux
réunis autour de 1930, d'avoir ignoré la philosophie, alors
qu'en réalité les protagonistes internationaux de ce mouvement
entretenaient des contacts étroits et effectifs avec la phénoménologie, dans sa version husserlienne ou hégélienne. Au
début de notre siècle la pensée de Husserl, développée dans
le second volume de ses *Logische Untersuchungen* et en particulier le chapitre qui traite de « la différence entre les significations indépendantes et dépendantes et l'idée de la grammaire pure », est devenue un facteur puissant pour les débuts
de la linguistique structurale, en opposant « l'idée de la grammaire générale et *a priori* » à la grammaire « exclusivement
empirique » qui était la seule en vogue. Husserl s'est prononcé
pour l'idée de la grammaire universelle « telle qu'elle avait été
conçue par le rationalisme des XVIIe et XVIIIe siècles » (115).
Anton Marty, adepte critique de Husserl, note à ce propos les
contributions de valeur à la grammaire générale apportées par
les Stoïciens, ensuite par la science scolastique, plus tard par
les Cartésiens tels que les auteurs de la *Grammaire* de Port-
Royal et finalement par l'*Essai* de Locke sur l'entendement
humain et par les *Nouveaux Essais* de Leibniz (185, p. 69).

Peu après 1920, le Cercle linguistique de Moscou (cf. 131)
était le théâtre de discussions vives et continues dirigées par
Gustav Špet, que Husserl considérait comme l'un de ses meilleurs élèves, sur l'application linguistique des *Logische Untersuchungen* et en particulier sur le retour significatif de Husserl et
d'Anton Marty à « l'idée d'une grammaire universelle ».
T.G. Masaryk et Marty qui, comme leur ami Husserl, avaient
été formés à l'école de Brentano (cf., en particulier, 26), exercèrent une influence salutaire sur leur auditeur, Vilém Mathesius

(cf. 188) qui devait fonder le Cercle linguistique de Prague où les idées de Husserl et sa communication remarquable du 11 novembre 1935 (« Phänomenologie der Sprache ») trouvèrent un large écho. Le premier numéro de la revue *Acta Linguistica,* publiée par le Cercle linguistique de Copenhague, parut en 1939 avec un éditorial où Viggo Bröndal (1887-1942) traitait la structure du langage « comme objet autonome et par conséquent comme non dérivable des éléments dont elle n'est ni l'agrégat ni la somme ; c'est pourquoi il faut considérer l'étude des systèmes possibles et de leur forme comme étant de la plus grande importance ». Il est significatif que l'article dans lequel Bröndal développe cette thèse se termine par une référence aux « méditations pénétrantes de Husserl sur la phénoménologie », propres à devenir « une source d'inspiration pour tout logicien du langage » (30). Déjà, au 3ᵉ Congrès international des linguistes (Rome, 1933), ce représentant remarquable de la pensée linguistique danoise a déclaré son accord avec « le *structuralisme* préconisé de nos jours par le prince Trubetzkoy » ainsi qu' « avec l'universalisme exigé et pratiqué il y a cent ans par le grand maître de linguistique générale qu'était Guillaume de Humboldt » (31).

Hendrik Pos, disciple néerlandais de Husserl (1898-1955), a joué un rôle de premier plan dans la création d'une phénoménologie du langage et de la théorie de la linguistique structurale (cf. en particulier 221 et 222). Dans sa belle étude de 1939 sur la science du langage et la phénoménologie, Pos a indiqué lucidement le point de départ du structuralisme linguistique : « Il est évident que l'observateur behavioriste essaie de couper tous les liens qui peuvent unir le sujet parlant au sujet scientifique. La conscience n'est même pas admise pour expliquer son propre savoir touchant les significations : l'observation extérieure fixera des significations qui sont des conduites, sans consulter la conscience originaire et contre elle. Les sujets linguistique et scientifique n'ayant plus de base commune, le premier est devenu l'objet du dernier. (...) Le point de vue phénoménologique (...) est opposé à cette théorie de la connaissance qui prétend que l'objet se constitue dans la construction scientifique ; le phénoménologue établit la détermination de tout savoir par la connaissance originaire. (...) Le linguiste qui se rend compte des faits du langage, par l'extension que prend son savoir, ne pourra qu'affirmer sa conscience de sujet parlant qu'il était avant la science et qu'il continue à être : c'est que, finalement, son savoir sera fondé sur des données intuitives qui rendent possible l'objectivation, mais qui sont insaisissables pour celle-ci. L'écart entre la conscience originaire et la science n'est pas illimité : le linguiste est lin-

guiste grâce au fait qu'il est un sujet parlant et non pas malgré
ce fait. (...) Son point de repère sera toujours la réalité en soi
de la subjectivité originaire. » (223) Ce rôle décisif de l'intuition du sujet parlant est mis en relief surtout dans le stade
actuel de la linguistique structurale des divers pays.

De même, la phénoménologie et la dialectique de Hegel ont
manifestement marqué la naissance de la linguistique structurale. On peut signaler encore les groupes et chercheurs déjà
mentionnés. La préface d'Emile Benveniste aux *Origines de la
formation des noms en indo-européen* commence par un rappel :
« De fait, on ne va guère au-delà de la constatation. L'effort
considérable et méritoire qui a été employé à la description
des formes n'a été suivi d'aucune tentative sérieuse pour les
interpréter. » (13) Cet avant-propos se termine sur un appel
au fécond principe de Hegel : *Das Wahre ist das Ganze* (Le
vrai c'est le tout). Dans une étude postérieure du même chercheur « la *nécessité* dialectique des valeurs en constante opposition » fut érigée en principe général de la structure linguistique (12).

Il faut ajouter que le précurseur de la linguistique moderne
qui fut peut-être le plus perspicace parmi les spécialistes de
la fin du XIXᵉ siècle, Mikołaj Kruszewski, écrivit en 1882 à
Jan Baudouin de Courtenay qu'outre la science actuelle du
langage il faut en créer « une nouvelle, plus générale », qu'il
définit comme « une certaine sorte de phénoménologie du langage ». Selon lui, « les fondements permanents d'une telle
science peuvent être recherchés dans la langue elle-même » (voir
142). Le jeune linguiste a dû découvrir le concept de phénoménologie dans l'ouvrage d'Eduard von Hartmann, *Phänomenologie des Unbewussten* (1875) que H. Spiegelberg, dans son
histoire du mouvement phénoménologique, considérait comme
« un jalon isolé sur la voie qui mène de Hegel à Husserl »
(261, p. 16). Il ressort d'écrits antérieurs à Kruszewski que
c'est le « caractère inconscient » des mécanismes linguistiques
qui l'a attiré « comme un aimant » vers la logique du langage
et le problème des lois linguistiques générales. Bien que Kruszewski ait critiqué le livre de Hartmann, qu'il considérait
comme « fastidieux », « ennuyeux » et inapte à rendre compte
des processus inconscients, certaines vues exposées par Hartmann dans son chapitre sur le langage s'apparentent à la fois
aux recherches de Kruszewski et aux tendances de la théorie
linguistique moderne, en particulier l'idée, sur laquelle le philosophe insiste, de l'universalité des catégories grammaticales
fondamentales (*Grundformen*) envisagée comme une « création
inconsciente du génie de l'humanité », ainsi que l'éloge qu'il
fait de l'enseignement de Humboldt sur le langage et l'esprit.

Kruszewski a souligné lui-même (en 1883) « la créativité éternelle du langage » en s'appuyant sur Humboldt (150). Dans sa communication au 2ᵉ Congrès international des linguistes (1931), Mathesius (1882-1946) a présenté la doctrine humboldtienne du langage comme un élément important de la « linguistique fonctionnelle et structurale » (189) ; et l'un des premiers représentants français de ce courant, le promoteur de la syntaxe structurale Lucien Tesnière (1893-1954), faisant l'éloge de Humboldt, « linguiste de grande classe, aux intuitions de génie, auquel la linguistique moderne est loin de rendre pleine justice », a vivement reproché à la tradition néogrammairienne d'avoir sous-estimé cet « esprit universel hautement cultivé et armé en particulier d'une culture scientifique approfondie », et de lui avoir préféré « un simple technicien de la grammaire comparée comme Bopp » (269). Ainsi, le récent retour à Humboldt (G. Ramišvili : 228 ; N. Chomsky : 50) n'a fait que renforcer une tendance déjà inhérente à la linguistique structurale.

La légende d'un « antipsychologisme militant », qui serait propre à ce mouvement, se fonde sur plusieurs malentendus. Quand des linguistes de tendance phénoménologiste ont utilisé le slogan d'antipsychologisme (cf. 61), ils l'ont fait de la même manière que Husserl quand il a opposé un modèle de psychologie nouvelle, phénoménologique, avec son concept fondamental d'intentionalité, au behaviorisme orthodoxe et aux autres variétés de psychologie fondée sur les stimuli et les réponses (116). Ce modèle husserlien et les orientations psychologiques qui lui sont apparentées ont suscité un intérêt très vif chez les linguistes qui se sont montrés disposés à prêter leur concours. Le classement des associations qui joue un rôle d'une suprême importance dans l'analyse structurale du langage (141) trouve un support efficace dans la phénoménologie des associations ébauchée par Husserl et son école (114).

Notons à ce propos l'idée de la « psychologie nomologique » évoquée au début de notre siècle par Peirce (212). Celle-ci, influencée en premier lieu par la phénoménologie (I, § 189), est appelée à découvrir « les éléments généraux et les lois des phénomènes mentaux ». C'est à cette discipline que Peirce assigne « the great law of association (including fusion), a principle strikingly analogous to gravitation, since it is an attraction between ideas » (I, § 270).

On voit les points de contact et de convergence entre les recherches de F. de Saussure (1857-1913) et de son confrère E. Claparède (1873-1940), qui a compris que « la manière d'être de chaque élément dépend de la structure de l'ensemble et des lois qui le régissent ». On se souviendra également des

discussions fécondes entre Trubetzkoy (1890-1939) et Karl
Bühler (1879-1963), l'attention particulière accordée par les
linguistes d'Europe occidentale et d'Amérique aux progrès de
la psychologie de la forme, et les avertissements instructifs
de deux spécialistes américains des rapports entre le langage
et la pensée, E. Sapir (1884-1939) et B.L. Whorf (1897-1941),
aux gestaltistes qui, en ce qui concerne le langage, ont plutôt
« laissé la question de côté », car ils n'avaient « ni le temps
ni la formation linguistique nécessaire pour pénétrer dans ce
domaine » et que « leurs idées et la terminologie qu'ils ont
héritées de la vieille psychologie de laboratoire sont plus un
inconvénient qu'un avantage » (292). De même, Sapir, conscient
de l'intérêt particulier que la linguistique est appelée à présenter
pour la psychologie de la forme (*Gestalt*), se rendait bien
compte du fait que « l'intégration véritablement féconde des
études linguistiques et psychologiques ne sera atteinte que
dans l'avenir », puisque la linguistique reste l'un des secteurs
les plus complexes pour les investigations des psychologues
(243).

Le seul rameau de la linguistique moderne auquel on puisse
réellement reprocher d'être antiphilosophique, antimentaliste et
antisémantique, est celui des « mécanistes », d'après le terme
de Bloomfield (18, pp. 77, 79), groupe de linguistes américains dont l'influence, qui s'est surtout exercée entre 1940 et
1950, après la mort prématurée des grands « mentalistes »
tels que Sapir et Whorf, est à présent en train de disparaître.
D'ailleurs, les slogans prétentieusement antisémantiques des épi-
gones ne furent pas partagés par Bloomfield (1887-1949), le
vrai maître de la description linguistique qui, dans ses travaux
de jeunesse, avait lui-même classé la linguistique parmi les
« sciences mentales ». Encore dans ses écrits de 1945 il réfutait
d'admettre la possibilité de négliger ou d'ignorer la signification et d'étudier la langue « simply as meaningless sound »
(84, p. 215). Bloomfield mettait également les jeunes en garde
contre l'intolérance sectaire ; ainsi il écrivait en 1945 : « Le
fait d'un désaccord en méthodes et théories avec les autres,
y compris moi-même, n'a pas d'importance et on s'ennuierait à
mort de n'avoir qu'une seule doctrine admise. » Bloomfield
méprisait surtout le protectionnisme chauvin lançant des arguments soi-disant idéologiques afin de réprimer la concurrence
de la linguistique étrangère et de gagner pour les jeunes abori-
gènes des positions universitaires qui risquaient d'être « snatched
from under their noses and given to European refugees »
comme l'a récemment avoué sans embarras Robert A. Hall, Jr.,
pour justifier « the strong anti-European feeling » de ses
confrères (99, p. 194).

Cependant l'esprit rigoureusement restrictif de la recherche mécaniste peut être interprété comme le postulat d'une série d'expériences réductionnistes instructives et utiles quel que soit le credo philosophique de l'expérimentateur. En tout cas, malgré toutes les particularités et singularités qui séparent ce mouvement régional de tous les autres groupements actuels, c'est l'analyse des structures linguistiques qui est le dénominateur commun de tous les courants scientifiques contemporains. Ce trait persistant distingue nettement les préoccupations linguistiques des quarante ou cinquante dernières années des courants et objectifs principaux de la période antérieure. La conférence d'Ernst Cassirer au Cercle linguistique de New York, le 10 février 1945, intitulée « Structuralism in Modern Linguistics », opposa résolument le structuralisme à la doctrine mécaniste et vit dans le structuralisme l'expression d'une tendance générale qui, au cours des dernières décennies, s'est emparée d'à peu près tous les domaines de la recherche (47).

La fin du XIXᵉ siècle et le début du XXᵉ ont été marqués par un progrès continu des études historiques comparatives. En même temps, cependant, des essais de chercheurs isolés dans différents pays sont les signes annonciateurs des futures études structurales du langage. Ces travaux précurseurs aboutissent au *Cours de linguistique générale* de Ferdinand de Saussure, édition posthume publiée en 1916 par les soins de Ch. Bally et A. Sechehaye d'après des notes d'étudiants. Au cours des cinquante années suivantes, la science de la langue a fait des progrès rapides et intenses et a remis en cause quelques bases fondamentales de la doctrine linguistique. Le meilleur moyen de souligner les innovations essentielles sera de les confronter au *Cours* de Saussure, considéré comme le point de départ d'une ère nouvelle dans la science du langage (244, 245).

La plupart des concepts et principes théoriques fondamentaux exposés par Saussure remontent à ses contemporains aînés, Baudouin de Courtenay (8, 133) et Kruszewski (150, 142) ; mais dans le *Cours*, certaines de ces notions étaient présentées d'une manière plus claire et plus développée et Saussure mettait nettement l'accent sur la solidarité du système et de ses éléments constitutifs, sur leur caractère purement relatif et oppositif et sur les antinomies fondamentales que nous rencontrons lorsque nous avons affaire au langage. Il faut ajouter cependant que l'analyse concrète des systèmes linguistiques était confiée aux chercheurs futurs, et l'élaboration des méthodes les plus appropriées à cette analyse devint une question capitale de la théorie et de la pratique linguistiques pendant plusieurs dizaines d'années.

L'éclairage constamment dirigé sur les antinomies « qu'on

rencontre dès qu'on cherche à faire la théorie du langage »
est l'un des principaux apports du *Cours*. Il importait de
prendre conscience de ces oppositions, mais tant qu'elles demeuraient sans solution, l'intégrité et l'unité de la linguistique se
trouvaient en danger. Selon Husserl, il fallait aller au-delà
« des vues partielles ou de l'inadmissible élévation au rang
d'absolu de conceptions unilatérales qui ne sont justifiées que
d'une manière relative et abstraite » ; les efforts progressifs
tendant à surmonter ces « dualités internes » et à en faire la
synthèse marquent en réalité la linguistique postsaussurienne.

A l'extrême fin de son activité scientifique, Saussure a adopté
la conception stoïcienne du signe verbal, double composé du
signifiant perceptible et du signifié intelligible. Il a compris
que ces deux éléments sont intimement unis «; et s'appellent
l'un l'autre », mais il a enseigné que le lien entre le signifiant
et le signifié est arbitraire et que « tout le système de la langue
repose sur le principe irrationnel de l'arbitraire du signe ».
Cette hypothèse a été soumise à une révision progressive et
il est apparu que le rôle de la motivation relative, grammaticale, invoqué par Saussure pour restreindre l'arbitraire du
lien entre les deux aspects du signe verbal s'est montré tout à
fait insuffisant. Les liens internes, iconiques, du signifiant avec
son signifié et, en particulier, les liens étroits entre les concepts
grammaticaux et leur expression phonologique jettent un doute
sur la croyance traditionnelle en « la nature arbitraire du signe
linguistique » telle qu'elle est affirmée dans le *Cours*. La linguistique postsaussurienne étend aussi la question du rapport
entre le signifiant et le signifié à l'aspect phonologique du langage, et place au premier rang de ses préoccupations les questions complexes de l'interaction et de la démarcation des
niveaux phonologique et grammatical. La linguistique a saisi
la différence essentielle entre les oppositions phonologiques
qui sont enracinées dans le signifiant et les oppositions grammaticales fondées sur le signifié.

Le principe de la « linéarité du signifiant », dans lequel
Saussure a voulu voir un principe fondamental évident dont
les conséquences sont incalculables pour la science du langage,
a été ébranlé par la dissociation des phonèmes en éléments
simultanés (« traits distinctifs ») ; inversement, la question de
l'ordre successif dans la structure du signifié regagne l'importance qu'elle avait à l'âge classique, et, en accordant une
attention accrue à la hiérarchie des constituants immédiats, on
a éliminé les défauts de la méthode carrément linéaire suivie
d'habitude pour aborder la séquence. Les observations de
Saussure au sujet de la non-pertinence de la « substance »
dans laquelle s'exprime la forme linguistique et sur l'arbitraire

de la relation entre la forme et la substance ont été mises à
l'épreuve et ont dû finalement faire place à une conception
hiérarchique du caractère primordial de la langue parlée et
de ses substituts graphiques et à l'idée bien arrêtée qu'il convient
de procéder à l'étude exhaustive et comparative des propriétés
autonomes distinctes de la langue parlée et de la langue écrite.
Les systèmes des distinctions significatives apparaissent fondés
sur une sélection et une adaptation sémiotiques de moyens
phoniques naturels ; on a tenté, en partant d'un point de vue
strictement relationnel, d'établir une typologie des systèmes
phonologiques existants et l'on en a déduit des lois d'implication universellement valables. La typologie grammaticale (morphologique ainsi que syntaxique) nous paraît être l'étape suivante de ces recherches, et les multiples rapports structuraux
entre ces divers niveaux demandent une étude suivie.

La dualité interne de la langue et de la parole exposée par
Saussure (calquée sur la distinction synonyme entre *jazyk* et
reč' énoncée par Baudouin de Courtenay en 1870) ou, pour
utiliser une terminologie moderne moins ambiguë, du « code »
(le « code de la langue » de Saussure) et du « message »,
ou bien de la « compétence » et de la « performance », donne
lieu à deux attitudes divergentes dans la même section du
Cours : « Sans doute, dit Saussure, ces deux objets sont étroitement liés et se supposent l'un l'autre », mais il déclare d'autre
part qu'il est impossible de saisir « le tout global du langage »,
insiste sur la nécessité de diviser rigoureusement le domaine
d'étude en langue et parole, et affirme même que la langue est
le seul objet de la linguistique proprement dite. Bien que ce
point de vue limitatif ait encore ses tenants, la séparation
absolue des deux aspects aboutit en fait à la reconnaissance
de deux relations hiérarchiques différentes : une analyse du
code tenant dûment compte des messages, et vice versa. Sans
confronter le code avec les messages, il est impossible de se
faire une idée du pouvoir créateur du langage. En définissant
la langue comme « la partie sociale du langage, extérieure à
l'individu », en opposition à la parole, simple acte individuel,
Saussure ne tient pas compte de l'existence d'un code personnel
qui supprime la discontinuité temporelle des faits de parole
isolés et qui confirme la préservation de l'individu, la perma-
nence et l'identité de son moi ; il ne tient pas compte non plus
de la nature interpersonnelle, sociale, du « circuit de la parole »,
doué d'une faculté d'adaptation et impliquant la participation
de deux individus au moins.

L'uniformité du code, « sensiblement le même » pour tous
les membres d'une communauté linguistique, posée en principe
par le *Cours* et encore énoncée de temps à autre, n'est qu'une

fiction déroutante ; en règle générale, tout individu appartient simultanément à plusieurs communautés linguistiques de rayons et de capacités différentes ; tout code général est multiforme et comprend une hiérarchie de sous-codes divers librement choisis par le sujet parlant compte tenu de la fonction du message, de l'individu auquel il s'adresse et de la relation entre les interlocuteurs. En particulier, les sous-codes offrent une échelle d'équivalents secondaires (*transforms*) allant de l'explicite à des degrés plus ou moins élevés d'ellipses. Quand on a cessé de s'occuper uniquement de la fonction cognitive, strictement référentielle, du langage pour examiner ses autres fonctions tout aussi primordiales et indérivables, les problèmes posés par le rapport entre le code et le message sont apparus beaucoup plus subtils et ses facettes beaucoup plus nombreuses.

La langue, selon le *Cours,* « doit être étudiée en elle-même », et « elle ne suppose jamais de préméditation » de la part des sujets parlants. Les progrès rapides et récents de la linguistique appliquée dans des domaines comme la planification et la politique linguistiques, l'enseignement des langues, le réglage de la communication, etc., découlent naturellement et logiquement de la pensée linguistique moderne orientée vers les questions d'intentionalité, mais ils restent étrangers à la linguistique de Saussure et à l'idéologie dominante des milieux scientifiques de son époque.

Saussure enseignait, après Kruszewski (142), que les opérations « génératrices » du langage supposent deux sortes de relations : la première, reposant sur la sélection, était dite « associative », « intuitive » ou « paradigmatique », tandis que l'autre, fondée sur la combinaison, était dite « syntagmatique », ou « discursive ». Les termes « paradigmatique » et « syntagmatique » sont entrés dans l'usage général, mais l'interprétation de ces deux notions et leur interdépendance ont sensiblement évolué. Dans le *Cours,* Saussure affirmait que les membres d'une série paradigmatique n'ont pas d'ordre fixe et que « c'est par un acte purement arbitraire que le grammairien les groupe d'une façon plutôt que d'une autre » ; à présent, cependant, cette attitude agnostique fait place à une étude de la stratification objective à l'intérieur de toute série qui fait apparaître un jeu de corrélations entre l'absence et la présence d'une « marque » ou, en d'autres termes, entre les structures relativement nucléaires (« profondes ») et secondaires, superposées.

Pour Saussure, la syntaxe « rentre dans la syntagmatique », et l'on ne peut établir de limites bien définies entre les faits de langue et de parole dans les structures syntaxiques. La

linguistique contemporaine établit une distinction claire entre
les mots entièrement codés et les matrices codées des phrases ;
la grammaire dite « transformationnelle » peut être considérée
comme une heureuse extension d'une analyse paradigmatique
au domaine de la syntaxe. Le double système de solidarité syntagmatique et paradigmatique se révèle applicable aussi aux
études en cours sur la construction d'énoncés à plusieurs phrases
et même de dialogues. L'herméneutique de textes entiers pénètre
progressivement dans le domaine de la linguistique et l'écart
signalé dans le *Cours* entre les deux sciences, la linguistique
et la philologie, est en train de disparaître. Même dans le
domaine de l'histoire comparée, V.V. Ivanov et V.N. Toporov
ont soulevé la question opportune de l'application des méthodes
de reconstruction non seulement aux formes grammaticales et
lexicales mais également à des textes entiers (124, 125,
272).

Avec l'élargissement et l'approfondissement de l'analyse
paradigmatique, le lien entre les « procès » et les « concepts »
grammaticaux, pour reprendre la terminologie de Sapir (240),
prend une importance croissante, et les propriétés des différents niveaux grammaticaux ne cessent d'apparaître comme
jouant un rôle pertinent dans l'interprétation sémantique. L'intérêt accru suscité par les multiples questions de contexte jette
un jour nouveau sur le problème central, bien que longtemps
négligé, de la sémantique linguistique, grammaticale ainsi que
lexicale, notamment le rapport entre les significations contextuelles et la signification générale. L'analyse sémantique du
langage trouve un instrument puissant dans l'étude, négligée
jusqu'à présent, des messages métalinguistiques. Dans la pensée
linguistique médiévale qui ne commence qu'à être étudiée (7,
217, 39), la différence foncière entre les significations primaires (intrinsèques) et dérivées ou contextuelles a trouvé des
conceptions remarquables sur le plan grammatical chez les
théoriciens des *modi significandi* et en particulier chez le grand
linguiste danois du XIII° siècle Boethius Dacus (21) et, sur
le plan lexical, chez les classificateurs des *suppositiones*. Après
avoir passé par une longue période d'oubli, de discrédit et
de mésinterprétation, ces problèmes des « significations indispensables » et de leurs « applications », comme les décrit
Peirce, finissent par réapparaître au premier plan de la science
du langage.

La différence entre les deux attitudes linguistiques, la synchronie et la diachronie, a été clairement exposée, avec des
exemples à l'appui, par Baudouin de Courtenay pendant le
dernier tiers du XIX° siècle (8, 142). Influencés par les idées
de Brentano (26) sur la psychologie descriptive en tant que

nouvelle discipline directrice appelée à compléter la psychologie
génétique traditionnelle, Marty (184) et Masaryk (187) ont
préconisé au cours des années quatre-vingt la nécessité d'une
description synchronique dans laquelle ils voyaient la tâche
première et principale de la linguistique et une introduction
indispensable à l'histoire du langage. D'après le *Cours* de
Saussure, la dualité interne, constituée par la synchronie et la
diachronie, est une cause de difficultés particulières pour la
linguistique et appelle une séparation complète des deux aspects :
on peut étudier soit les relations existant à l'intérieur du système linguistique « d'où toute intervention du temps est
exclue », soit les changements successifs particuliers sans aucune
référence au système. En d'autres termes, Saussure prévoyait
et annonçait une méthode nouvelle, structurale, applicable à la
synchronie linguistique, mais suivait le vieux dogme atomiste
des néogrammairiens en linguistique historique. La linguistique
postsaussurienne a réfuté son identification erronée des deux
oppositions : celle de la synchronie et de la diachronie et celle
de la statique et de la dynamique. Le début et l'issue de tout
processus de mutation coexistent dans la synchronie et appartiennent à deux sous-codes différents d'une seule et même langue.
Par conséquent, aucun des changements ne peut être compris
et expliqué qu'en fonction du système qui les subit et du rôle
qu'ils jouent à l'intérieur de ce système ; inversement, aucune
langue ne peut recevoir une description complète et adéquate
sans qu'il soit tenu compte « des changements qui sont en
train de s'opérer ». La prohibition absolue introduite par
Saussure d'étudier simultanément les rapports dans le temps
et les rapports dans le système perd de sa validité. Les changements apparaissent comme relevant d'une synchronie dynamique.

   La linguistique diachronique contemporaine examine la succession des synchronies dynamiques, les confronte et, de cette
manière, trace l'évolution d'une langue dans une perspective
historique plus large, en tenant dûment compte non seulement
de la mutabilité du système linguistique, mais aussi de ses
éléments immuables, statiques. En concentrant son attention
sur le système et en appliquant à la diachronie les mêmes principes analytiques que ceux qui sont utilisés pour la synchronie,
la recherche diachronique de notre époque a pu obtenir des
résultats remarquables dans le domaine de la reconstruction
interne, et inversement, en s'attachant à la stratification historique du système linguistique, les chercheurs constatent des
affinités nouvelles et significatives entre cette stratification et
la structuration synchronique des langues. La linguistique
contemporaine pourrait difficilement obéir à l'avertissement

saussurien, tout à fait opportun il y a un demi-siècle quand il fallait souligner et énoncer les tâches de la linguistique descriptive : « L'opposition entre le diachronique et le synchronique éclate sur tous les points. »

Selon l'opinion de Saussure, dès que nous abordons la question des relations spatiales, nous quittons le domaine de la linguistique « interne » pour entrer dans celui de la linguistique « externe ». Cependant, tout le développement de la géographie linguistique, du rôle des aires comme facteur dans l'histoire comparée et de la recherche des affinités entre langues voisines nous oblige à considérer la structure spatio-temporelle des opérations linguistiques comme partie intégrante de chaque système « idiosynchronique », pour reprendre la formule de Saussure. Les travaux assidûment menés sur le terrain par des linguistes contemporains permettent de conclure que le code utilisé par le sujet quelconque parlant un langage ou un dialecte donné est convertible : il suppose différents sous-codes conformes aux variations usuelles dans le rayon de la communication. Il est de plus en plus évident que le code, comme le circuit des messages, est soumis à une interaction perpétuelle entre le conformisme et le non-conformisme (ou, pour reprendre les termes de Saussure, entre une « force unifiante » et une « force particulariste »), tant dans les aspects spatiaux que dans les aspects temporels du langage. La tendance du *Cours* à isoler chacun de ces deux aspects a ensuite été abandonnée par la linguistique ; ainsi, la prétendue dissimilitude entre les foyers d'innovation et les zones de contagion et de diffusion s'est révélée trompeuse, puisque toute innovation ne se produit que par une multiplication dans le temps et dans l'espace.

En linguistique comparée, la recherche d'un patrimoine commun fut de plus en plus liée aux questions des affinités entre langues voisines. Mais, aujourd'hui, c'est la comparaison typologique des langues qui passe au premier plan, et la recherche des lois qui sous-tendent cette typologie et régissent toutes les langues du monde ainsi que leur acquisition par les petits enfants. Ces lois universelles limitent la diversité des codes linguistiques comme les règles structurales d'un code donné limitent la variété des messages virtuels. La mise en lumière, la corrélation et l'interprétation de ces doubles contraintes sont à l'ordre du jour, et la linguistique est sur le point de s'acquitter de cette tâche essentielle, judicieusement annoncée par Ferdinand de Saussure, qui est « de chercher les forces qui sont en jeu d'une manière permanente et universelle dans toutes les langues » (244, p. 20 ; cf. 245, p. 19 sq.).

L'obstacle essentiel à la réussite de cette grande entreprise, l'antinomie du système et des changements, postulée par Saussure et acceptée par maints partisans de son enseignement, fut mis à nu et réprouvé d'avance par le grand linguiste français de l'époque, Antoine Meillet, dans sa courageuse *Leçon d'ouverture du cours de Grammaire comparée au Collège de France* en 1906, un texte qui est loin d'avoir perdu son actualité : « Les changements linguistiques ne prennent leur sens que si l'on considère tout l'ensemble du développement dont ils font partie ; un même changement a une signification absolument différente suivant le procès dont il relève, et il n'est jamais légitime d'essayer d'expliquer un détail en dehors de la considération du système général de la langue où il apparaît. Dès lors, la nécessité s'impose de chercher à formuler les lois suivant lesquelles sont susceptibles de s'opérer les changements linguistiques. On déterminera ainsi, non plus des lois historiques, telles que sont les lois phonétiques ou les formes analogiques qui emplissent les manuels actuels de linguistique, mais des lois générales qui ne valent pas pour un seul moment du développement d'une langue, qui au contraire sont de tous les temps ; qui ne sont pas limitées à une langue donnée, qui au contraire s'étendent également à toutes les langues. Et, qu'on le remarque, ce ne seront ni des lois physiologiques ni des lois psychiques, mais des lois linguistiques. (...) La recherche des lois générales, tant morphologiques que phonologiques, doit être désormais l'un des principaux objets de la linguistique. Mais, de par leur définition même, ces lois dépassent les limites des familles de langues ; elles s'appliquent à l'humanité entière. » (193, p. 19 sqq.).

C'est un penseur français plus ancien, Joseph de Maistre, qui dans ses *Soirées de Saint-Pétersbourg* a émis le principe infaillible dont le travail en question ne manquera pas de tenir compte : « Ne parlons donc jamais de *hasard* ni de signes arbitraires. »

II. *La place de la linguistique dans les sciences de l'homme*

Le mot d'ordre de l'autonomie de la linguistique a été lancé et diffusé par Antoine Meillet au 1er Congrès des linguistes (La Haye, 1928), et, dans le rapport final, l'éminent linguiste hollandais J. Schrijnen, secrétaire du Congrès, faisant allusion au point de vue exprimé par Meillet, considérait cette assemblée historique comme un acte solennel « d'émancipation » :

C'était un coup d'essai, une tentative (...) La linguistique a, au grand jour et devant le forum du monde entier, plaidé ses propres causes (1, p. 97).

Ce programme pertinent venait à son heure et devait, au cours des décennies ultérieures, permettre à notre science d'approfondir et de revaloriser ses méthodes et ses tâches. Aujourd'hui, cependant, le besoin se fait surtout sentir d'un travail interdisciplinaire mené assidûment par des équipes de spécialistes. Les rapports entre la linguistique et les sciences voisines, en particulier, appellent un examen approfondi.

Peu après le congrès de La Haye, et vraisemblablement dans un mouvement de réaction immédiate, Edward Sapir déclarait qu'il fallait à la fois assurer la consolidation interne de la linguistique et en élargir l'horizon. Selon lui, les linguistes devraient bon gré mal gré « s'intéresser de plus en plus aux nombreux problèmes d'anthropologie, de sociologie et de psychologie qui envahissent le domaine du langage », car « il est difficile au linguiste moderne de se limiter à son objet d'étude traditionnel. A moins d'être quelque peu dépourvu d'imagination, il ne peut manquer de s'intéresser à certains au moins des domaines que la linguistique partage avec l'anthropologie, l'histoire culturelle, la sociologie, la psychologie, la philosophie et, de façon plus lointaine, avec la physique et la physiologie » (243, p. 166).

Ajoutons que si nous n'unissons pas étroitement l'une à l'autre ces deux notions complémentaires d'autonomie et d'intégration, notre tentative est détournée vers une fin qui lui est étrangère : ou bien l'idée salutaire d'autonomie dégénère en préjugé isolationniste, néfaste comme tout particularisme, séparatisme ou *apartheid,* ou bien nous nous engageons sur la voie opposée et nous compromettons le principe sain d'intégration en substituant à l'autonomie indispensable une hétéronomie fâcheuse (ou « colonialisme »). En d'autres termes, il faut accorder une attention égale à ce que la structure et le développement d'un secteur donné du savoir ont de spécifique et à ce qu'il y a de commun dans les bases de plusieurs disciplines et les modalités de leur évolution, ainsi qu'à l'interdépendance de ces disciplines.

Le groupe de consultants spéciaux attachés au Département des sciences sociales de l'Unesco a récemment mis en lumière le caractère interdisciplinaire des sciences de l'homme qui ont pour objet de dégager des lois (sciences nomothétiques, ou nomologiques, suivant la terminologie de Peirce), qu'on les désigne sous le nom de sciences sociales ou de sciences humaines, et les modalités de cette coopération ont fait l'objet d'une discussion passionnante (cf. 83). L'intérêt spontanément porté par le 10ᵉ Congrès international des linguistes (Bucarest, 1967) aux nombreux aspects des liens qui unissent la science du langage et les diverses disciplines voisines est aussi significatif (cf. 2). Le problème des corrélations entre les sciences de l'homme, soulignons-le, s'ordonne autour de la linguistique. Les causes principales en sont la structure exceptionnellement régulière et autonome du langage et le rôle fondamental qu'il joue dans la culture ; d'autre part, les anthropologues et les psychologues s'accordent à considérer la linguistique comme la plus avancée et la plus précise des sciences de l'homme et par conséquent comme un modèle méthodologique pour les autres disciplines (160, pp. 37, 66 ; 120, p. 9). Comme le dit Piaget, « la linguistique est sans doute la plus avancée des sciences sociales, par sa structuration théorique aussi bien que par la précision de son devoir, et elle entretient avec d'autres disciplines des relations d'un grand intérêt » (215, p. 25). Au début du siècle, Peirce assignait déjà à « la linguistique, science étendue et d'une admirable maturité », une position privilégiée parmi les « études de l'activité et des produits de l'esprit » (212, I, § 271).

Contrairement à toutes les autres sciences de l'homme et à certaines sciences naturelles d'origine relativement récente, l'étude du langage est l'une des branches de la connaissance qui remonte aux temps les plus reculés. Le plus ancien des textes grammaticaux que nous possédons est une pénétrante description du sumérien écrite il y a presque quatre mille ans ; la théorie linguistique et la recherche empirique ont donné lieu à une tradition variée et ininterrompue qui, prenant sa source dans l'Inde et la Grèce ancienne, s'est épanouie au Moyen Age, à la Renaissance, au XVIIᵉ siècle en contact avec les doctrines de Descartes, Locke et Leibniz, puis pendant l'époque des « Lumières », pour aboutir finalement aux multiples tendances scientifiques des deux derniers siècles.

C'est précisément la somme d'expérience accumulée par la linguistique qui nous oblige à nous demander quelle place elle occupe parmi les sciences de l'homme et quelles sont les perspectives d'une coopération interdisciplinaire fondée sur une stricte réciprocité, sans empiétement sur le domaine et les exigences propres à chaque science. On s'est demandé si « l'admirable collaboration interdisciplinaire » qui unit entre elles les sciences naturelles peut valoir aussi pour les sciences de l'homme, étant donné que l'articulation solide et logique des concepts et leur classement hiérarchique selon leur degré de généralité et de complexité sont manifestes dans le réseau que forment les sciences naturelles mais font apparemment défaut dans les sciences de l'homme (215, p. 2). Cette incertitude semble remonter aux premières tentatives de classification qui ne tenaient pas compte de la science du langage. Cependant, si la linguistique est précisément choisie et utilisée comme point de départ d'un classement provisoire des sciences de l'homme, c'est qu'un tel système fondé « sur les principales affinités des objets classés » trouve des bases théoriques solides.

En raison de leur logique interne, les sciences de l'homme s'ordonnent en une série fondamentalement analogue à celle qui relie et articule des sciences naturelles. La langue est l'un des systèmes de signes, et la linguistique, science des signes verbaux, n'est qu'une partie de la sémiotique, science générale des signes — « Σημειωτική » ou doctrine des signes dont les plus usuels sont les mots — nommée et définie dans son *Essai* sur l'entendement humain par John Locke qui l'avait pressentie (168, Livre IV, ch. XXI, § 4). Coseriu cite J. de São Tomas (1589-1644) comme un précurseur de Locke dans le domaine de la sémiotique, où il apparaît d'autre part étroitement lié à la tradition scolastique (58, 35). On retrouve un écho de cette pensée et de cette nomenclature de Locke (*Séméiotique*) chez un philosophe polonais, Hoëne Wroński, au début du XIX⁰ siècle (113). Charles Sanders Peirce, convaincu que de nombreux passages de l'*Essai* « marquent les premiers pas vers des analyses en profondeur », a emprunté à Locke le terme de « sémiotique (Σημειωτική) », la définissant lui aussi comme la « doctrine des signes » (212, II, § § 649, 227). Pionnier et défricheur de « la nouvelle discipline », Peirce se livra en 1867 (I, § § 545 et sq.) à une première tentative de classification des signes et passa sa vie à étudier « la doctrine de la nature essentielle et des variétés fondamentales d'une sémiosis possible » (V, § 488). Les textes qu'il a rédigés à la fin du XIX⁰ siècle, où il emploie pour la première fois le terme de « sémiotique » pour désigner cette nouvelle discipline, n'ont été publiés que dans l'édition posthume de ses œuvres ; ils ne pouvaient donc être connus de Ferdinand de Saussure quand ce dernier, après son précurseur américain, perçut le besoin d'une science générale des signes à laquelle il donna provisoirement le nom de « sémiologie », qu'il jugeait indispensable pour l'interprétation du langage et de tous les autres systèmes de signes dans leur corrélation avec le langage : « Puisqu'elle n'existe pas encore, on ne peut dire ce qu'elle sera ; mais elle a droit à l'existence, sa place est déterminée d'avance. La linguistique n'est qu'une partie de cette science générale (244, p. 33). Le problème linguistique est avant tout sémiologique (p. 34). Par là, non seulement on éclairera le problème linguistique, mais nous pensons qu'en considérant les rites, les coutumes, etc., comme des signes, ces faits apparaîtront sous un autre jour et on sentira le besoin de les grouper dans la sémiologie et de les expliquer par les lois de cette science » (p. 35).

A. Naville, qui fut le collègue de Saussure à Genève, nous

a donné de sa pensée sur la future science des signes une première version qui présente un grand intérêt : « M. Ferdinand
de Saussure insiste sur l'importance d'une science très générale,
qu'il appelle *sémiologie* et dont l'objet serait les lois de la
création et de la transformation des signes et de leur sens. La
sémiologie est une partie essentielle de la sociologie (la vie
sociale, explique Naville, n'étant pas concevable sans l'existence
de signes de communication). Comme le plus important des
systèmes de signes c'est le langage conventionnel des hommes,
la science sémiologique la plus avancée c'est la linguistique ou
science des lois de la vie du langage. La linguistique est, ou
du moins tend à devenir de plus en plus une science des lois »
(203).

Nous assistons à un essor international rapide et spontané
de la nouvelle discipline qui englobe une théorie générale des
signes et de leurs caractères communs, une description des systèmes de signes, l'analyse comparative et la classification de ces
systèmes (cf. 275, 250, 73, 195). Locke et Saussure avaient
incontestablement raison : le langage est au centre de tous
les systèmes sémiotiques humains et il est le plus important
d'entre eux. Par conséquent, « la linguistique est la principale
tributaire de la sémiotique », comme l'a écrit Leonard Bloomfield (19, p. 55). D'autre part, toute confrontation du langage
avec la structure de différents systèmes de signes revêt une
importance capitale pour la linguistique, puisqu'elle fait apparaître les propriétés communes aux signes verbaux et à tous les
autres systèmes sémiotiques, ou à certains d'entre eux, et met en
lumière les traits spécifiques du langage (cf. 135).

Le rapport entre le langage et les autres types de signes
peut servir de premier critère de classification. Il existe une
variété de systèmes sémiotiques qui comprend divers substituts
du langage parlé. Tel est le cas de l'écriture qui est, sur le double
plan de l'ontogénèse et de la phylogénèse, une acquisition
secondaire et facultative par rapport au langage oral, commun
à toute l'humanité, encore que les aspects graphiques et phoniques du langage soient parfois considérés par les spécialistes
comme deux « substances » équivalentes (par exemple 66).
Toutefois, dans la relation entre entité graphique et entité phonologique, la première fonctionne toujours comme un signifiant
et la seconde comme un signifié. D'autre part, le langage écrit,
parfois sous-estimé par les linguistes, mérite une analyse scientifique distincte qui tienne dûment compte des caractéristiques
particulières de l'écriture et de la lecture (cf. Derrida, 65, 66).
La transformation du langage parlé en langage sifflé ou tambou-
riné est un autre exemple de système substitué à un autre, tandis
que le morse est une substitution au second degré : ses points

et ses traits sont un signifiant dont le signifié est l'alphabet ordinaire (240, p. 20 ; 241, p. 7).

Les langages plus ou moins formalisés utilisés comme constructions artificielles à diverses fins scientifiques ou techniques peuvent être considérés comme des transformations du langage naturel. L'étude comparative d'un langage formalisé et du langage naturel est d'un grand intérêt pour la mise en évidence de leurs caractéristiques convergentes et divergentes et requiert une coopération étroite entre les linguistes et les spécialistes des langages formalisés que sont les logiciens. D'après Bloomfield, dont la remarque reste actuelle, la logique « est une branche de la science étroitement liée à la linguistique » (19, p. 55). Cette assistance mutuelle aide les linguistes à déterminer la spécificité des langues naturelles avec de plus en plus de précision et de clarté. Inversement, pour analyser les superstructures formalisées, le logicien doit les confronter systématiquement avec leur base naturelle en les soumettant à une interprétation strictement linguistique. Une étude comparative commune de ce genre se heurte à l'idée toujours vivace qu'une langue naturelle est un système symbolique de second ordre, péchant constitutionnellement par imprécision, indétermination (*vagueness*), ambiguïté et obscurité. Comme Chomsky l'a nettement indiqué, l'indépendance relative des langages artificiels formalisés par rapport au contexte et, inversement, la sensibilité des langues naturelles au contexte créent une grande différence entre ces deux catégories sémiotiques (51, 52, 53). La variabilité des significations, en particulier les déplacements de sens nombreux et d'une grande portée ainsi qu'une aptitude illimitée pour les paraphrases multiples sont précisément les propriétés qui favorisent la créativité d'une langue naturelle et confèrent non seulement à l'activité poétique mais aussi à l'activité scientifique des possibilités d'invention continues. Ici, l'indéterminé et le pouvoir créateur apparaissent comme totalement solidaires. L'un des principaux chercheurs qui ont ouvert la voie à l'étude mathématique du problème du fini, Emil Post, a souligné le rôle décisif que le « langage ordinaire » joue dans la « naissance d'idées nouvelles », leur ascension « au-dessus de la mer de l'inconscient » et la mutation ultérieure de processus vagues et intuitifs « en relations entre des idées précises » (224, p. 430). Le concept freudien du « ça » a certainement été suggéré par les tournures impersonnelles de l'allemand en *es ;* le dérivé allemand *Gestalt* a facilité la constitution d'un nouveau courant en psychologie (cf. Ehrenfels 74 et Cassirer 46). Comme le fait observer Hutten, « le discours technique ne peut fonctionner sans langue métaphorique » et des mots figurés comme « champ » et « flux » ont laissé une empreinte dans la pensée des physiciens (117, p. 84). C'est le langage naturel qui offre un soutien puissant et indispensable à « l'aptitude à inventer des problèmes, à la capacité de réflexion imaginative et créatrice », don considéré par celui qui étudie l'évolution humaine comme « la caractéristique la plus significative de l'intelligence » (107, p. 359).

La différence fonctionnelle entre les langages formalisés et les langues naturelles doit être respectée par les spécialistes des uns et des autres (cf. 213). Il ne faut pas rééditer le conte d'Andersen sur le vilain petit canard et le mépris du logicien pour la synonymie et l'homonymie du langage naturel est tout aussi déplacé que l'ébahissement du linguiste devant les propositions tautologiques de la logique (cf. Hjelmslev, 109). Pendant la longue histoire de la linguistique, des critères propres à des constructions techniques abstraites ont été appliqués arbitrairement à des langues naturelles, non seulement par les logiciens mais quelquefois par les linguistes eux-mêmes. C'est ainsi que nous nous sommes trouvés en face de tentatives arbitraires pour réduire la langue naturelle à des énoncés déclaratifs et considérer les formes réquisitives (formes interrogatives et impératives) comme des altérations ou des paraphrases de propositions déclaratives.

Quels que soient les problèmes verbaux traités, les concepts fondamentaux utilisés par les logiciens sont fondés sur les langages formalisés, alors que la linguistique pure ne peut que partir d'une analyse systématique et strictement intrinsèque des langues naturelles. Par conséquent, c'est sous un angle entièrement différent que la logique et la linguistique traitent de problèmes comme la signification et la référence, l'intension et l'extension ou les propositions existentielles et l'univers du discours ; mais ces deux optiques distinctes peuvent être interprétées comme deux modes de description partiels mais fidèles entre lesquels il existe, selon la définition de Niels Bohr, une relation de « complémentarité » (23).

Le langage formalisé le plus perfectionné est celui des mathématiques (23, p. 68), et pourtant les mathématiciens ne cessent de souligner son enracinement profond dans le langage quotidien. C'est ainsi que, pour Borel, le calcul postule nécessairement l'existence de la langue vulgaire (24, p. 160), ou que, pour Waismann, il « doit être complété par la révélation de la dépendance qui existe entre les symboles mathématiques et le sens des mots dans la langue courante » (286, p. 118). Bloomfield a tiré de cette relation la conclusion qui s'imposait pour la science du langage en affirmant que, « les mathématiques étant une activité verbale », cette discipline présuppose naturellement la linguistique (19, p. 55).

Dans la relation entre les structures indépendantes du contexte et les structures sensibles au contexte, les mathématiques et le langage quotidien sont les deux systèmes polaires, et chacun d'entre eux apparaît comme le métalangage qui convient le mieux à l'analyse structurale de l'autre (cf. 182). La linguistique dite mathématique doit satisfaire à des critères scientifiques à la fois linguistiques et mathématiques et, par conséquent, exige un contrôle systématique mutuel de la part des spécialistes de chacune des deux disciplines. Les diverses branches des mathématiques — théorie des ensembles, algèbre de Boole, topologie (cf. Thom 268), statistique, calcul des probabilités, théorie des jeux et théorie de l'information (cf. 277, 176) — s'appliquent avec profit à une recherche réinterprétative de la structure des langues humaines dans leurs variables comme dans leurs invariants universels. Elles offrent toutes ensemble un métalangage multiforme capable de traduire efficacement des données linguistiques. Le livre de Zellig Harris, qui applique la théorie des ensembles à la grammaire et compare ensuite la langue naturelle et les systèmes formalisés, en fournit un bon exemple (101 ; cf. aussi 102).

Une autre branche de la sémiotique comprend une gamme étendue de systèmes *idiomorphes* qui ne se rapportent qu'indirectement au langage. Le geste qui accompagne la parole appartient, d'après la définition de Sapir, à une catégorie de signes « surajoutée » (241, p. 7). Bien qu'il y ait habituellement concomitance entre la gesticulation et les énoncés verbaux, les deux systèmes de communication ne se recouvrent pas exactement. Il existe en outre des systèmes sémiotiques gestuels séparés du discours. Ces systèmes, comme en général tous les systèmes de signes qui sont indépendants du langage par leur structure et dont la réalisation ne nécessite pas la parole, doivent être soumis à une analyse comparative où l'on s'attachera spécialement à étudier les convergences et les divergences entre une structure sémiotique donnée et le langage.

La classification des systèmes de signes utilisés par l'homme doit se fonder sur plusieurs critères comme : le rapport entre le signifiant et le signifié (conformément à la classification de Peirce, qui divise les signes humains en trois catégories : indices, icônes et symboles, auxquels s'ajoutent des variétés intermédiaires) ; la discrimination entre la production de signes et la simple exposition sémiotique d'objets pré-existants (208, 150) ; la différence entre la production purement corporelle de signes et leur production à l'aide d'instruments ; la distinction entre les structures sémiotiques pures et appliquées ; la *sémiosis* visuelle ou auditive, spatiale ou temporelle ; les formations homogènes et syncrétiques ; la diversité des relations entre l'émetteur et le destinataire, en particulier la communication intra-individuelle, inter-individuelle et pluri-individuelle. Chacune de ces divisions doit évidemment tenir compte de diverses formes intermédiaires et hybrides (cf. 135).

La question de l'existence et de la hiérarchie des fonctions fondamentales que nous observons dans le langage — fixation sur le référent, le code, l'émetteur, le destinataire, leur contact ou, enfin, sur le message lui-même (136) — peut se poser aussi pour les autres systèmes sémiotiques. En particulier, une analyse comparative des structures déterminées par une fixation prédominante sur le message (fonction artistique) ou, en d'autres termes, des recherches parallèles sur l'art verbal, musical, figuratif, chorégraphique, dramatique et cinématographique, sont parmi les tâches les plus impératives et les plus fécondes de la sémiotique. Il va de soi que l'analyse de l'art verbal relève de la compétence immédiate du linguiste, de ses préoccupations et de ses tâches essentielles et l'oblige à porter une attention soutenue aux complexités de la poésie et de la poétique. Cette dernière peut être définie comme l'étude de la fonction poétique du langage et l'étude de l'art verbal du point de vue de la fonction poétique du langage et de la fonction artistique des systèmes sémiotiques en général. Pour l'étude comparative de la poésie et des autres arts, la collaboration des linguistes et des spécialistes de disciplines comme la musicologie, les arts visuels, etc., est à l'ordre du jour, étant donné, notamment, le rôle de la parole dans diverses formes hybrides comme la musique vocale, les représentations théâtrales et le film parlant.

Malgré l'autonomie structurale incontestable des systèmes de signes que nous avons définis comme idiomorphiques, on peut aussi leur appliquer, comme aux autres variétés de structures sémiotiques utilisées par les êtres humains, les conclusions importantes tirées par deux grands linguistes : Sapir a bien vu que « le langage phonétique a le pas sur tous les autres types de symbolisme communicatif » (241, p. 7) et, pour Benveniste, « le langage est l'expression symbolique par excellence » et tous les autres systèmes de communication « en sont dérivés et le supposent » (14, p. 28). Le fait que les signes verbaux précèdent toutes les autres activités délibérément sémiotiques est confirmé par les recherches sur le développement de l'enfant. Le symbolisme gestuel de l'enfant, après qu'il a acquis les rudiments du langage, est nettement distinct des mouvements réflexes que fait le bébé avant de savoir parler.

En résumé, la sémiotique étudie et compare la communication des messages, quels qu'ils soient, alors que la linguistique se limite à la communication des messages verbaux. De ces deux sciences de l'homme, la seconde a donc un champ plus limité ; en revanche, toute communication humaine de messages non verbaux présuppose un circuit de messages verbaux, sans que la réciproque soit vraie.

Si, en allant du particulier au général, le groupe des disciplines sémiotiques est celui qui englobe le plus immédiatement la linguistique, le niveau suivant est représenté par l'ensemble des disciplines de la communication. Quand nous disons que le langage, ou tout autre système de signes, est un moyen de communication, nous devons nous garder en même temps de toute conception restrictive des moyens et des fins de la communication. En particulier, on a souvent négligé le fait qu'à côté de l'aspect interpersonnel, plus tangible, de la communication, son aspect intrapersonnel est également pertinent. C'est ainsi que le discours intérieur, où Peirce a finement discerné un « dialogue interne », et que jusqu'à une époque récente la linguistique a plutôt négligé, est un élément cardinal du réseau du langage et sert de lien avec le passé et l'avenir de la personne (212, IV, § 6 : « a dialogue between different phases of the *ego* » ; V, § 421 : One « is saying to that other self that is just coming into life in the flow of time » ; II, § 334 : « The problematical [listener] may be within the same person as the [speaker], as when we mentally register a judgment to be remembered later. » Cf. 283 ; 297 ; 299 ; 259 ; 241, p. 15).

Il appartenait naturellement aux linguistes de dégager la signification primordiale du concept de communication pour les sciences sociales. D'après Sapir, « tout modèle culturel et tout acte de comportement social supposent une communication soit au sens explicite, soit au sens implicite ». Loin d'être « une structure. statique », la société apparaît comme un « réseau très élaboré de compréhensions partielles ou totales entre les membres de groupes organisés plus ou moins étendus et plus ou moins complexes », et elle est « réaffirmée par des actes créateurs particuliers relevant de la communication » (241, p. 104 ; cf. 25). Tout en étant conscient que « le langage est le type le plus explicite d'acte de communication », Sapir a su voir aussi bien l'importance des autres modes et systèmes de communication que leurs multiples points communs avec l'échange verbal.

C'est Lévi-Strauss qui a délimité cet objet d'études avec le plus de clarté et qui a fait la tentative la plus féconde pour « interpréter la société dans son ensemble en fonction d'une théorie de la communication » (160, p. 95 ; 162). Il oriente ses efforts vers une science intégrée de la communication qui engloberait l'anthropologie sociale, l'économie et la linguistique

ou, pour employer un concept plus large, la sémiotique. On
ne peut que suivre Lévi-Strauss lorsqu'il expose sa conception
ternaire selon laquelle dans toute société, la communication
s'opère à trois niveaux : communication des messages, communication des utilités (biens et services) et communication des
femmes (ou peut-être, d'une manière plus générale, communication des partenaires sexuels). Par conséquent, la linguistique
(concurremment avec les autres branches de la sémiotique),
l'économie et enfin la recherche sur la parenté et le mariage
« relèvent de la même méthode ; elles diffèrent seulement par
le niveau stratégique où chacune choisit de se situer au sein
d'un univers commun ».

Tous ces niveaux de communication assignent un rôle fondamental au langage. Premièrement, du point de vue ontogénétique comme du point de vue phylogénétique, ils impliquent
la préexistence du langage. Deuxièmement, toutes les formes
de communication mentionnées s'accompagnent de certains
énoncés verbaux ou d'autres manifestations sémiotiques ou
des deux à la fois. Troisièmement, s'ils ne sont pas verba-
lisés, ils sont tous verbalisables, c'est-à-dire traduisibles en
messages verbaux énoncés ou, au moins, intérieurs.

Nous ne nous étendrons pas ici sur la question encore
controversée des frontières respectives de l'anthropologie sociale
et de la sociologie et nous les considérerons comme deux
branches d'une seule et même discipline. La formule épigram-
matique (232) préconisée par Stein Rokkan (92) et définissant
l'anthropologie sociale comme la science de l'homme en tant
qu'animal *parlant* et la sociologie comme la science de l'homme
en tant qu'animal *écrivant* montre bien qu'il y a lieu de distinguer nettement ces deux niveaux de langage dans le réseau
général de la communication sociale.

Si l'on envisage les deux domaines de la recherche linguistique, l'analyse d'unités verbales codées, d'une part, et l'analyse
du discours de l'autre (14, p. 130 ; 100), il devient évident
qu'il faut étudier du point de vue essentiellement linguistique
la structure des mythes et autres formes de tradition orale.
Ces derniers ne sont pas seulement des unités supérieures du
discours, ils en constituent une variété particulière : il s'agit
de textes codés, dont la composition est toute faite. Le cliché
phraséologique, et en particulier le proverbe, qui occupe une
place intermédiaire entre les structures du code verbal et le
discours attire à présent l'attention des chercheurs (cf. Permjakov, 214).

C'est Saussure qui, dans ses notes sur les *Nibelungen*, pré-
conisait avec perspicacité l'interprétation sémiotique des mythes :
« Il est vrai qu'en allant au fond des choses, on s'aperçoit

dans ce domaine, comme dans le domaine parent de la linguistique, que toutes les incongruités de la pensée proviennent d'une insuffisante réflexion sur ce qu'est l'identité ou les caractères de l'identité lorsqu'il s'agit d'un être inexistant comme le *mot,* ou la *personne mythique,* ou une *lettre de l'alphabet,* qui ne sont que différentes formes du SIGNE au sens philosophique » (91, p. 136). L'aspect verbal des systèmes religieux ouvre opportunément à la recherche un domaine prometteur (cf. 38, 279), et une enquête strictement linguistique sur les mythes, en particulier sur leur structure syntaxique et sémantique, non seulement jette les bases d'une étude entièrement scientifique de la mythologie mais peut aussi donner des indications instructives aux linguistes dans leurs essais d'analyse du discours. Cf. les vastes expériences de Lévi-Strauss (160, ch. XI ; 161 ; 163) et leur confrontation avec les tâches nouvelles de la science du langage (36) et du folklore (179, 180, 181).

Le rituel associe généralement le discours et le mime, mais, comme l'a noté Leach (155), certaines catégories d'information émises au cours de ces pratiques cérémonielles ne sont jamais verbalisées par les exécutants mais sont exprimés uniquement en actes. Cependant, cette tradition sémiotique se rattache toujours au moins à un canevas verbal que se transmettent les générations.

Il est évident que le langage est un élément constitutif de la culture mais, par rapport à l'ensemble des phénomènes culturels, son rôle est celui d'une infrastructure, d'un substrat et d'un véhicule universel. Par conséquent, « il est manifestement plus facile d'abstraire la linguistique des autres aspects de la culture et de la définir séparément que de faire l'opération inverse » (149, p. 124 ; 281). Certains traits propres au langage sont liés à la situation particulière qu'il occupe par rapport à la culture ; tel est le cas, notamment, de l'acquisition du langage par les jeunes enfants et du fait que ni dans les langues anciennes ni dans les langues actuelles connues du linguiste il n'existe une différence quelconque de structure phonologique et grammaticale entre des stades relativement primitifs et des stades relativement avancés.

Les recherches approfondies de Whorf (292) suggèrent tout un réseau d'interactions fécondes entre l'arsenal de nos concepts grammaticaux et l'imagerie habituelle de notre mentalité subliminale, mythologique et poétique, mais sans nous autoriser à impliquer un rapport obligatoire quelconque entre ce code verbal et nos opérations purement cognitives, ou à rattacher notre système de catégories grammaticales à une conception ancestrale du monde.

Le cadre linguistique est l'instrument indispensable du flirt,

du mariage, des règles de parenté et des tabous. Les observations fines et méticuleuses de Geneviève Calame-Griaule sur la
pragmatique du langage dans la vie érotique, sociétale et religieuse d'un groupe ethnique illustrent bien le rôle décisif du
comportement verbal dans l'ensemble de l'anthropologie
sociale (41).

Au cours de l'histoire séculaire de l'économie et de la linguistique, les deux disciplines ont été maintes fois rapprochées.
On sait que les économistes de la période des Lumières avaient
coutume de s'attaquer aux problèmes linguistiques (voir Foucault 81, ch. III) ; tel fut, par exemple, le cas de Turgot qui
rédigea un article sur l'étymologie pour l'*Encyclopédie* (276),
ou d'Adam Smith, qui écrivit une étude sur l'origine du langage (257). L'influence de G. Tarde sur la doctrine de Saussure
en matière de circuit, d'échange, de valeurs, d'entrée et de sortie,
de producteur et de consommateur, est bien connue. De nombreux thèmes communs, comme la « synchronie dynamique »,
les contradictions internes du système et son mouvement continu,
sont soumis à des traitements analogues dans les deux secteurs. Des concepts économiques fondamentaux ont été à
maintes reprises l'objet d'interprétations sémiotiques provisoires.
Au début du XVIIIe siècle, l'économiste russe Ivan Pososkov
a forgé le dicton : « Un rouble n'est pas du métal blanc, un
rouble est la parole du souverain », et John Law enseignait
que la monnaie n'a que la valeur d'un signe fondé sur la signature du prince. De nos jours, Talcott Parsons (210, 211) traite
systématiquement la monnaie comme « un langage extrêmement
spécialisé », les transactions économiques comme « certains
types de conversation », la circulation monétaire comme « l'en-
voi de messages » et le système monétaire comme « un code
au sens grammatical ». Il applique de son propre aveu, aux
échanges économiques, la théorie linguistique du code et du
message. Ou, selon la formulation de Ferruccio Rossi-Landi,
« l'économie au sens propre est l'étude du secteur de la communication non verbale qui consiste dans la circulation d'un
type particulier de messages habituellement appelés « marchandises » ; pour employer une formule plus brève : *l'économie
est l'étude des messages-marchandises* » (235, p. 62). Pour
éviter une extension métaphorique du terme « langage », il est
peut-être préférable de considérer la monnaie comme un système sémiotique à destination particulière. Si l'on veut étudier
avec exactitude ce moyen de communication, il faut soumettre
les processus et les concepts en jeu à une interprétation sémiotique. Etant donné, cependant, que « la matrice la plus générale » des systèmes symboliques, ainsi que l'a justement fait
observer Parsons, « est le langage », la linguistique est en réalité

le meilleur modèle qui s'offre à ce genre d'analyse. Mais il y
a encore d'autres raisons d'associer l'économie aux études linguistiques : l'échange de biens et services « convertis » en
mots (210, p. 358), le rôle direct et concomitant du langage
dans toutes les transactions monétaires et la possibilité de
transposer la monnaie en messages purement verbaux comme
les chèques ou autres obligations (110, p. 568). En réalité,
l'aspect symbolique, verbal, des transactions économiques mérite
une étude interdisciplinaire systématique qui devrait être l'une
des tâches les plus fructueuses de la sémiotique *appliquée*.

Ainsi la communication de partenaires sexuels et de biens
ou de services apparaît comme étant, à un degré élevé, un
échange de messages auxiliaires, et la science intégrée de la
communication comprend non seulement la sémiotique proprement dite, c'est-à-dire l'étude des messages proprement dits
et des codes sur lesquels ils reposent, mais aussi les disciplines
où les messages jouent un rôle pertinent mais accessoire. En
tout cas, la sémiotique occupe une position centrale dans la
science générale de la communication dont elle sous-tend toutes
les autres branches, tandis qu'elle-même englobe la linguistique
et que celle-ci, au centre de la sémiotique, en sous-tend tous les
autres secteurs. Trois sciences appartenant à un ensemble s'en-
globent l'une l'autre et représentent trois degrés de généralisation croissante : 1) l'étude de la communication de messages
verbaux, ou linguistique ; 2) l'étude de la communication de
messages quelconques, ou sémiotique (y compris la communication de messages verbaux) ; 3) l'étude de la communication,
ou anthropologie sociale et économique (y compris la communication de messages).

Les études qui se font actuellement sous des étiquettes variées
telles que « sociolinguistique », « linguistique anthropologique »
et « ethnolinguistique » représentent une réaction saine contre
les survivances encore fréquentes de la tendance saussurienne
à circonscrire les tâches et les objectifs de la recherche linguistique. Il ne faudrait pourtant pas qualifier de « pernicieuses »
ces restrictions imposées par des linguistes travaillant isolément ou en équipe aux buts et objectifs de leurs propres
recherches ; il est parfaitement légitime de privilégier certains
secteurs étroitement définis de la linguistique, de s'imposer un
objet d'études bien délimité et de se cantonner dans une spécialisation rigoureuse. Mais ce serait une erreur dangereuse que
d'envisager tous les autres aspects du langage comme des
questions linguistiques secondaires ou même superflues et, en
particulier, d'essayer d'exclure ces thèmes de la linguistique
proprement dite. L'expérimentation linguistique peut isoler délibérément certaines propriétés inhérentes au langage. Tel fut

le cas, par exemple, des expériences d'un large groupe des
linguistes américains qui essayaient d'exclure le sens, tout
d'abord de l'analyse linguistique en général, puis au moins de
l'analyse grammaticale. Tel fut aussi le cas des tendances saussuriennes récemment reprises et ranimées, à limiter l'analyse
au code seul (langue, compétence), en dépit de l'unité dialectique indissoluble de la langue et de la parole (code/message,
compétence/performance).

Aucune de ces expériences restrictives, si utiles et si instructives soient-elles, ne peut être considérée comme un rétrécissement du domaine de la linguistique. Les divers travaux et problèmes proposés et débattus sous l'étiquette de la socio- ou
ethno-linguistique, méritent tous une étude approfondie ; bon
nombre d'entre eux font d'ailleurs depuis longtemps l'objet de
recherches dans les milieux scientifiques internationaux et leur
abandon ici ou là ne saurait être que momentané. Tous cependant font partie intégrante de la linguistique et exigent la même
analyse structurale que tous les autres éléments constitutifs
du langage. Le dessein de l'ethnolinguistique et de la sociolinguistique (nous ne pouvons que partager, sur ce point, l'avis
de Dell Hymes, qui est l'un des promoteurs clairvoyants du
programme en question) doit être simplement incorporé à la
linguistique, et il finira par l'être (121, p. 152), parce que la
science du langage ne peut être séparée et isolée des « questions que posent le fonctionnement du langage et le rôle que
celui-ci joue dans la vie de l'homme » (119, p. 13).

Tout code verbal est convertible et comprend nécessairement
une série de sous-codes distincts, ou, en d'autres termes, des
variétés fonctionnelles de langage. Toute collectivité linguistique
a à sa disposition : 1) des structures plus explicites et d'autres
plus elliptiques, avec une série de degrés assurant la transition
entre les points extrêmes de l'explicite et de l'elliptique ; 2) une
alternance intentionnelle de styles plus archaïques et plus
modernes ; 3) une différence manifeste entre les règles du discours cérémoniel, surveillé, relâché et franchement négligé. Les
multiples ensembles de règles, distinctes selon les régions,
qui permettent, prescrivent ou interdisent la parole et le silence,
sont destinés à servir d'introduction naturelle à toute grammaire véritablement génératrice. Nos réalisations linguistiques
sont en outre régies par une compétence en matière de règle
du dialogue et du monologue ; en particulier les divers rapports de langage entre le locuteur et le destinataire constituent
une partie substantielle de notre code linguistique et touchent
directement aux catégories grammaticales de personne et de
genre. Les règles grammaticales et lexicales relatives aux différences, ou à l'absence de différence entre le rang hiérarchique,

le sexe et l'âge des interlocuteurs ne peuvent être négligées dans une description exacte et approfondie d'une langue donnée, et la place de ces règles dans la structure générale de la langue soulève une question linguistique délicate.

La diversité des interlocuteurs et leur capacité de s'adapter l'un à l'autre sont un facteur décisif de la multiplication et de la différenciation des sous-codes à l'intérieur d'un groupe linguistique et dans le cadre de la compétence verbale de ses différents membres. Le « rayon variable de la communication », selon l'heureuse expression de Sapir (241, p. 107), suppose un échange interdialectal et interlingual des messages et crée généralement des agrégats et des interactions d'ordre multidialectal et parfois multilingue dans le parler des individus et même de groupes entiers. Une comparaison exacte entre la compétence, habituellement supérieure, du sujet comme auditeur et sa compétence plus restreinte comme locuteur est une tâche qui relève de la linguistique mais qui est souvent négligée (cf. 111 ; 278).

Les forces centrifuges et centripètes des dialectes territoriaux et sociaux sont déjà depuis plusieurs dizaines d'années un des thèmes favoris de la linguistique mondiale. L'application récente de l'analyse structurale aux enquêtes de dialectologie sociale faites sur le terrain (151 ; 152) dénonce une fois de plus le mythe des groupes linguistiques homogènes, montre que les locuteurs ont conscience des variations, des distinctions et des changements du modèle linguistique et apporte ainsi de nouvelles illustrations à notre thèse selon laquelle le métalangage est un facteur intralinguistique essentiel.

La nécessité de faire face aux problèmes de normalisation et de planification (103, 104 ; 266) et, par là, de mettre un terme aux dernières survivances superstitieuses de la théorie de néogrammairiens sur la non-ingérence dans la vie du langage — « Abandonnez votre langue à elle-même » (98) — est une des tâches urgentes de la linguistique, étroitement liée à l'accroissement progressif du rayon de la communication.

Un rapide examen des thèmes récents de la socio-linguistique et de l'ethnolinguistique (cf. en particulier 122, 96, 27, 166, 44, 95, 78, 80) montre que toutes ces questions requièrent une analyse strictement et proprement linguistique et comprennent une part pertinente et inaliénable de linguistique proprement dite. William Bright souligne avec perspicacité le dénominateur commun de ces programmes : « La *diversité* linguistique est précisément l'objet de la sociolinguistique » (27, p. 11 ; cf. 120). Cependant, cette même diversité peut être considérée comme l'objectif principal de la pensée linguistique internationale dans ses efforts pour dépasser le modèle saussurien de la langue

considérée comme un système statique et uniforme de règles
obligatoires et substituer à cette construction simpliste et artificielle l'idée dynamique d'un code diversifié, convertible et
adaptable aux différentes fonctions du langage et aux facteurs
d'espace et de temps, tous deux exclus de la conception saussurienne. Tant que cette conception étroite aura ses adeptes,
il nous faudra répéter inlassablement que toute réduction de la
réalité linguistique peut aboutir à des conclusions scientifiques
précieuses à condition de ne pas prendre le cadre volontairement restreint et artificiel de la besogne expérimentale pour
la réalité linguistique totale.

Puisque les messages verbaux analysés par les linguistes sont
liés à la communication de messages non verbaux ou à l'échange
de biens ou de partenaires sexuels, la recherche linguistique
doit être complétée par une étude sémiotique et anthropologique
plus étendue. Comme l'avait prévu Trubetzkoy dans une lettre
de 1926 (cf. 273), l'objet de la science générale de la communication est de montrer, pour reprendre les termes de Bright,
« la covariance systématique de la structure linguistique et
de la structure sociale » (27). Ou, comme l'a écrit Benveniste,
« le problème sera bien plutôt de découvrir la base commune
à la langue et à la société, les principes qui commandent ces
deux structures, en définissant d'abord les unités qui dans
l'une et dans l'autre se prêteraient à être comparées, et d'en
faire ressortir l'interdépendance » (14, p. 15).

Lévi-Strauss envisage ainsi la voie dans laquelle s'engagera
cette future recherche interdisciplinaire : « Nous sommes
conduits, en effet, à nous demander si divers aspects de la vie
sociale (y compris l'art et la religion) — dont nous savons déjà
que l'étude peut s'aider de méthodes et de notions empruntées
à la linguistique — ne consistent pas en phénomènes dont la
nature rejoint celle même du langage (...). Il faudra pousser
l'analyse des différents aspects de la vie sociale assez profondément pour atteindre un niveau où le passage deviendra possible de l'un à l'autre ; c'est-à-dire élaborer une sorte de code
universel, capable d'exprimer les propriétés communes aux
structures spécifiques relevant de chaque aspect. L'emploi de ce
code devra être légitime pour chaque système pris isolément,
et pour tous quand il s'agira de les comparer. On se mettra
ainsi en position de savoir si l'on a atteint leur nature la plus
profonde et s'ils consistent ou non en réalités du même type »
(160, p. 71). Il envisage un « dialogue » avec les linguistes
sur les relations entre langue et société (p. 90). On se souvient
que Durkheim avait compris la supériorité croissante de la
linguistique sur les autres sciences sociales et qu'il avait pater-
nellement conseillé la constitution d'une sociologie linguistique

(cf. 4). Jusqu'à présent, cependant, ce sont les linguistes qui ont fait les premiers pas ; je mentionnerai, par exemple, les tentatives faites autour de 1930 dans la littérature linguistique russe pour établir une corrélation entre le langage et les problèmes socioculturels (cf. 282, 220, 123). Les sociologues admettent cette « dure vérité » que la conscience des faits du langage peut faire plus pour la sociologie que la sociologie pour les études linguistiques et que l'insuffisance de leur formation proprement linguistique empêche les spécialistes des sciences sociales de porter un intérêt fructueux au langage (166, pp. 3-6).

Le rayon variable de la communication, le problème du contact entre les communicants (« communication et transport ») que Parsons définit ingénieusement comme l'aspect écologique des systèmes, suggèrent certaines correspondances entre le langage et la société. Ainsi, l'étonnante homogénéité dialectale des langues parlées par les nomades est manifestement liée à l'étendue du territoire qu'ils parcourent. Dans les tribus de chasseurs, les hommes restent longtemps séparés de leurs femmes, mais en contact étroit avec leur proie. Il en résulte un dimorphisme sexuel appréciable de la langue, renforcé par les multiples interdits qui amènent les chasseurs à modifier leur parler pour ne pas être compris des animaux.

Entre la psychologie et la linguistique ou, d'une manière plus générale, entre la psychologie et les sciences de la communication, il existe une relation assez différente de celle que nous avons décelée entre les trois cercles concentriques mentionnés ci-dessus : communication des messages verbaux, communication de messages en général, communication en général. La psychologie du langage ou, comme on dit aujourd'hui, la « psycholinguistique », terme traduit du vieux composé allemand *Sprachpsychologie,* a derrière elle une longue tradition, en dépit de certaines affirmations réitérées (cf. 202) selon lesquelles les psychologues seraient jusqu'à ces derniers temps restés indifférents au langage et les linguistes à la psychologie. Blumenthal a raison de dire que cette croyance répandue « est démentie par les faits » (20) mais lui non plus ne s'est pas rendu compte de la véritable portée et de la longévité de ces recherches interdisciplinaires. Dans l'histoire mondiale de la science depuis le milieu du XIXe siècle, il serait difficile de désigner une école de psychologie qui ne se soit pas efforcée d'appliquer ses principes et ses méthodes aux phénomènes linguistiques et qui n'ait pas produit d'œuvre représentative consacrée au langage. Inversement, toutes ces doctrines successives ont marqué profondément les tendances de la linguistique contemporaine. Certes, la linguistique moderne a oscillé entre des manifestations de vive attirance pour la psychologie et des moments de répulsion non moins vive, et ces éclipses temporaires s'expliquent par plusieurs raisons.

Au premier tiers du xxᵉ siècle, au moment où la notion de structure faisait son entrée dans la science du langage, le besoin se fit fortement sentir d'appliquer aux problèmes de langue des critères strictement et exclusivement linguistiques. Saussure, bien qu'il souhaitât vivement établir un lien entre les deux disciplines en question, a mis ses élèves en garde contre une dépendance excessive de la linguistique à l'égard de la psychologie et il a insisté expressément sur la nécessité de délimiter les deux domaines avec la plus grande précision (91, p. 52). La phénoménologie de Husserl, avec sa lutte contre une hégémonie des explications psychologistes de jadis, a aussi joué un rôle considérable, étant donné l'influence exercée par le philosophe sur la pensée internationale entre les deux guerres. Enfin les linguistes s'en sont plaint et, comme Sapir, en particulier, l'a souligné, la plupart des psychologues de son temps étaient encore trop peu conscients « de l'importance fondamentale du symbolisme dans le comportement » ; il a prédit qu'une étude sur le symbolisme spécifique du langage contribuerait « à enrichir la psychologie » (241, p. 163).

L'attente de Sapir fut rapidement comblée par le traité de Karl Bühler (37), qui reste probablement pour les linguistes l'ouvrage le plus riche de tous ceux qui traitent de psychologie du langage. Pas à pas, mais avec des reculs fréquents, les psychologues s'occupant du langage commencèrent à percevoir que les opérations mentales liées au langage et à la sémiotique sont essentiellement différentes de tous les autres phénomènes psychologiques. Il devint de plus en plus évident qu'il fallait acquérir une connaissance solide des fondements de la linguistique. Cependant, les avertissements strictement préliminaires adressés par George Miller aux psychologues pour qu'ils s'engagent plus avant dans l'étude de cette science complexe, gardent toute leur valeur (197, 196). Mais les psychologues doivent prendre garde de ne pas oublier l'importance égale des études sur la signification des contextes et sur celle de leurs composants considérés en eux-mêmes (par exemple phrases et mots). Les touts et les parties se déterminent mutuellement. L'avis de Peirce demande de plus en plus à être compris et suivi : « the proper significate outcome of a sign » (212), c'est-à-dire son signifié, que Peirce propose de nommer *interpretant,* est défini comme « all that is explicit in the sign itself apart from its context and circumstances of utterance » (V, § 473). Dans son essai de 1868, Peirce enseigne qu'autant qu'il ne s'agisse pas d'homonymes chaque mot n'a qu'une signification générale (*significatio*), tandis que ses significations contextuelles (*sup-*

positiones) sont variées et il soutient la priorité de la signification générale par un beau renvoi à la logique médiévale :
« Unde significatio prior est suppositione et differunt in hoc
quia significatio est vocis, suppositio vero est termini jam
compositi ex voce et significatione » (V, § 320).

Le nombre sans cesse croissant de publications instructives
(cf. en particulier : 206, 207, 169, 158, 255, 256) doit stimuler
un débat animé entre psychologues et linguistes. Des questions importantes comme les aspects intérieurs de la parole
ou les « stratégies mentales » des interlocuteurs appellent une
expérimentation et une élucidation psychologiques. Parmi les
questions pertinentes en partie étudiées par les psychologues
et en partie demeurées sans réponse, on peut citer la pro-
grammation et la perception de la parole, l'attention et la fatigue
de l'auditeur, la redondance en tant qu'antidote du bruit psychologique, la mémoire immédiate et la synthèse simultanée, la
rétention et l'oubli de l'information verbale, la mémoire génératrice et perceptrice du code verbal, l'intériorisation de la
parole, le rôle des différents types mentaux dans l'apprentissage
de la langue, la corrélation entre l'état préverbal et l'acquisition
du langage d'une part, et différents niveaux de développement
intellectuel d'autre part, et, inversement, les rapports entre
les troubles du langage et les déficiences intellectuelles, enfin,
l'importance du langage pour les opérations intellectuelles par
rapport au stade pré-verbal.

Les autres formes de communication sémiotique et la communication en général, posent, *mutatis mutandis,* des problèmes
psychologiques analogues. Dans tous ces cas, un domaine
nettement délimité s'offre à l'intervention féconde du psychologue et, aussi longtemps que les spécialistes de la psychologie
ne s'immiscent pas dans le secteur proprement linguistique de
la forme et de la signification verbales en appliquant des critères et des méthodes qui lui sont étrangers, la psychologie
et la linguistique peuvent et doivent tirer un réel profit d'un
enseignement mutuel. Il ne faut cependant jamais oublier que
les procédés et les concepts verbaux — en d'autres termes,
tous les signifiants et tous les signifiés, dans leurs interrelations — exigent tout d'abord une analyse et une interprétation
purement linguistique. Il arrive encore que l'on essaie de remplacer les opérations linguistiques indispensables par une analyse quasi psychologique, mais ces tentatives sont vouées à
l'échec ; tel est le cas du volumineux travail d'érudition de
Kainz, dont le plan de grammaire psychologique, « discipline
explicative et interprétative » que l'auteur oppose à la grammaire
linguistique jugée purement descriptive et historique, révèle une
conception manifestement erronée de la portée et des buts de

l'analyse linguistique (144, I, p. 63). Quand il prétend, par
exemple, que, de l'emploi des conjonctions dans une langue
donnée, le psychologue peut déduire « die Gesetze des
Gedankenaufbaus » (les lois de la construction de la pensée)
(p. 62), l'auteur montre qu'il ignore les principes fondamentaux
de la structure et de l'analyse linguistiques. De même, aucun procédé psychologique ne peut remplacer l'analyse structurale
rigoureuse et circonstanciée de l'apprentissage progressif, quotidien, du langage par l'enfant ; une telle étude exige l'application attentive d'une technique et d'une méthodologie purement
linguistiques, mais il va de soi que le psychologue est appelé
à établir une corrélation entre les résultats de cette enquête
linguistique et le développement générale de la mentalité et du
comportement de l'enfant (cf. 192).

La science de la communication, à chacun de ses trois
niveaux, a affaire aux règles et rôles multiples de la communication, aux rôles de ceux que la communication associe et aux
règles de leur association, tandis que la psychologie s'occupe
des associés eux-mêmes, de leur nature, de leur personnalité
et de leur statut interne. La psychologie du langage a essentiellement pour objet de caractériser scientifiquement les utilisateurs
du langage et, par conséquent, loin d'empiéter sur leurs domaines
respectifs, ces deux disciplines de l'activité verbale se complètent
utilement. Les deux dangers mutuellement opposés sont en
même temps présents dans les travaux des linguistes : l'absence
de tout intérêt pour la psychologie et la conviction plus que
naïve que la linguistique n'est qu'une province de la psychologie.

Comme exemples typiques de la tendance à envisager d'un
point de vue psychologique les réalisations linguistiques et leurs
exécutants, on peut citer les efforts de la psychanalyse pour
découvrir le fond le plus intime du langage en provoquant
la verbalisation du non-verbalisé, les expériences subliminales,
l'extériorisation du langage intérieur et la théorie comme la
thérapeutique peuvent être stimulées par les efforts de Lacan,
qui visent à réviser et à réinterpréter la corrélation entre le
signifiant et le signifié dans l'expérience linguistique du patient
(153 ; cf. 230). Si la linguistique guide l'analyste, les considérations de ce dernier sur la « suprématie du signifiant » peuvent
à leur tour approfondir les idées du linguiste sur la double
nature des structures verbales. L'application linguistique des
lois de contiguïté et de similarité dans leur dichotomie et dans
leurs syncrétismes (141), renforcée par la psychanalyse et par
la psychologie phénoménologique, crée de nouvelles suggestions
et perspectives dans les études psychologiques et ethniques sur
la magie (cf. 190, 56 sqq.).

III. La linguistique et les sciences naturelles

Quand nous quittons les sciences proprement anthropologiques pour la biologie, science de la vie qui embrasse la totalité du monde organique, les différents types de communication humaine ne sont plus qu'une simple parcelle d'un domaine d'études beaucoup plus vaste, que nous appellerons les modes et les formes de communication utilisés par les multiples êtres vivants. Nous sommes placés devant une dichotomie décisive : non seulement, la langue, mais tous les systèmes de communication utilisés par les sujets parlants (et impliquant tous le rôle sous-jacent du langage) diffèrent notablement des systèmes de communication utilisés par les êtres qui ne sont pas doués de la parole, parce que, chez l'homme, chaque système de communication est en corrélation avec le langage et que, dans le réseau général de la communication humaine, c'est le langage qui occupe la première place.

Les signes verbaux se distinguent nettement de tous les types de messages animaux par plusieurs propriétés essentielles : le pouvoir d'imagination et de création propre au langage ; son aptitude à manier les abstractions et les fictions et à traiter d'objets et de faits éloignés dans l'espace et dans le temps, contrairement au *hic et nunc* des signaux émis par les animaux ; la hiérarchie structurale des éléments constitutifs du langage, appelée « double articulation » par D. Bubrix, dans sa pénétrante étude de 1930 sur l'unicité et l'origine du langage humain (35), à savoir la division entre unités proprement distinctives (phonématiques) et unités significatives (grammaticales) et de plus une subdivision non moins essentielle du système grammatical en mots et phrases (entités codées et matrices codées) ; l'emploi de dirèmes, notamment de propositions, enfin l'enchaînement et la hiérarchie réversible de diverses fonctions et opérations verbales (fonctions référentielle, conative, émotive, phatique, poétique, métalinguistique). Le concept de la double articulation remonte jusqu'à la doctrine médiévale *de modis significandi* avec son idée nette des deux articulations distinctives — *prima et secunda* — qu'on trouve déjà chez Jordanus de Saxe au début du XIIIᵉ siècle. Le nombre de signaux distincts émis par un animal est très limité, de sorte que la totalité des différents messages équivaut à leur code. Ces particularités de structure qui appartiennent à tout langage humain sont totalement inconnues des animaux, alors que quelques autres propriétés jadis considérées comme les attributs exclusifs de la parole humaine sont aujourd'hui décelées également chez plusieurs espèces de primates (5). Quant aux tentatives d'enseigner à des anthropoïdes un succédané visuel du langage humain, elles nous donnent des preuves magnifiques du gouffre béant entre les opérations linguistiques humaines et le primitivisme sémiotique des singes ; et, de plus, l'emploi du « lexique » en question est imposé à la bête captive par le dresseur et se limite aux rapports entre l'homme et l'animal apprivoisé (219).

Le passage de la « zoosémiotique » à la parole humaine est un gigantesque saut qualitatif, contrairement à la vieille croyance behavioriste selon laquelle il existerait une différence de degré et non de nature entre le langage de l'homme et le « langage » de l'animal (cf. 248, 249). En revanche, nous ne pouvons approuver les objections soulevées récemment par des linguistes contre « l'étude des systèmes de communication animale dans le même cadre que le langage humain », objections fondées sur une absence probable « de continuité au sens évolutionniste entre les grammaires des langues humaines et les systèmes de communication animale » (53, p. 73). Mais aucune révolution, si radicale soit-elle, ne supprime la continuité de l'évolution ; et une comparaison systématique du langage et des autres structures et activités sémiotiques de l'homme avec les données éthologiques sur les moyens de communication de toutes les autres espèces permettra de délimiter plus strictement ces deux domaines distincts (32 ; 296, 300), et d'approfondir l'étude de leurs homologies et de leurs non moins importantes différences. Cette analyse comparative permettra d'élargir encore la théorie générale des signes.

Jusqu'à une époque récente, les observations et descriptions de la communication animale étaient la plupart du temps très négligées et les données recueillies étaient généralement fragmentaires, non systématiques et superficielles. Actuellement, nous disposons de données beaucoup plus riches et rassemblées avec beaucoup plus de soin et de compétence, mais dans bien des cas, la précieuse documentation recueillie au cours d'un travail assidu sur le terrain souffre d'une interprétation quelque peu anthropomorphique. Tel est le cas, par exemple, à propos des cigales, dont les messages, malgré les efforts excessifs déployés pour leur attribuer une différenciation sémiotique élevée, se composent en réalité de craquètements utilisés comme signaux à distance et de bourdonnements de courte portée ; ces deux variétés de signaux se combinent en stridulations quand l'appel est adressé à la fois à des destinataires proches et à des destinataires éloignés (3).

L'opposition traditionnelle entre langage humain et communication animale envisagée comme une opposition entre phé-

nomènes culturels et phénomènes naturels résulte d'une simplification grossièrement exagérée. La dichotomie *nature-culture*
(68, p. 55) pose un problème d'une extrême complexité. La
manière dont se constitue la communication animale implique,
selon Thorpe, « l'intégration poussée d'éléments innés et d'éléments acquis », comme le prouvent les vocalisations d'oiseaux-
chanteurs séparés de leurs congénères alors qu'ils sont encore
dans l'œuf et qu'ils sont non seulement élevés dans un isolement total mais même, dans certaines expériences, rendus sourds
(271, 269, 270). Ils exécutent encore le schéma inné du chant
propre à l'habitude de leur espèce ou même au dialecte de la
sous-espèce ; la structure de ce chant « n'est pas fondamentalement modifiée » et après des essais progressifs, elle peut subir
quelques corrections. Si l'ouïe est laissée intacte et que l'oiseau
retourne dans son milieu d'origine, la qualité de son exécution
s'améliore et son répertoire peut s'enrichir mais tous ces phénomènes ne se produisent que pendant la période de maturation ; ainsi le ramage d'un pinson ne peut ni se modifier ni
s'enrichir quand il a dépassé treize mois. Plus on descend dans
l'échelle des êtres organisés, plus la nature l'emporte sur l'éducation, mais même les animaux inférieurs sont capables d'apprendre (183, p. 316). Comme l'affirme Galambos, l'apprentissage est commun, par exemple, « au poulpe, au chat et à
l'abeille, bien que leurs systèmes nerveux soient très différents »
(85, p. 233).

L'acquisition du langage par un enfant est, elle aussi, soumise à l'action conjuguée de la nature et de l'éducation. L'in-
néité est la base nécessaire de l'acculturation. Cependant, le
rapport entre les deux facteurs est inversé : chez l'enfant, c'est
l'acquisition qui est le facteur déterminant et, chez les oisillons
ou les autres jeunes animaux, c'est l'hérédité. L'enfant ne peut
commencer à parler s'il n'a pas de contact avec des locuteurs,
mais aussitôt ce contact établi, quelle que soit la langue de son
milieu, il l'acquerra à condition qu'il n'ait pas dépassé sept ans
(178) alors que toute autre langue supplémentaire peut être
apprise aussi pendant l'adolescence ou la maturité. En d'autres
termes, l'apprentissage du système initial de communication,
aussi bien par les oiseaux ou autres animaux que par les
hommes, n'est possible qu'entre deux limites chronologiques
de maturation.

Ce phénomène troublant et le fait incontestable que la parole
est une propriété universelle et exclusive de l'homme exigent
une étude approfondie des préconditions biologiques du langage
humain. Bloomfield a tout à fait raison de rappeler que, parmi
les sciences, la linguistique se situe « entre la biologie d'une
part, et l'ethnologie, la sociologie et la psychologie d'autre

part » (19, p. 55). L'échec complet des tentatives mécanistes visant à transplanter des théories biologiques, comme celles de Darwin ou de Mendel, dans la science du langage (246 ; 88) ou à amalgamer des critères linguistiques et raciaux, ont amené pendant un certain temps les linguistes à se méfier d'une collaboration avec la biologie mais à l'heure actuelle, alors que l'étude du langage et celle de la vie ont fait des progrès constants et que l'une et l'autre ont à résoudre des problèmes nouveaux et d'une importance capitale, ce scepticisme n'est plus de mise. La recherche en question exige une coopération entre biologistes et linguistes, qui éviterait l'apparition prématurée de « théories biologiques du développement du langage » (comme 157) entreprises qui ignorent aussi bien les données purement linguistiques que l'aspect culturel du langage.

Dans leurs diverses opérations, le langage et les autres moyens de communication humaine présentent un grand nombre d'analogies instructives avec le transfert d'informations entre créatures appartenant à d'autres espèces vivantes. « La nature adaptative de la communication » sous ses multiples aspects, qui a été décrite dans son essence par Wallace et Srb (287, chap. X), met en jeu deux corrélations : l'adaptation de l'individu au milieu et l'adaptation du milieu aux besoins de l'individu. Elle pose véritablement l'un des problèmes biologiques « les plus passionnants » et revêt, *mutatis mutandis,* un intérêt capital pour la linguistique contemporaine. Les processus analogues dans la vie du langage et dans la communication animale méritent d'être rapprochés et soumis à une étude attentive et détaillée pour le plus grand profit de l'éthologie et de la linguistique. Entre les deux guerres, les spécialistes de ces deux disciplines qui se sont intéressés aux deux mêmes aspects de l'évolution : le rayonnement adaptatif et l'évolution convergente (138, I, pp. 107, 235) ont commencé à échanger leurs idées ; c'est à ce propos précisément que la notion biologique de mimétisme a attiré l'attention des linguistes. Inversement, divers types de mimétisme sont actuellement analysés par des biologistes en tant qu'actes de communication (287, pp. 88-91). La science du langage et la biologie étudient de plus en plus le développement divergent qui est le contraire de la tendance convergente dans la diffusion de la communication et qui agit comme une puissante contrepartie de la diffusion. L'éthologie offre des analogies frappantes avec ces manifestations habituelles de non-conformisme ou de particularisme linguistique (« esprit de clocher », suivant l'expression de Saussure). Les biologistes observent et décrivent ce qu'ils appellent des « dialectes locaux » qui différencient des animaux

d'une même espèce, les corbeaux ou les abeilles, par exemple ;
c'est ainsi que deux sous-espèces voisines et étroitement apparentées de lucioles émettent des signaux lumineux différents
pendant le vol nuptial (287, p. 88). Des témoignages de nombreux observateurs sur la dissimilitude des vocalisations exécu-
tées par les oiseaux d'une seule et même espèce dans des
« zones dialectales » différentes, Thorpe tire la déduction
qu' « il s'agit de véritables dialectes, qui ne correspondent pas
à des discontinuités génétiques ».

Au cours des cinquante dernières années, on a peu à peu
découvert un grand nombre de traits universels importants
dans la structure phonologique et grammaticale des langues. Il
est évident que, parmi les innombrables langues du monde, il
n'en est aucune dont les caractères structuraux iraient à l'encontre des aptitudes innées de l'enfant à les maîtriser au cours
d'un apprentissage progressif. Le langage humain est, comme
disent les biologistes, « spécifique de l'espèce ». Il existe chez
tous les enfants des dispositions, des tendances innées à
apprendre la langue parlée autour d'eux. Comme disait Gœthe,
« Ein jeder lernt nur, was er lernen kann » (chacun n'apprend
que ce qu'il peut apprendre) et aucune loi phonologique ou
grammaticale existante ne dépasse les capacités du novice. La
question de savoir dans quelle mesure le pouvoir hérité d'ap-
préhender, d'adapter et de s'approprier la langue des aînés
implique le caractère inné des universaux linguistiques est absolument vaine et relève de la pure spéculation. Il est évident
que les structures héritées et les structures acquises sont étroitement liées les unes aux autres, qu'elles s'influencent et se complètent mutuellement.

Comme tout système social plastique, qui tend à maintenir
son équilibre dynamique, le langage laisse clairement apparaître ses propriétés d'auto-régulation et d'auto-direction (154,
p. 73 ; 167). Les lois d'implication qui régissent la constitution
de la masse des universaux phonologiques et grammaticaux
et sous-tendent la typologie des langues sont dans une grande
mesure inhérentes à la logique interne des structures linguistiques et ne présupposent pas nécessairement d' « instructions
génétiques » spéciales. Il y a longtemps déjà que Korš, dans
son étude lumineuse sur la syntaxe comparée (147), a montré
que les constructions hypotaxiques et, en particulier, les propositions relatives sont loin d'être universelles et que, dans
bien des langues, ces propositions représentent une innovation
récente ; il n'en reste pas moins que chaque fois qu'elles apparaissent, elles se conforment toujours à certaines règles structurales identiques qui, présume Korš reflètent « certaines
lois générales de la pensée », ou, ajouterons-nous, sont inhé-

rentes à l'auto-régulation et à la dynamique propre de la langue.

Il est particulièrement intéressant de noter que les prétendues « limites strictes des variations » perdent leur caractère obligatoire dans les argots secrets ou bien ludiques — privés ou semi-privés — ainsi que dans les expériences poétiques personnelles ou les langages inventés. La découverte (226) récemment étayée et approfondie (159, 93, 251, 194 ; cf. 71) a ouvert une voie nouvelle en révélant les lois structurales rigides qui n'admettent qu'un nombre tout à fait limité de modèles et régissent la composition de tous les contes de fées transmis par la tradition orale des Russes (et d'autres peuples). Ces lois restrictives, cependant, ne s'appliquent pas à des créations individuelles comme les contes d'Andersen ou d'Hoffmann. Dans une certaine mesure, la rigueur des lois générales est due au fait que le langage et le folklore exigent l'un et l'autre le consensus du groupe et obéissent à une censure collective subliminale (22). C'est précisément l'appartenance à un « type strictement socialisé de comportement humain » qui, d'après Sapir, explique dans une grande mesure l'existence de ces « lois régulières que seul le naturaliste a l'habitude de formuler » (243 ou 241, p. 166).

« La nature adaptative de la communication », soulignée à juste titre par les biologistes modernes, est manifeste dans le comportement des organismes supérieurs et inférieurs qui s'adaptent les uns et les autres à leur milieu écologique ou qui, inversement, adaptent ce milieu à leurs besoins. L'un des exemples les plus frappants de l'aptitude à opérer des ajustements continus intenses est celui de l'enfant qui apprend sa langue par une imitation créatrice, auprès de ses parents et d'autres adultes, en dépit de l'allégation récente — et insoutenable — selon laquelle il n'aurait besoin de rien d'autre que d'une « certaine adaptation superficielle à la structure de leur comportement » (157, p. 378).

Le don que possède l'enfant d'acquérir un idiome quelconque comme première langue et, plus généralement peut-être, l'aptitude de l'homme, surtout dans sa jeunesse, à maîtriser des structures linguistiques étrangères, doivent découler tout d'abord des instructions codées dans la cellule germinale, mais cette hypothèse génétique ne nous autorise pas à conclure que, pour le petit apprenti, la langue des adultes n'est rien de plus qu'une « matière brute » (157, p. 375). Par exemple, aucune des catégories morphologiques du verbe russe — personne, genre, nombre, temps, aspect, mode, voix — n'appartient aux universaux du langage et les enfants, ainsi qu'il ressort d'observations et d'études abondantes et précises, déploient progressivement tous leurs efforts pour saisir ces procédés et concepts grammaticaux et pour pénétrer pas à pas dans tout le dédale du code des adultes. Le débutant recourt à tous les expédients indispensables pour parvenir à la maîtrise de la langue : simplification initiale par sélection des éléments qui lui sont le plus accessibles, degré progressif d'approximation du code total, expérimentation avec des gloses métalinguistiques, formes diverses de coopération entre enseignant et enseigné et demandes insistantes d'apprentissage et d'instruction (97, 145), tout contredit absolument les références naïves à « l'absence de tout besoin d'enseignement de la langue » (157, p. 379) ou aux parents n'ayant aucun moyen d'expliquer la langue à leurs enfants. Or, la question du patrimoine génétique se pose dès que l'on aborde les bases mêmes du langage humain.

Les découvertes spectaculaires faites ces dernières années dans le domaine de la génétique moléculaire sont présentées par les chercheurs eux-mêmes dans des termes empruntés à la linguistique et à la théorie de l'information. Le titre de l'ouvrage de George et Muriel Beadle *The Language of Life,* n'est pas une simple expression figurée, et l'extraordinaire degré d'analogie entre le système de l'information génétique et celui de l'information verbale justifie pleinement la thèse directrice de cet ouvrage : « Le déchiffrement du code de l'ADN a révélé que nous possédons un langage beaucoup plus ancien que les hiéroglyphes, un langage aussi ancien que la vie elle-même, un langage qui est le plus vivant de tous » (9, p. 207).

Les derniers travaux sur le déchiffrement progressif du code de l'ADN et en particulier les rapports de F.H.C. Crick (59) et de C. Yanofsky (294) sur « le langage quadrilatère inscrit dans les molécules de l'acide nucléique », nous apprennent en réalité que toute l'information génétique, dans tous ses détails et dans toute sa spécificité, est contenue dans des messages moléculaires codés, à savoir dans leurs séquences linéaires de « mots du code » ou « codons ». Chaque mot comprend trois sous-unités de codage appelées « bases nucléotides » ou « lettres » de l' « alphabet » qui constituent le code. Cet alphabet comprend quatre lettres différentes « utilisées pour énoncer le message génétique ». Le « dictionnaire » du code génétique comprend 64 mots distincts qui, eu égard à leurs éléments constitutifs, sont appelés « triplets », car chacun d'eux forme une séquence de trois lettres ; soixante et un de ces triplets ont une signification propre et les trois autres ne sont apparemment utilisés que pour signaler la fin d'un message génétique.

Dans sa leçon inaugurale au Collège de France, François Jacob décrit de façon vivante la stupéfaction du savant qui découvre cet alphabet nucléique : « A l'ancienne notion du gène, structure intégrale que l'on comparait à la boule d'un chapelet, a donc succédé celle d'une séquence de quatre éléments répétés par permutations. L'hérédité est déterminée par un message chimique inscrit le long des chromosomes. La surprise, c'est que la spécificité génétique soit écrite, non avec des idéogrammes comme en chinois, mais avec un alphabet comme en français, ou plutôt en morse. Le sens du message provient de la combinaison des signes en mots et de l'arrangement des mots en phrases. (..) *A posteriori*, cette solution apparaît bien comme la seule logique. Comment assurer autrement pareille diversité d'architectures avec une telle simplicité de moyens ? » (128, p. 22). Nos lettres étant de simples substituts de la structure phonématique de la langue et l'alphabet morse n'étant qu'un substitut secondaire des lettres, il vaut mieux comparer directement les sous-unités de code génétique aux phonèmes. Par conséquent, nous pouvons affirmer que, de tous les systèmes transmetteurs d'information, le code génétique et le code verbal sont les seuls qui soient fondés sur l'emploi d'éléments discrets qui, en eux-mêmes, sont dépourvus de sens mais servent à constituer les unités significatives minimales, c'est-à-dire des entités dotées d'une signification qui leur est propre dans le code en question. Confrontant l'expérience des linguistes et celle des généticiens, Jacob a déclaré avec pertinence que, « dans les deux cas, il s'agit d'unités qui en elles-mêmes sont absolument vides de sens mais qui, groupées de certaines façons, prennent un sens qui est, soit le sens des mots dans le langage, soit un sens au point de vue biologique, c'est-à-dire pour l'expression des fonctions qui sont contenues, qui sont « écrites » le long du message chimique génétique » (130).

La similitude de structure de ces deux systèmes d'information va cependant beaucoup plus loin. Toutes les corrélations entre phonèmes sont décomposables en plusieurs oppositions binaires des traits distinctifs irréductibles. D'une manière analogue, les quatre « lettres » du code nucléique : thymine (T), cytosine (C), guanine (G) et adénine (A) se combinent en deux oppositions binaires (voir 201, p. 13 ; 82 ; 59, p. 167). Une relation de dimension (appelée « transversion » par Freese et Crick) oppose les deux pyrimidines T et C aux purines G et A qui sont plus grandes. En revanche, les deux pyrimidines (T et C) et, également, les deux purines (G et A), sont l'une par rapport à l'autre dans une relation de « congruence réflexive » (289, p. 43), ou de « transition », selon la terminologie de Freese et Crick : elles présentent le donneur et le receveur dans deux ordres inverses. Ainsi T : G = C : A, et T : C = G : A. Seules les bases opposées deux fois sont

compatibles dans les deux chaînes complémentaires de la molé-
cule d'ADN : T est compatible avec A et C avec G.

Les linguistes et les biologistes ont une connaissance encore
plus claire du schéma strictement hiérarchique qui est le principe intégrateur fondamental des messages verbaux et génétiques. Comme l'a fait observer Benveniste, « une unité linguistique ne sera reçue telle que si on peut l'identifier *dans* une
unité plus haute » (14, p. 123), et il en va de même de l'analyse
du « langage génétique ». Le passage des unités lexicales aux
unités syntaxiques de degrés différents correspond au passage
des codons aux « cistrons » et « opérons », et les biologistes
ont fait le parallèle entre ces deux derniers degrés de séquence
génétique et les constructions syntaxiques ascendantes (229)
et les contraintes imposées à la distribution des codons à l'intérieur de ces constructions ont été appelées « syntaxe de la
chaîne ADN » (72). Dans le message génétique, les « mots »
ne sont pas séparés les uns des autres, tandis que les signaux
spécifiques indiquent le commencement et la fin de l'opéron
et les limites entre les cistrons à l'intérieur de l'opéron, et sont
appelés par métaphore « signes de ponctuation » ou « virgules »
(127, p. 1475). Ils correspondent en réalité aux procédés
démarcatifs utilisés dans la division phonologique de l'énoncé
en phrases et des phrases en propositions et en membres de
phrases (*Grenzsignale* de Trubetzkoy : 274). Si nous passons
de la syntaxe au domaine à peine exploré de l'analyse du discours, on constate, semble-t-il, certaines correspondances avec
la « macro-organisation » des messages génétiques et de ses
éléments constitutifs les plus élevés, les « réplicons » et les
« ségrégons » (229). Contrairement à divers langages formalisés, avec leur indépendance relative par rapport au contexte,
le langage naturel y est sensible et, en particulier, les mots
peuvent modifier leur signification selon le contexte. Les observations récentes sur les changements de sens des codons, selon
leur position dans le message génétique (56) font apparaître
une correspondance supplémentaire entre les deux systèmes.

La stricte « colinéarité » de la séquence temporelle dans
des opérations de codage et de décodage caractérise à la fois
le langage verbal et le phénomène fondamental de la génétique
moléculaire, la traduction du message nucléique en « langage
peptidique ». Là encore, nous rencontrons un concept et un
terme linguistiques tout naturellement empruntés par des biologistes qui, en confrontant les messages originaux avec leur
traduction peptidique, détectent les « codons synonymes ».
L'une des fonctions des synonymes verbaux dans la communication est d'éviter une homonymie partielle (c'est ainsi qu'on
substitue *ajuster* à *adapter* pour prévenir une confusion facile

entre ce dernier mot et son homonyme partiel *adopter,* cf. 57)
et les biologistes se demandent si une raison subtile analogue
ne pourrait pas expliquer le choix entre codons synonymes ;
« et cette redondance donne quelque souplesse à l'écriture de
l'hérédité » (128, p. 25).

La linguistique et les sciences qui lui sont apparentées traitent
principalement du circuit du discours et des formes analogues
d'intercommunication, c'est-à-dire des rôles alternants du des-
tinateur et du destinataire qui donne une réponse soit manifeste
soit au moins muette à son interlocuteur. Quant au traitement
de l'information génétique, il est dit irréversible ; « le mécanisme
de la cellule ne peut traduire que dans un seul sens » (59,
p. 56). Cependant, les circuits régulateurs découverts par les
généticiens — la répression et la rétro-inhibition (173, 199, 127,
191, chap. X) — semblent offrir une légère analogie sur le
plan moléculaire avec ce qu'est le dialogue pour le langage.
Tandis que l'interaction régulatrice au sein de « l'équipe physiologique » du génotype effectue un contrôle et une sélection
des instructions génétiques, acceptées ou rejetées, la transmission de l'information héréditaire à des cellules filles et à des
organismes à venir maintient un ordre unidirectionnel en forme
de chaîne. La linguistique est aujourd'hui aux prises avec des
problèmes très voisins. Les diverses questions liées à l'échange
d'informations verbales dans l'espace ont dissimulé le problème du langage comme testament et héritage ; le rôle temporel du langage, sa fonction programmatrice, orientée vers
l'avant qui assure un lien entre le passé et l'avenir, sont maintenant à l'ordre du jour. Il est intéressant de noter que l'éminent spécialiste russe de la biomécanique, N. Bernštejn, dans
sa « Conclusion » ultime de 1966 (16, p. 334), fait une comparaison suggestive entre les codes moléculaires qui « reflètent
les processus du développement et de la croissance future »
et « le langage en tant que structure psychobiologique et psycho-
sociale » dotée d'un « modèle prévisionnel ».

Comment interpréter tous ces caractères insomorphes entre
le code génétique, qui « apparaît comme essentiellement identique dans tous les organismes » (288, p. 386), et le modèle
architectonique qui sous-tend les codes verbaux de toutes les
langues humaines et qui, notons-le, n'est propre à aucun autre
système sémiotique qu'au langage naturel ou à ses substituts ?
La question de ces traits isomorphes devient particulièrement
instructive quand nous songeons qu'il n'existe rien d'analogue
dans aucun système de communication animale.

Le code génétique, première manifestation de la vie, et,
d'autre part, le langage, attribut universel de l'humanité, grâce
auquel elle accomplit son saut capital de la génétique à la civi-

lisation, sont les deux mémoires fondamentales où s'emmagasine l'information transmise par les ancêtres à leurs descendants, l'hérédité moléculaire et le patrimoine verbal, condition nécessaire de la tradition culturelle.

Les propriétés que nous avons décrites et qui sont communes au système d'information verbale et au système d'information génétique assurent à la fois une spéciation et une individualisation illimitée. Les biologistes affirment que l'espèce « est la clef de voûte de l'évolution » et que sans spéciation il n'y aurait pas de diversification du monde organique ni de rayonnement adaptatif (E. Mayr 191, p. 621 ; cf. Emerson 75 et 77) ; de même, les langues, avec leurs structures régulières, leur équilibre dynamique et leur pouvoir de cohésion, apparaissent comme les corollaires obligés des lois universelles qui régissent toute structure verbale. Si, en outre, les biologistes comprennent que la diversité indispensable de tous les organismes individuels, loin d'être fortuite, représente « un phénomène universel et nécessaire propre aux êtres vivants » (253, p. 386), les linguistes, quant à eux, reconnaissent le caractère créateur du langage dans la variabilité illimitée de la parole individuelle et dans la diversification infinie des messages verbaux. Pour la linguistique comme pour la biologie, « la stabilité et la variabilité résident dans la même structure » (173, p. 99) et s'impliquent réciproquement. Etant donné que « l'hérédité, elle-même, est essentiellement une forme de communication » (287, p. 91), et que l'architectonique universelle du code verbal est certainement un héritage moléculaire de tout *Homo sapiens,* il est légitime de se demander si l'isomorphisme de ces deux codes différents, le génétique et le verbal, s'explique par une simple convergence due à des besoins similaires ou si les fondements des structures linguistiques manifestes, plaquées sur la communication moléculaire, ne se seraient pas directement modelés sur les principes structuraux de celle-ci.

L'ordre héréditaire moléculaire n'a aucune incidence sur les diverses variables de la constitution formelle et sémantique de chaque langue. Le parler individuel a cependant un certain aspect qui nous permet de présumer la possibilité d'une dotation génétique. Outre l'information intentionnelle qui revêt des formes multiples, notre parole porte avec elle des caractéristiques inaliénables et inaltérables qui ont leur origine principale dans la partie inférieure de l'appareil phonateur, celle qui est située entre la région abdomen - diaphragme et le pharynx. La première étude de ces caractéristiques physionomiques a été faite par Edward Sievers, qui lui a donné le nom de *Schallanalyse* et l'a développée avec son disciple, l'ingénieux musicologue Gustav Becking, pendant le premier tiers de

notre siècle (252, 10). Il est apparu que tous les sujets parlants, ainsi que tous les écrivains et musiciens, appartiennent à
un des trois types de base (qui ont chacun leurs subdivisions)
exprimés dans l'ensemble du comportement extériorisé de tout
individu sous forme de courbes rythmiques spécifiques qui
ont, pour cette raison, reçu le nom de *Generalkurven* ou de
Personalkurven. On les a aussi appelées *Beckingkurven*, du
nom de Becking qui les a découvertes au cours de recherches
qu'il menait en collaboration avec Sièvers. Ces trois courbes
ont été définies de la manière suivante (10, p. 52) :

Coup principal	*Coup accessoire*
aigu	aigu (type Heine)
aigu	arrondi (type Gœthe)
arrondi	arrondi (type Schiller)

Si une personne appartenant à l'un de ces types doit réciter,
chanter ou jouer une œuvre d'un poète ou d'un compositeur
du même type kinesthétique, cette affinité renforce l'exécution,
mais si l'auteur et l'exécutant appartiennent à deux types totalement opposés, l'exécution se heurte à des inhibitions (*Hem-
mungen*). Il est apparu que ces trois types idiosyncrasiques
et leurs corrélations s'appliquent à toutes nos activités motrices :
mouvements corporels, manuels et faciaux, démarche, écriture,
dessin, danse, sport et sexualité. Les attractions et les répulsions entre les différents types jouent non seulement à l'intérieur
d'une sphère motrice donnée mais aussi entre les diverses
sphères. En outre, l'effet de certains stimuli auditifs et visuels
est lié à l'un des trois types moteurs et ces excitations peuvent
donc soit renforcer soit inhiber l'action comme on l'a expé-
rimenté sur des personnes auxquelles on a donné à lire les
mêmes poèmes en présence, alternativement, d'une silhouette
de fil de fer de même type puis de type opposé.

Dans le remarquable compte rendu récapitulatif qu'il a donné
de ces courbes personnelles, Sievers affirme que « ce sont les
traits les plus constants que l'on trouve chez un homme de
pensée et d'action : du moins, malgré de nombreuses années
de recherches, je n'ai jamais eu connaissance d'un cas où
un individu ait eu à sa disposition, dans sa production personnelle, plus d'une courbe de Becking, si riche que pût être
par ailleurs la gamme de ses variations possibles sur le champ
du son. (...) Il n'est pas douteux que les courbes de Becking
font partie du patrimoine *inné* de l'individu (comme j'ai pu
l'établir chez les nouveau-nés) et que, dans leur transmission
d'individu à individu, les lois générales de l'hérédité jouent un
rôle important, même s'il n'est pas exclusivement décisif. C'est
seulement ainsi que l'on peut comprendre que les tribus ou

même des peuples entiers ne se servent, d'une façon presque exclusive, que d'une seule et unique courbe de Becking » (252, p. 74). Le caractère inné des trois « courbes individuelles » paraît assez probable mais demande encore à être vérifié avec soin.

Ces travaux menés avec une très grande habileté et une intuition pénétrante par les deux chercheurs, mais dépourvus à l'origine de fondement théorique, ont malheureusement été interrompus ; ils pourraient et devraient être repris aujourd'hui à partir de principes méthodologiques nouveaux. L'essai de typologie psychophysique de Sievers et Becking devrait être rapproché de problèmes comme l'attraction et la répulsion sur le plan affectif et sexuel, les différences de type observées dans la progéniture de parents dissemblables et l'influence possible de ces variations sur les rapports entre parents et enfants. La question demeure ouverte de savoir si l'hérédité de ces éléments physionomiques, virtuellement esthétiques, du langage, peut trouver une application phylogénétique élargie.

C'est le physicien Niels Bohr qui a mis en garde à maintes reprises les biologistes contre la crainte de « notions comme celle d'intentionalité, étrangères à la physique mais se prêtant à la description de phénomènes organiques ». Il a diagnostiqué et pronostiqué que les deux attitudes — l'une mécaniste et l'autre prévisionnelle — « ne présentent pas de thèses contradictoires sur les problèmes biologiques mais soulignent plutôt le caractère mutuellement exclusif des conditions d'observation également indispensables dans notre recherche d'une description toujours plus riche de la vie » (23, p. 100). L'article-programme de Rosenblueth, Wiener et Bigelow sur le but et la téléologie (234), avec sa classification scrupuleuse du comportement tendant vers un but, constituerait, comme le reconnaît Campbell (42, p. 5), « une introduction utile » au livre de ce dernier — et, pourrait-on ajouter, à de nombreux autres ouvrages d'une importance capitale — sur l'évolution organique et notamment humaine.

La question d'orientation vers le but (*goal-directedness*) dans la biologie moderne présente une importance essentielle pour toutes les branches du savoir relatives aux activités organiques, et les opinions avancées peuvent servir à corroborer l'application stricte d'un modèle des rapports entre les moyens et leurs fins (*means-ends model*) au dessein de la langue et à son mécanisme d'auto-régulation qui lui permet de maintenir son intégrité et son équilibre dynamique (homéostatie), ainsi qu'à ses mutations (43, 76). Les mêmes étiquettes que celles qui étaient utilisées à l'ère préstructurale de la linguistique : « changements aveugles, dus au hasard, fortuits, aléatoires, lapsus acci-

dentels, erreurs multipliées, contingences », sont encore tenaces
dans les croyances et la phraséologie du biologiste ; et néanmoins des concepts aussi cardinaux que « l'objectif » (*purposive-
ness*), « l'anticipation », « l'initiative et la prévision » s'enracinent de plus en plus (62, p. 239 ; 270, ch. I). Wallace et Srb
reprochent aux efforts traditionnels déployés pour éviter toute
phraséologie téléologique et toute référence à un but d'être
entièrement périmés, étant donné que les problèmes en jeu
ne sont plus liés à une croyance quelconque en un « élan
vital » (287, p. 109). Selon Emerson, les biologistes sont
obligés « de reconnaître l'existence d'une orientation vers
les fonctions futures dans les organismes prémentaux comme
les plantes et les animaux inférieurs ». Il ne voit pas la nécessité
« de mettre le mot *but* (*purpose*) entre guillemets » (77,
p. 207) et soutient que « l'homéostasie et l'orientation vers
un but sont la même chose » (76, p. 162).

Pour les fondateurs de la cybernétique, « téléologie » était
synonyme du « but contrôlé par rétroaction » (234), et cette
conception a été largement développée par Waddington (285,
284) et Šmal'gauzen (264, 263) dans leurs travaux de biologie.
Comme l'a déclaré récemment le grand biologiste russe
N.A. Bernštejn, « de nombreuses observations et de nombreuses
données recueillies dans tous les secteurs de la biologie ont
déjà montré depuis longtemps qu'il existe un objectif (*purposive-
ness*) indiscutable dans les structures et les processus propres
aux organismes vivants. Cet objectif apparaît de façon frappante comme marquant une différence manifeste, peut-être
même décisive, entre les systèmes vivants et les objectifs inor-
ganiques quelconques. Appliqué à des objets biologiques, les
questions « comment ? » et « pour quelle raison ? », pleinement suffisantes en physique et en chimie, doivent être nécessairement complétées par une troisième question, également
pertinente, « dans quel dessin ? » (16, p. 326). « Seules des
deux concepts introduits par la biocybernétique, à savoir le
code et le modèle prévisionnel codé, notamment le modèle de
l'avenir, nous ont indiqué une voie matérialiste irréprochable
permettant de sortir de cette impasse apparente » (p. 327).
« Toutes les observations sur la formation de l'organisme, du
point de vue embryologique et ontogénétique comme du point
de point phylogénétique, montrent que l'être vivant, dans son
évolution et son activité, s'efforce d'atteindre le maximum de
nég-entropie compatible avec sa stabilité vitale. Une telle formulation du « but » biologique peut se passer de considération
psychologisante » (p. 328). « L'importance biologique nous
fait placer au premier rang la question indispensable et inévitable du but » (p. 331). Les découvertes sur l'aptitude des

organismes à construire et à assimiler des codes matériels qui reflètent les multiples formes d'activité et opérations extrapolatrices, depuis les tropismes jusqu'aux formes les plus complexes d'influence sur le milieu, permettent à Bernštejn, se fondant sur sa propre thèse, « de parler de la direction, de l'orientation, etc., vers un but de tout organisme quel qu'il soit, même peut-être des protistes », sans aucun risque de tomber dans un finalisme surnaturel (p. 309). Voir l'analyse mathématique des systèmes biologiques à destination spéciale dans les travaux de M.L. Cetlin, l'expert russe dans le domaine de la cybernétique (49).

George Gaylord Simpson, éminent biologiste de l'université Harvard, a revendiqué plus résolument encore l'état particulier qui revient à la science de la vie. « Les sciences physiques ont eu raison d'exclure la téléologie, qui pose en principe que la fin détermine les moyens, que le résultat est rétroactivement relié à la cause par un élément d'intention ou que l'utilité donne en tout cas une explication (254, p. 370). Mais, en biologie, il est non seulement légitime mais aussi nécessaire de poser des questions d'apparence téléologique — et d'y répondre — sur la fonction ou l'utilité pour les organismes vivants de tout ce qui existe et de tout ce qui se passe en eux » (p. 371). Simpson affirme à plusieurs reprises que « l'intentionalité des organismes est un fait incontestable » et que le réductionisme antitéléologique « omet l'élément *bios* de biologie » (253, p. 86). Auparavant, Jonas Salk, réexaminant la notion de téléologie, avait souligné que « les systèmes vivants doivent être considérés sous un autre angle que les systèmes non vivants ; l'idée de but non seulement s'applique aux systèmes vivants mais elle leur est essentielle ». Selon lui, « il est de la nature de l'organisme d'être orienté en fonction du changement qui se produit ». La nature intrinsèque de l'organisme influe sur l'étendue et la direction du changement qui peut intervenir ; le changement s'ajoute aux autres et tous ensemble ils paraissent être des « causes » vers lesquelles l'organisme qui se développe est attiré », et le mot « cause » dans ce contexte acquiert le sens philosophique de « fin » ou de « but » (239).

Selon la comparaison spirituelle de François Jacob, « longtemps le biologiste s'est trouvé devant la téléologie comme auprès d'une femme dont il ne peut se passer, mais en compagnie de qui il ne veut pas être vu en public. A cette liaison cachée, le concept de programme donne maintenant un statut légal » (129, p. 17).

S'appuyant sur l'exemple de l'astronomie scientifique qui a remplacé l'astrologie spéculative, Pittendrigh a proposé de substituer le mot « téléonomie » à celui de « téléologie », pour bien marquer que « la reconnaissance et la description de l'orientation vers une fin » est libérée de toute association fâcheuse avec le dogme métaphysique. Ce néologisme recouvrait l'idée que toute organisation reconnue comme étant caractéristique de la vie « est relative et orientée vers une fin », et que toute contingence est « le contraire de l'organisation » (218, p. 394). L'idée fut trouvée opportune (293), et, pour Monod, « la téléonomie, c'est le mot qu'on peut employer si, par pudeur objective, on préfère éviter finalité. Cependant, tout se passe comme si les êtres vivants étaient structurés, organisés et conditionnés en vue d'une fin : la survie de l'individu, mais surtout celle de l'espèce » (201, p. 9 ; cf. 200, chap. I). Monod décrit le système nerveux central comme « la plus évoluée des structures téléonomiques » et va jusqu'à interpréter l'apparition du système supérieur, spécifiquement humain, comme une conséquence de l'apparition du langage qui a transformé la biosphère en « un nouveau royaume, la noosphère, domaine des idées et de la conscience ». En d'autres termes, « c'est le langage qui aurait créé l'homme, plutôt que l'homme le langage » (201, p. 23).

Si la question de l'orientation vers un but est encore discutée en biologie, elle ne saurait faire de doute dès que nous abordons les êtres humains, les mœurs, les institutions, et en particulier le langage. Ce dernier, comme l'homme lui-même, selon l'heureuse formule de MacKay, « est un système téléologique, c'est-à-dire dirigé vers un but » (175 ; cf. 118). La croyance périmée selon laquelle « l'intentionalité ne peut logiquement être le mobile du développement du langage » (157, p. 378) fausse la nature même du langage et du comportement intentionnel de l'homme. Une fois de plus, c'est la thèse de Peirce qui guide les chercheurs (212) : « The being governed by a purpose or other final cause is the very essence of the physical phenomenon » (I, § 269). « To say that the future does not influence the present is untenable doctrine. It is as much as to say that there are no final causes, or ends. The organic world is full of refutations of that position » (II, § 86).

Les résurgences de la peur superstitieuse d'un modèle des rapports entre moyens et fins, qui tourmente encore quelques linguistes, sont les dernières survivances d'un réductionnisme stérile. A titre d'exemple curieux, nous citerons l'affirmation d'un linguiste pour qui, « dans la question de la place de l'homme dans la nature, il n'y a pas de place pour le mentalisme », puisque « l'homme est un animal et qu'il est soumis à toutes les lois de la biologie » et, enfin, « la seule hypothèse valable est celle du physicalisme », puisque « la vie est une partie du monde inorganique et qu'elle est soumise à toutes

les lois de la physique » (112, p. 136 ; 110). Ce préjugé quasi
biologique des linguistes est rejeté catégoriquement par les biologistes eux-mêmes. Au sujet de l'antimentalisme, ils nous
enseignent que, dans l'évolution de la nature humaine, « l'intelligence intègre la connaissance et lui donne une direction » ;
c'est un « processus mental intentionnellement orienté et conscient des moyens et des fins » (107, p. 367). Pour ce qui est
de l'animalisme, Dobzhansky condamne, comme étant un « spé-
cimen d'erreur génétique », l'idée plate selon laquelle l'homme
serait un simple animal. A propos du biologisme généralisé,
il nous rappelle que « l'évolution humaine ne peut être comprise comme un processus purement biologique, parce qu'à
côté de l'élément biologique il faut aussi tenir compte du facteur culturel (69, p. 18). Au physicalisme simpliste, Simpson
oppose que « les organismes ont en fait des caractéristiques
et des processus qui ne se retrouvent pas associés dans les
matières et les réactions non organiques » (254, p. 367). Si
la biologie a bien vu que les unités de l'hérédité sont discon-
tinues et, par conséquent, ne se mêlent pas, ce même linguiste,
fidèle à l'esprit de réductionnisme, s'efforce d'expliquer l'apparition des éléments discrets du code verbal par le « phénomène de la contamination » qui est pour lui « la seule (!)
explication logiquement (!) possible (!) » (112, p. 142).

L'ultime question phylogénétique de la linguistique, celle
de l'origine du langage, a été proscrite par la doctrine des néogrammairiens, mais actuellement l'apparition du langage doit
être confrontée avec les autres transformations qui ont marqué
le passage de la société préhumaine à la société humaine. Ce
rapprochement peut aussi fournir certaines indications pour
une chronologie relative. C'est ainsi qu'on a essayé d'élucider
la corrélation génétique entre le langage et les arts visuels
(35, 227). L'art figuratif semble impliquer le langage et les
vestiges artistiques les plus anciens fournissent à l'étude de
l'origine du langage un *terminus ante quem* plausible.

En outre, nous pouvons établir un lien entre trois universaux
parmi les phénomènes exclusivement humains : 1) la fabrication d'outils destinés à construire d'autres outils ; 2) l'apparition d'éléments phonématiques purement distinctifs, c'est-à-
dire dépourvus de sens mais utilisés pour construire des unités
significatives, à savoir des morphèmes et des mots ; 3) le tabou
de l'inceste, interprété d'une manière décisive par les anthropologues (177, 291, 164, 238) comme la condition *sine qua
non* d'un échange plus général de partenaires sexuels, donc
d'un élargissement de la parentèle et, par conséquent, de la
conclusion d'alliances économiques, coopératives et défensives.
En résumé, ce mécanisme sert à créer entre les hommes « une

solidarité qui transcende la famille » (209). En fait, ces trois innovations se traduisent toutes par l'introduction de purs auxiliaires, d'outils secondaires, qui servent à construire les outils primaires nécessaires à la fondation de la société humaine et de sa culture matérielle, verbale et spirituelle. L'idée d'outils secondaires repose sur un principe médiat abstrait et leur apparition sous les trois aspects mentionnés a dû être l'étape la plus importante du passage de l' « animalité » à l'esprit nettement humain. Les rudiments de ces trois attributs fondamentalement semblables ont dû prendre naissance à la même période paléontologique et les plus anciens spécimens d'outils mis au jour — comme les burins (205, p. 95) —, destinés à la fabrication d'autres outils, nous permettent d'assigner conjecturalement une époque à l'origine du langage. En particulier, le fait qu'un langage articulé est nécessaire pour formuler des règles qui délimitent, définissent et interdisent l'inceste et qui inaugurent l'exogamie (290) permet de préciser la place de l'apparition du langage dans la chaîne évolutive. Comme le dit le psychologue, « les distinctions entre les conjoints autorisés ou préconisés et les individus avec qui l'union est interdite comme étant « incestueuse » sont régies par un système de dénomination qui ne peut être appliqué que par un sujet capable d'utiliser le langage humain » (34, p. 75). On peut de même présumer l'importance du langage pour le développement et la diffusion de la fabrication d'outils.

La physiologie de la parole n'en est plus au stade primitif des données fragmentaires et morcelées et elle acquiert un caractère plus largement interdisciplinaire. Nous pourrions mentionner notamment à titre d'exemple significatif l'analyse détaillée du mécanisme de la parole par Žinkin (298) et les expériences fécondes menées en particulier dans les divers laboratoires du monde. Les phonéticiens doivent eux aussi tenir compte de la nouvelle interprétation biomécanique des mouvements programmés et contrôlés qui a été mise au point par Bernštejn et ses collaborateurs (16). L'étude des sons du langage en tant qu'ordres et actes moteurs orientés, en particulier du point de vue de leur effet auditif et du but qu'ils servent dans le langage, exige les efforts coordonnés des spécialistes de tous les aspects des phénomènes phoniques, depuis l'aspect biomécanique des mouvements articulatoires jusqu'aux subtilités d'une interprétation purement phonologique. Dès que ce travail d'équipe aura été mené à bien, l'analyse des sons du langage obtiendra des fondements entièrement scientifiques et répondra aux « exigences de l'invariance relativiste », condition méthodologique obligatoire de toute recherche moderne (23, p. 71).

Le neurologiste John Hughlings Jackson (1835-1911) fut

le premier à discerner et à accentuer l'aspect linguistique de l'aphasie. En examinant les différentes formes de la dissolution du langage, ce chercheur a réussi, dans des études variées parues entre 1866 et 1893 (126), à entrevoir la structuration de la langue avec une sagacité que les plus fins linguistes et psychologues de son temps pourraient parfois lui envier. Ainsi, par exemple, dans le premier de ses articles « On affections of speech from disease of the brain » (1878-79), on trouve en bas de page la note à retenir : « The so-called *idea* of a word, in contradistinction to *the* word, is itself a word subconsciously revived, or revivable, before the conscious revival or revivability of the same word, which latter, in contradistinction to the so-called *idea* of a word, is the so-called *word itself-the* word » (p. 168). Les remarques de Jackson sur les jeux de mots, rêves et troubles du langage comme diverses formes d'une « diplopie mentale » figurent parmi celles de ses nombreuses idées qui ont devancé son époque.

Les neurobiologistes et les linguistes d'aujourd'hui, en coopérant à l'étude comparative des diverses lésions du cortex et des troubles aphasiques qui en résultent, parviennent à élucider la relation entre l'organisme humain et ses aptitudes et activités verbales. Une analyse purement linguistique tend à discerner trois dichotomies correspondant aux six types d'aphasie définis par Luria (170) et confirmés par les observations d'autres neurobiologistes contemporains (105). La classification des troubles aphasiques établie d'après cette analyse fait apparaître un schéma de relations manifestement cohérent et symétrique et, quand nous rapprochons ce schéma strictement linguistique des données anatomiques, nous voyons qu'il coïncide avec la topographie des lésions cérébrales responsables des divers troubles (134, 225). La poursuite de ces travaux interdisciplinaires, « neurolinguistiques » sur le langage de l'aphasique et du psychotique ne peut qu'ouvrir de nouvelles perspectives à l'étude du cerveau et de ses fonctions ainsi qu'à la science du langage et des autres systèmes sémiotiques (cf. 70, 87, 171, 172, 186, 280). Les recherches en cours sur les opérations de déconnexion des hémisphères cérébraux (cf. 260 et 86) permettent d'escompter une connaissance plus approfondie des fondements biologiques du langage. De nouvelles études comparatives sur l'aphasie d'une part, et la graphie et l'alexie d'autre part, devraient éclairer le rapport entre le langage écrit et le langage parlé dans leurs convergences et divergences, tandis que des recherches parallèles sur les troubles du langage et autres formes d'« asémasie » (cf. 126, p. 159) telles que l'amusie ou les troubles des systèmes gestuels, feront avancer la sémiotique générale.

Nous ne savons presque rien encore du réseau interne de la communication verbale et en particulier de ce qui se passe dans le système nerveux lors de l'émission et de la perception des traits distinctifs ; il est permis d'espérer que la neurobiologie fournira prochainement une réponse à cette question dont l'intérêt est primordial pour la compréhension et l'étude ultérieure des unités linguistiques irréductibles. La supériorité de l'oreille droite dans la perception des traits distinctifs et de l'oreille gauche pour tous les stimulus non verbaux, démontrée par la recherche internationale des dernières années, a permis au *Boston Aphasia Research Center* d'observer l'identification et la discrimination relative de ces traits dans l'ouïe et dans la mémoire immédiate. La découverte des invariantes neurologiques, psychologiques et linguistiques dans la perception de la parole (cf. 33) devient une tâche responsable et, j'ose ajouter, vitale pour les diverses disciplines en question.

Les progrès de l'acoustique permettent de se faire une idée de plus en plus précise de la transmission de ces unités, mais la discrimination des invariants et des variables requiert l'aide de linguistes conscients de la complexité abstruse des systèmes phonologiques vus du dehors et de leur netteté intrinsèque ; il faut donc que les spécialistes des deux disciplines échangent plus systématiquement leurs informations pour que l'on saisisse plus complètement et plus clairement les lois universelles de la structure phonologique (137). Ces recherches sont particulièrement fécondes quand les résultats de l'analyse linguistique peuvent être mis en rapport avec les données psychophysiques, par exemple avec les découvertes de Yilmaz, qui vient de déceler une homologie structurale fondamentale non seulement entre les voyelles et les consonnes mais aussi entre les sons du langage que perçoit l'oreille de l'homme et les couleurs que voit son œil (295).

L'acoustique est la seule branche de la physique qui ait un objet commun avec la science du langage. Or, depuis le début du XX⁰ siècle, les réorientations progressives de la physique et de la linguistique ont, sur quelques points essentiels d'épistémologie, apporté des enseignements, et soulevé des questions, qui se trouvent être communs aux deux disciplines et méritent une étude concertée. F. de Saussure croyait encore que « dans la plupart des domaines qui sont objets de science, la question des unités ne se pose même pas, elles sont données d'emblée » (244, p. 23). Les linguistes pensaient alors que leur discipline était la seule où la définition des unités élémentaires soulevait des difficultés. Or des problèmes semblables se posent aujourd'hui dans divers secteurs de la connaissance. En physique des particules, par exemple, on se demande si les particules « élémentaires » qui constituent le noyau ne sont pas construites à partir d'unités discrètes encore plus petites appelées « quarks » et les principes qui sont à la base de ces controverses entre physiciens ou bien entre linguistes sont d'intérêt pour ces deux disciplines et aussi pour d'autres.

Certes, l'interaction entre l'objet observé et l'observateur et le fait que l'information reçue par ce dernier dépende de sa position relative — en d'autres termes, l'impossibilité de séparer le contenu objectif et le sujet observant — (23, pp. 30, 307) ont aujourd'hui des phénomènes reconnus par les physiciens et par les linguistes, mais il n'en reste pas moins qu'en linguistique toutes les conclusions nécessaires n'ont pas encore été tirées de cette prémisse essentielle et que, par exemple, les chercheurs se heurtent à des difficultés quand ils mêlent les points de vue respectifs du locuteur et de l'auditeur. L'application à la linguistique du principe de complémentarité de Niels Bohr avait déjà été jugée possible et souhaitable par son éminent compatriote, le linguiste Viggo Bröndal (29, p. 44), mais elle attend toujours un examen systématique. On pourrait citer bon nombre d'autres exemples de problèmes communs, théoriques et méthodologiques, comme les concepts de symétrie et d'antisymétrie qui prennent une place de plus en plus importante en linguistique et dans les sciences naturelles, la question du déterminisme « temporel » ou « morphique » et celle des fluctuations réversibles ou des changements irréversibles. Plusieurs questions essentielles intéressant à la fois les sciences de la communication et la thermodynamique, en particulier « l'équivalence de la nég-entropie et de l'information » (28) ouvrent des perpectives nouvelles (cf. l'aperçu clairvoyant de Schrödinger 247).

Aux termes du séminaire commun sur la physique et la linguistique que nous avons conduit avec Niels Bohr, au cours de sa visite au Massachussets Institute of Technology en 1957-58, nous étions parvenus à la conclusion que l'opposition entre la linguistique, discipline moins précise, et les sciences dites « exactes », notamment la physique, est injuste. En réalité, dans ces sciences « l'observation est essentiellement un processus irréversible » (23, p. 232), l'*information* que le physicien obtient du monde extérieur consiste simplement en « indices » à sens unique et, dans leur interprétation, il superpose à l'expérience son propre code de « symboles », accomplissant ainsi un « travail d'imagination » (pour reprendre l'expression de Brillouin : (28, p. 21) supplémentaire, tandis que, dans chaque collectivité des sujets parlants, le code de symboles verbaux existe et fonctionne en qualité d'instrument indispensable et efficace qui sert au processus réversible *d'intercommunication*.

Par conséquent, le chercheur réaliste qui participe virtuellement à cet échange de symboles verbaux ne fait que les traduire par un code de symboles métalinguistiques et peut donc atteindre un degré de vraisemblance plus élevé dans l'interprétation des phénomènes observés.

La science étant en fin de compte une représentation linguistique de l'expérience (117, p. 15), l'interaction entre les objets représentés et les instruments linguistiques de la représentation exige, quelle que soit la discipline considérée, un examen préalable de ces instruments. Cette tâche ne peut s'accomplir sans l'aide de la science du langage, ce qui, d'autre part, amène la linguistique à élargir la portée de ses opérations analytiques et synthétiques *.

SOURCES

1) *Actes du 1ᵉʳ Congrès international des linguistes, 10-15 avril 1928* (Leyde, 1928).

2) *Actes du 10ᵉ Congrès international des linguistes, Bucarest, 28 août - 2 septembre 1967* (Bucarest, 1969).

3) R.D. Alexander & T.E. Moore. « Studies on the Acoustical Behavior of Seventeen-Year Cicadas », *The Ohio Journal of Science*, LVIII (1958).

4) H. Alpert. *Emile Durkheim and Sociology* (New York, 1939).

5) S.A. Altmann. « The Structure of Primate Social Communication », *Social Communication among Primates*, réd. par S.A. Altmann (Chicago, 1967).

6) D.L. Arm (réd.). *Journeys in Science*. Albuquerque, 1967.

7) E. Arnold. « Zur Geschichte der Suppositionslehre », *Symposion - Jahrbuch für Philosophie*, III (Munich, 1952).

8) J. Baudouin de Courtenay. *Anthology*, réd. par E. Stankiewicz (Bloomington, Ind. - Londres, 1972).

9) G. Beadle & M. Beadle. *The Language of Life : An Introduction to the Science of Genetics* (New York, 1966).

10) G. Becking. *Der musikalische Rhythmus als Erkenntnisquelle* (Augsburg, 1928).

11) E.T. Bell. *The Development of Mathematics* (New York-Londres, 1945 ²).

12) E. Benveniste. « Nature du signe linguistique », *Acta Linguistica*, I (1939) et 14, chap. IV.

13) — *Origines de la formation des noms en indo-européen* (Paris, 1935).

14) — *Problèmes de linguistique générale* (Paris, 1966). — *Problems in General Linguistics* (Miami, Fl., 1971).

15) — « Sémiologie de la langue », voir 250, I-II (1969).

16) N. Bernštejn. *Očerki po fiziologii dviženij i fiziologii aktivnosti* (Moscou, 1966).

17) T. Bever, W. Weksel (réds.). *The Structure and Psychology of Language* (New York, 1968).

18) L. Bloomfield. *Language* (New York, 1933). Tr. fr. Janick Grazio, avant-propos de Fr. François, *Le Langage*, Payot, 1970.

19) — *Linguistic Aspect of Science* (Chicago, 1939).

20) A.L. Blumenthal. « Early Psycholinguistic Research », voir 17.

21) Bœthius Dacus. « Opera », *dans Corpus philosophorum danicorum medii aevi*, IV, V (1969, 1972).

22) P. Bogatyrev & R. Jakobson. « Die Folklore als eine besondere Form des Schaffens », *Donum Natalicium Schrijnen* (Nimègue-Utrecht, 1929) et 138, IV, pp. 1-15.

23) N. Bohr. *Atomic Physics and Human Knowledge* (New York, 1962). Tr. fr. *Physique atomique et connaissance humaine*, Gauthier-Villars, 1961.

24) E. Borel. *Leçons de la théorie des fonctions* (Paris, 1914 [2]).

25) G. Braga. *Comunicazione e società* (Milan, 1961).

26) F. Brentano. *Psychologie vom empirischen Standpunkt,* II (Leipzig, 1925).

27) W. Bright (réd.). *Sociolinguistics* (La Haye, 1966).

28) L. Brillouin. *Scientific Uncertainty and Information* (New York-Londres, 1964).

29) V. Bröndal. *Essais de linguistique générale* (Copenhague, 1943).

30) — « Linguistique structurale », *Acta Linguistica*, I (1939 et 29, pp. 90-97.

31) — « Structure et variabilité des systèmes morphologiques », *Scientia* (1935) et 29, pp. 15-24.

32) J. Bronowski. « Human and Animal Languages », *To Honor Roman Jakobson*, I (La Haye-Paris, 1967).

33) J.S. Bruner. « Mécanismes neurologiques dans la Perception », *Archives de Psychologie*, XXXVI (1957).

34) — *Toward a theory of Instruction* (New York, 1968).

35) D. Bubrix. « Neskol'ko slov o potoke reči », *Bjuleten'*, LOKFUN V (1930).

36) I.R. Buchler & H.A. Selby. *A formal Study of Myth* (Austin, 1968).

37) K. Bühler. *Sprachtheorie* (Iéna, 1934).

38) K. Burke. *The Rhetoric of Religion* (Boston, 1961).

39) G.L. Bursill-Hall. *Speculative Grammars of the Middle Ages* (La Haye-Paris, 1971).

40) M. Butor. *Les Mots dans la peinture* (Genève, 1969).

41) G. Calame-Griaule. *Ethnologie et langage* (Paris, 1965).

42) B.G. Campbell. *Human Evolution - An Introduction to Man's Adaptations* (Chicago, 1967 [2]).

43) W.B. Cannon. *The Wisdom of the Body* (New York, 1932).

44) A. Capell. *Studies in Socio-Linguistics* (La Haye, 1966).

45) J. G. H. de Carvalho. « Segno e significazione in João de São Thomas », *Portugiesische Forschungen der Gorresgesellschaft*, I : *Aufsätze zur portugiesischen Kulturgeschichte*, II (Munster, 1961).

46) E. Cassirer. « The Influence of Language upon the Development of Scientific Thought », *The Journal of Philosophy*, XXXIX (1942).

47) — « Structuralism in Modern Linguistics », *Word*, I (1945).

48) Cercle linguistique de Prague, « Thèses présentées au 1er Congrès des philologues slaves », *Travaux du Cercle linguistique de Prague*, I (1929). Réimprimé dans *Prague School Reader in Linguistics*, réd. par J. Vachek (Bloomington, Ind., 1964). Rééd. fr. *Le Cercle de Prague*, Seuil, 1969.

49) M.L. Cetlin. *Issledovanija po teorii avtomatov i modelirovaniju biologičeskix sistem* (Moscou, 1969).

50) N. Chomsky. *Cartesian Linguistics* (New York, 1966) ; *La linguistique cartésienne* (Paris, 1970).

51) — « The Formal Nature of Language », Appendice à 157.

52) — « Formal Properties of Grammars », *Handbook of Mathematical Psychology*, II, réd. par Luce, Bush, and Galanter (New York, 1963). Tr. fr. dans N. Chomsky et G. Miller, *L'Analyse formelle des langues naturelles*, Gauthier-Villars et Mouton, 1968.

53) — « The General Properties of Language », voir 198.

54) — *Language and Mind* (New York, 1968) ; *Le Langage et la pensée* (Paris, 1970).

55) — « On the Notion 'Rule of Grammar' », 143.

56) B.F.C. Clark & K.A. Marcker. « How Proteins Start », *Scientific American* CCXVIII (jan. 1968).

57) W.A. Coates. « Near-Homonymy as a Factor in Language Change », *Language*, XLIV (1968).

58) E. Coseriu. *Die Geschichte der Sprachphilosophie von der Antike bis zur Gegenwart*, I (Stuttgart, 1969).

59) F.H.C. Crick. « The Genetic Code », *Scientific American*, CCXI (oct. 1962) et CCXV (oct. 1966).

60) — « The Recent Excitement in the Coding Problem », *Progress in Nucleic Acid Research*, I (1963).

61) D. Čyževśkyj. « Phonologie und Psychologie », *Travaux du Cercle linguistique de Prague*, IV (1931).

62) C.D. Darlington. *The Evolution of Genetic Systems* (New York, 1958 2).

63) M. Davis (réd.). *The Undecidable - Basic Papers on Undecidable Propositions, Unsolvable Problems, and Computable Functions* (New York, 1965).

64) J.F. Delafresnaye (réd.). *Brain Mechanismes and Learning* — Colloque organisé par le Conseil des organisations internationales des sciences médicales (Oxford, 1961).

65) J. Derrida. *De la grammatologie* (Paris, 1967).

66) — « Sémiologie et grammatologie », *Information sur les sciences sociales*, VII (1968).

67) I. DeVore (réd.). *Primate Behavior* (New York, 1965).

68) T. Dobzhansky. *Heredity and the Nature of Man* (New York, 1964).

69) — *Mankind Evolving* (New Haven, Conn., 1962).

70) J. Dubois, L. Irigaray, P. Marcie, H. Hécaen. « Pathologie du langage », *Langages V* (1967).

71) A. Dundes. « From Etic to Emic Units in the Structural Study of Folktales », *Journal of the American Folklore Society*, LXXV (1962).

72) N. Eden. « Inadequacies of Neo-Darwinian Evolution as a Scientific Theory », *The Wistar Symposium Monograph V*, (juin 1967).

73) U. Eco. *La Structure absente* (Paris, 1971).

74) C.v. Ehrenfels. « Über Gestaltqualitäten », *Vierteljahrsschrift f. wissenschaftliche Philosophie*, XIV (1890).

75) A.E. Emerson. « The Evolution of Behavior among Social Insects », 231.

76) — « Homeostasis and Comparison of Systems », 24.

77) — « The Impact of Darwin on Biology », *Acta Biotheoretica*, XV, 4 (1962).

78) Ervin-Tripp. *Sociolinguistics*. Working Paper n° 3, Language-Behavior Research Laboratory (Berkeley, 1967).

79) « Ethnoscience », *Anthropological Linguistics* VII (1966).

80) J.A. Fishman (réd.). *Readings in the Sociology of Language* (La Haye-Paris, 1968).

81) M. Foucault, *Les Mots et les choses* (Paris, 1966).

82) E. Freese. « The Difference between Spontaneous and Base-Analogue Induced Mutations of Phage T4 », *Proceedings of the National Academy of Sciences*, XXXV (1958).

83) S. Fridman (éd.). *Tendances principales de la recherche dans les sciences sociales et humaines*, I (Paris-La Haye, 1970) ; *Main Trends of Research in the Social and Human Sciences*, I (Paris- La Haye, 1970).

84) C.C. Fries. « The Bloomfield 'School' », *Trends in European and American Linguistics 1930-1960*, réd. par C. Mohrmann *et al.* (Utrecht, 1961).

85) R. Galambos. « Changing Concepts of the Learning Mechanism », voir 64.

86) M.S. Gazzaniga. *The Bisected Brain* (New York, 1970).

87) N. Geschwind. « The Organization of Language and the Brain », *Science*, CLXX (1970).

88) J. van Ginneken. « La Biologie de la base d'articulation », *Journal de Psychologie*, XXX (1933).

89) S. Ginsburg. *The Mathematical Theory of Context-Free Languages* (New York, 1966).

90) T. Gladwin & W.C. Sturtevant (réds.). *Anthropology and Human Behavior* (Washington, D.C., 1962).

91) R. Godel. *Les Sources manuscrites du « Cours de linguistique générale »* de F. de Saussure (Genève-Paris, 1957).

92) J. Goody & I. Watt. « The Consequences of Literacy », *Comparative Studies in Social History*, V (1963).

93) A.J. Greimas. « Le Conte populaire russe - Analyse fonctionnelle », *International Journal of Slavic Linguistics and Poetics*, IX (1965).

94) R.R. Grinker (réd.). *Toward a Theory of Human Behavior* (New York, 1962 [2]).

95) J.J. Gumperz & D. Hymes (réds.). *Directions in Sociolinguistics* (New York, 1967).

96) — (réds.). « The Ethnography of Communication », *Anthropologist*, LXVI, 6, Part 2 (1964).

97) A. Gvozdev. *Voprosy izučenija detskoj reči* (Moscou, 1961).

98) R.A. Hall, Jr. *Leave Your Language Alone* (Ithaca, New York, 1950).

99) — « Some Recent Developments in American Linguistics », *Neuphilologische Mitteilungen*, LXX (Helsinki, 1966).

100) Z.S. Harris. *Discourse Analysis* (La Haye, 1963). Tr. fr. dans *Langage*, n° 13, 1969.

101) — *Mathematical Structures of Language* (New York, 1968). Tr. fr. C. Fuchs, *Structures mathématiques du langage*, Dunod, 1971.

102) — *Papers in Sructural and Transformational Linguistics* (Dordrecht-Holland, 1970).

103) E. Haugen, *The Ecology of Language* (Stranford, 1972).

104) — *Language Conflict and Language Planning* (Cambridge, Mass., 1966).

105) H. Hécaen. « Brain Mechanisms Suggested by Studies of Parietal Lobes », voir 198.

106) H. Hécaen & R. Angelergues, *Pathologie du langage* (Paris, 1965).

107) C.J. Herrick. *The Evolution of Human Nature* (New York, 1956).

108) L. Hjelmslev. *Prolegomena to a Theory of Language* (Madison 1961 [2]). Tr. fr. *Prolégomènes à une théorie du langage* (Minuit, 1969).

109) — « Structural Analysis of Language », *Travaux du Cercle linguistique de Copenhague*, XII (1959). Tr. fr. dans *Essais linguistiques*, Minuit, 1971.

110) C.F. Hockett. « Biophysics, Linguistics, and the Unity of Science », *American Scientist*, XXXVI (1948).

111) — « Grammar for the Hearer », voir 143.

112) C.F. Hockett & R. Ascher. « The Human Revolution », *Current Anthropology* (1964).

113) J. Hoëne Wroński. « Philosophie du langage », *Sept manuscrits inédits, écrits de 1803 à 1806* (Paris, 1879).

114) E. Holenstein. *Phänomenologie der Assoziation* (La Haye, 1972).

115) E. Husserl. *Logische Untersuchungen*, II (Halle, 1913 ²).

116) — *Phänomenologische Psychologie* (La Haye, 1968 ²).

117) E.H. Hutten. *The Language of Modern Physics* (Londres-New York, 1956).

118) J.S. Huxley. « Cultural Process and Evolution », 231.

119) D.H. Hymes. « Directions in (Ethno-)Linguistic Theory », *(American Anthropologist* LXVI, 3, Part 2 (1964).

120) — « The Ethnography of Speaking », 90.

121) — « Toward Ethnographies of Communication », 96.

122) — (réd.). *Language in Culture and Society* (New York-Evanston-Londres, 1964).

123) A. Ivanov & L. Jukubinskij. *Očerki po jazyku* (Leningrad, 1932).

124) V.V. Ivanov & V.N. Toporov. « K rekonstrukcii praslavjanskogo teksta », *Slavjanskoe jazykoznanie* (Moscou, 1963).

125) — « Postanovka zadači reonstrukcii teksta i rekonstrukcii znakovoj sistemy », *Strukturnaja tipologija jazykov* (Moscou, 1966).

126) J.H. Jackson, Selected Writings, II - ...Affections of Speech (New York, 1958).

127) F. Jacob. « Genetics of the Bacterial Cell », *Science,* CLII (le 10 juin, 1966).

128) — *Leçon inaugurale* faite le vendredi 7 mai 1965 (Paris, Collège de France).

129) — *La Logique du vivant* (Paris, 1970).

130) F. Jacob, R. Jakobson, C. Lévi-Strauss, P. L'Héritier. « Vivre et parler », *Lettres françaises* 1221-1222 (fév. 1968).

131) R. Jakobson. *Essais de linguistique générale I* (Paris, 1963).

132) — « Un exemple de migration de termes et de modèles institutionnels », *Tel Quel,* XLI (1970) et 138, II, pp. 527-538.

133) — « The Kazan' School of Polish Linguistics and its Place in the International Development of Phonology », 138, II, pp. 394-428. Tr. fr. ici même pp. 199-237.

134) — *Langage enfantin et aphasie* (Paris, 1969) ; *Studies on Child Language and Aphasia* (La Haye-Paris, 1971).

135) — « Language in Relation to other systems of Communication », 138, II, pp. 697-708. Tr. fr. ici même pp. 91-103.

136) — « Linguistics and Poetics », *Style in Language* (New York, 1960) et 131, pp. 209-248.

137) — « The Role of Phonic Elements in Speech Perception », 138, I, pp. 705-717.

138) — *Selected Writings,* I ², II (Paris-La Haye, 1971) et IV (1966).

139) — « Sur le mot 'structural' », *Change,* X (Paris, 1972), pp. 181 sqq.

140) — « Sur le Ier Congrès des slavistes à Prague », *Change,* X (Paris, 1972). pp. 187-189, traduit par H. Deluy d'un compte rendu publié le 31 octobre 1929 dans l'hebdomadaire tchèque *Čin* (Action).

141) — « Two Aspects of Language and Two Types of Aphasic Disturbances », 138, II, pp. 239-259 et 131, pp. 43-67.

142) — « Značenie Kruševskogo v razvitii nauki o jazyke », 138, II, pp. 429-450. Tr. ici même pp. 238-257.

143) — (réd.). *Structure of Language and Its Mathematical Aspects.* American Mathematical Society, *Proceedings of Symposia in Applied Mathematics,* XII (1961).

144) F. Kainz. *Psychologie der Sprache, I-V* (Stuttgart, 1954-1962).

145) W. Kaper. *Einige Erscheinungen der kindlichen Spracherwerbung erläutert im Lichte des vom Kinde gezeigten Interesses für Sprachliches* (Groningen, 1959).

146) S. Koch (réd.). *Psychology : A Study of a Science, VI* (New York, 1963).

147) F. Korš. *Sposoby otnositeľnogo podčinenija - Glava iz sravniteľ nogo sintaksisa* (Moscou 1877).

148) A.L. Kroeber (réd.). *Anthropology Today* (Chicago, 1953).

149) A.L. Kroeber & C. Klukhohn. « Culture », *Papers of the Peabody Museum,* XLVII, I (1952).

150) M. Kruszewski. « Prinzipien der Sprachentwitckelung », *Internationale Zeitschrift für allgmeine Sprachwissenschaft,* I (1884), II (1885), III (1886), V (1890).

151) W. Labov. « The Reflections of Social Processes in Linguistic Structures », 80.

152) — *The Social Stratification of English in New York City* (Washington, D.C., 1966).

153) J. Lacan. *Ecrits* (Paris, 1966). Version anglaise, *The Language of the Self* (Baltimore, 1968).

154) O. Lange. *Wholes and Parts - A General Theory of System Behavior* (Varsovie, 1962).

155) E. Leach. « Ritualization in Man in Relation to Conceptual and Social Development », *Philosophical Transactions of the Royal Society of London* B, CCLI (1967).

156) — (réd.). *The Structural Study of Myth and Totemism.* Londres, 1967.

157) E.H. Lenneberg. *Biological Foundations of Language* (New York, 1967).

158) A.A. Leontʼev. *Psixolingvistika* (Leningrad, 1967).

159) C. Lévi-Strauss. « L'analyse morphologique des contes russes », *International Journal of Slavic Linguistics and Poetics,* III (1960).

160) — *Anthropologie structurale* (Paris, 1958).

161) — *Mythologiques,* I-IV (Paris, 1964-1971).

162) — « Social Structure », 148 et 160, ch. XV et XVII.

163) — « The Story of Asdiwal », 156.

164) — *Les Structures élémentaires de la parenté* (Paris, 1949).

165) — *Le Totémisme aujourd'hui* (Paris, 1966).

166) S. Lieberson (réd.). *Explorations in Sociolinguistics* (La Haye, 1966).

167) A. Ljapunov. « O nekotoryx obščix voprosax kibernetiki », *Problemy kibernetiki* (1958).

168) J. Loke. *Essay Concerning Humane Understanding* (Londres, 1690).

169) F.G. Lounsbury. « Linguistics and Psychology », 46.

170. A.R. Luria. *Human Brain and Psychological Processes* (New York, 1966).

171) — « Problèmes et faits de la neurolinguistique », *Revue internationale des sciences sociales,* XIX-I (1967).

172) — *Traumatic Aphasia* (La Haye, 1970).

173) A. Lwoff. *Biological Order* (Cambridge, Mass., 1965).
174) J. Lyons & R.J. Wales (réds.). *Psycholinguistics Papers* (Edimbourg, 1966).
175) D.M. MacKay. « Communication and Meaning — A Functional Approach », 204.
176) — *Information, Mechanism and Meaning* (MIT Press. 1969).
177) B. Malinowski. « Culture », *Encyclopedia of the Social Sciences*, IV (1931).
178) L. Malson. *Les Enfants sauvages - Mythe et réalité* (Paris, 1964).
179) P. Maranda (réd.). *Mythology* (Baltimore, 1972).
180) P. Maranda & E.K. Köngäs Maranda. *Structural Models in Folklore and Transformational Essays* (La Haye, 1970).
181) — (réds.). *Structural Analysis of Oral Tradition* (University of Pennsylvania Press. 1971).
182) S. Marcus. *Introduction mathématique à la linguistique structurale* (Paris, 1967).
183) P. Marler. « Communication in Monkeys and Apes », 67.
184) A. Marty. « Über subjektlose Sätze und das Verhältnis der Grammatik zu Logik und Psychologie », *Gesammelte Schriften*, II (Halle, 1918).
185) — *Untersuchungen zur Grundlegung der allgemeinen Grammatik und Sprachphilosophie* (Halle, 1908).
186) M. Maruszewski. *Afazja — Zagadnienia teorii i terapii* (Varsovie, 1966).
187) T.G. Masaryk. *Versuch einer konkreten Logik* (Vienne, 1887).
188) V. Mathesius. « On the Potentiality of the Phenomena of Language », *Prague School Reader in Linguistics*, réd. par J. Vachek (Bloomington, Ind., 1964).
189) — « La Place de la linguistique fonctionnelle et structurale dans le développement général des études linguistiques », *Časopis pro moderní filologii*, XVIII (1932).
190) M. Mauss. *Sociologie et anthropologie* (Paris, 1968 2).
191) E. Mayr. *Animal Species and Evolution* (Cambridge, Mass., 1966).
192) D. McNeill. « Developmental Sociolinguistics », 258.
193) A. Meillet. « L'état actuel des études de linguistique générale », *Leçon d'ouverture...*, lue le mardi 13 février 1906 (Paris, Collège de France).
194) E. Meletinskij, S. Nekljudov, E. Novik, D. Segal. « Problemy strukturnogo opisanija volšebnoj skazki », *Trudy po znakovym sistemam*, IV, V (Tartu, 1969, 1971).
195) E. Meletinskij & D. Segal. « Structuralism and Semiotics in the USSR », *Diogenes*, LXXIII (1970).
196) G.A. Miller. « Psycholinguistic Approaches to the Study of Communication », 6.
197) — « Some Preliminaries to Psycholinguistics », *American Psychologist*, XX (1965).
198) C.H. Millikan, F.L. Darley (réds.). *Brain Mechanisms Underlying Speech and Language* (New York, 1967).
199) J. Monod. « From Enzymatic Adaptation to Allosteric Transitions », *Science*, CLIV (1966).
200) — *Le Hasard et la nécessité* (Paris, 1970).
201) — *Leçon inaugurale* faite le vendredi 3 novembre 1967 (Paris, Collège de France).
202) O.H. Mowrer. « The Psychologist Looks at Language », *American Psychologist* IX (1954).

203) A. Naville. *Nouvelle classification des sciences. Étude philosophique* (Paris, 1901), chap. V.

204) F.S.C. Northrop, H. Livingstone (réds.). *Cross-Cultural Understanding : Epistemology in Anthropology* (New York, 1964).

205) K.P. Oakley. *Man the Tool-Maker* (Chicago, 1960 ²).

206) C.E. Osgood. « Psycholinguistics », 146.

207) C.E. Osgood, T.A. Sebeok (réds.). *Psycholinguistics. A Survey of Theory and Research Problems* (Bloomington, Ind., 1965 ²).

208) I. Osolsobě.« Ostension as the Limit Form to Communication », *Estetika*, IV (1967).

209) T. Parsons. « The Incest Taboo in Relation to Social Structure and the Socialization of the Child », *British Journal of Sociology*, VII (1954).

210) — *Sociological Theory and Modern Society* (New York, 1967).

211) — « Systems Analysis : Social Systems », *International Encyclopedia of the Social Sciences* (New York, 1968).

212) C.S. Peirce. *Collected Papers, I-V* (Cambridge, Mass., 1965 ²).

213) J. Pelc. *Studies in Functional Logical Semiotics of Natural Language* (La Haye, 1971).

214) G. Permjakov. *Ot pogovorki do skazki* (Moscou, 1970).

215) J. Piaget. *La Psychologie, les relations interdisciplinaires et le système des sciences.* Contribution au 18ᵉ Congrès international de psychologie (Moscou, 1966).

216 H. Pilch, F. Schulte-Tigges, H. Seiler, G. Ungeheuer. *Die Struktur formalisierter Sprachen* (Darmstadt, 1965).

217) J. Pinborg. *Die Entwicklung der Sprachtheorie im Mittelalter* (Copenhague, 1967).

218) C.S. Pittendrigh. « Adaptation, Natural Selection, and Behavior », 231.

219) D. Ploog & T. Melnechuk. « Are Apes Capable of Language ? », *Neurosciences Research Program Bulletin*, IX, n° 5 (1971).

220) E. Polivanov. *Za marksistskoe jazykoznanie* (Moscou, 1931).

221) H.J. Pos. « La Notion d'opposition en linguistique », *11ᵉ Congrès international de psychologie* (Paris, 1938).

222) — « Perspectives du structuralisme », *Travaux du Cercle linguistique de Prague*, VIII (1939).

223) — « Phénoménologie et linguistique », *Keur uit de Verspreide Geschriften*, I (Arnhem, 1957).

224) E. Post. « Absolutely Unsolvable Problems and Relatively Undecidable Propositions », 63.

225) K. Pribram. *Languages of the Brain* (Prentice-Hall, 1971).

226) V. Propp. *Morfologija skazki* (Leningrad, 1928, et commenté par E. Meletinsky - Moscou, 1969 ²) ; *Morfologia della fiaba* (Turin, 1966) ; *Morphology of the Folktale* (Austin-Londres, 1968 ²) ; *Morphologie du conte* (Paris, 1970).

227) R.J. Pumphrey. « The Origin of Language », *Acta Psychologica*, IX (1953).

228) G.V. Ramišvili. « Nekotorye voprosy lingvističeskoj teorii V. Gumbol'dta », sommaire russe du livre géorgien de l'auteur sur Humboldt (Tbilisi, 1965).

229) V. Ratner. « Linejnaja uporjadočennost' genetičeskix soobščenij », *Problemy kibernetiki*, XVI (1966).

230) Anika Rifflet-Lemaire. *Jacques Lacan* (Bruxelles, 1970).

231) A. Roe, G. G. Simpson (réds.). *Behavior and Evolution* (New Haven, Yale Univ. Press, 1958).

232) S. Rokkan. « Cross-Cultural, Cross-societal, and Cross-national

Research ,» ; « Recherche trans-culturelle, trans-sociétale et trans-nationale », 83.

233) S. Rosenberg (réd.). *Directions in Psycholinguistics* (Londres, 1965).

234) A. Rosenblueth, N. Wiener, J. Bigelow. « Behavior, Purpose and Teleology », *Philosophy of Science*, X (1943).

235) F. Rossi-Landi. *Il linguaggio come lavoro e come mercato*. Milan, 1968.

236) — « Note di semiotica », *Nuova Corrente*, XLI (1967).

237) J. Ruesch & W. Kees. *Nonverbal Communication* (Berkeley, 1961[4]).

238) M.D. Sahlins. « The Social Life of Monkeys, Apes and Primitive Man », 262.

239) J. Salk. « Human Purpose - A Biological Necessity », *Bulletin of The Phillips Exeter Academy* (juin 1961).

240) E. Sapir. *Language* (New York, 1921). *Le Langage* (Paris, 1953).

241) — *Selected Writings* (Berkeley - Los Angeles, 1963). Trad. partielle, *Linguistique* (Paris, 1968).

242) — « Sound Patterns of Language », *Language*, I (1925), pp. 37-51, et 241, pp. 33-45.

243) — « The Status of Linguistics as a Science », *Language 5*, 1929, *Linguistique* (Paris, 1968) et 241.

244) F. de Saussure. *Cours de linguistique générale*. Réd. par Ch. Bally et A. Sechehaye (Paris, 1922[2]).

245) — *Cours de linguistique générale*. Édition critique par R. Engler (Wiesbaden, 1968).

246) E. Schleicher. *Die Darwinische Theorie und die Sprachwissenschaft* (Weimar, 1863).

247) E. Schrödinger. *What is Life ?* (New York, 1945).

248) T.A. Sebeok. *Perspectives in Zoosemiotics* (La Haye-Paris, 1972).

249) T.A. Sebeok (réd.). *Animal Communication* (Bloomington, Ind., 1968).

250) *Semiotica*, revue publiée par l'Association internationale de sémiotique (La Haye, 1969 sqq.).

251) S. Serebrjanyj. « Interpretacija 'formuly' V. J. Proppa », *Tezisy dokladov vo vtoroj letnej škole po vtoričnym modelirujuščim sistemam* (Tartuskij gos. Universitet, 1966).

252) E. Sievers. « Ziele und Wege der Schallanalyse », *Stand und Aufgaben der Sprachwissenschaft — Festschrift für W. Streitberg* (Heidelberg, 1924).

253) G.G. Simpson. « Biology and the Nature of Life », *Science*, CXXXIX (1962).

254) — « The Crisis in Biology », *American Scholar*, XXXVI (1967).

255) T. Slama-Cazacu. *Langage et contexte* (La Haye, 1961).

256) — *La Psycholinguistique* (Paris, 1972).

257) A. Smith. *A Dissertation on the Origin of Languages*, commenté par E. Coseriu (Tübingen, 1970).

258) F. Smith, G.A. Miller (réds.).*The Genesis of Language - A Psycholinguistic Approach* (Cambridge, Mass., - Londres, 1966).

259) A. Sokolov. *Vnutrennjaja reč i myšlenie* (Moscou, 1968).

260) R.W. Sperry & M.S. Gazzaniga. « Language Following Surgical Disconnection of the Hemispheres », 198.

261) H. Spiegelberg. *The Phenomenological Movement*, I (La Haye, 1965).

262) J.N. Spuhler (réd.). *The Evolution of Man's Capacity for Culture* (Detroit, 1959).

263) I. Smal'gauzen [Schmalhausen]. « Čto takoe nasledstvennaja informacija ? », *Problemy kibernetiki*, XVI (1966).

264) — [Schmalhausen]. « Èvoljucija v svete kibernetiki », *Problemy kibernetiki*, XIII (1965).

265) G. Špet. *Vvedenie v ètničeskuju psixologiju* (Moscou, 1927).

266) V. Tauli. *Introduction to a Theory of Language Planning* (Uppsala, 1968).

267) L. Tesnière. *Eléments de syntaxe structurale* (Paris, 1966 [2]).

268) R. Thom. « *Topologie et signification* », *L'Age de Science*, n° 4 (1968).

269) W.H. Thorpe. *Bird Song* (Cambridge, 1961).

270) — *Learning and Instinct in Animals* (Londres, 1963 [2]).

271) — « Some Characteristics of the Early Learning Period in Birds », 64.

272) V. Toporov. « K rekonstrukcii indoevropejskogo rituala i ritual'no-poètičeskix formul (na materiale zagovorov) », 275, IV (Tartu, 1969).

273) N.S. Trubetzkoy. *Principes de Phonologie*. (Paris, 1949) ; *Grundzüge der Phonologie* (Göttingen, 1958).

274) N.S. Trubetzkoy. « Die phonologischen Grenzsignale », *Proceedings of the 2nd International Congress of Phonetic Sciences* (Cambridge, 1936).

275) *Trudy po znakovym sistemam — Works on Semiotics* (Tartu State University, 1964 sqq.).

276) A.-R.-J. Turgot. « Étymologie », *Encyclopédie ou Dictionnaire raisonné des sciences, des arts et des métiers*, publié par D. Diderot, VI (Paris, 1756), pp. 98-111.

277) S. Ungeheuer. « Le Langage étudié à la lumière de la théorie de l'information », *Revue internationale des sciences sociales*, XIX (1967).

278) B.A. Uspenskij. « Problemy lingvističeskoj tipologii v aspekte različenija « govorjaščego » (adresanta) i « slušajuščego » (adresata) », in: *To Honor Roman Jakobson*, III (La Haye - Paris, 1967).

279) — « Vlijanie jazyka na religioznoe soznanie », 275, IV (Tartu, 1969).

280) E.N. Vinarskaja. *Kliničeskie problemy afazii (nejrolingvističeskij analiz*, (Moscou, 1971).

281) C.F. Voegelin. « A Testing Frame for Language and Culture », *American Anthropologist*, LII (1950).

282) V. Vološinov. *Marksizm i filosofija jazyka* (Leningrad, 1929 et La Haye, 1972).

283) L.S. Vygotsky. *Thought and Language* (New York, 1962). Texte original : *Myšlenie i reč'* (Moscou, 1956).

284) C.H. Waddington. *The Nature of Life* (Londres, 1961).

285) — *The Strategy of the Genes* (Londres - New York, 1957).

286) F. Waismann. *Introduction to Mathematical Thinking : The Formation of Concepts in Modern Mathematics* (New York, 1951).

287) B. Wallace & A.M. Srb. *Adaptation* (Englewood Cliffs, N.J., 1964 [2]).

288) J.D. Watson. *Molecular Biology of the Genes* (New York - Amsterdam, 1965).

289) H. Weyl. *Symmetry* (Princeton, N.J., 1952).

290) L.A. White. *The Evolution of Culture* (New York - Toronto - Londres, 1959) : chap. IV : « The Transition from Anthropoid Society to Human Society ».

291) L.A. White. *The Science of Culture* (New York, 1949) : « The Definition and Prohibition of Incest ».

292) B.L. Whorf. *Language, Thought and Reality* (New York, 1965). Tr. fr. *Linguistique et anthropologie. Les origines de la sémiologie,* Denoël-Gonthier. 1969.

293) G.C. Williams. *Adaptation and Natural Selection* (Princeton, N.J., 1966).

294) C. Yanofsky. « Gene Structure and Protein Structure », *Scientific American,* (mai 1967).

295) H. Yilmaz. « A Theory of Speech Perception », I-II, *Bulletin of Mathematical Biophysics,* XXIX-XXX (1967-1968).

296) N.I. Žinkin. « An Application of the Theory of Algorithms to the Study of Animal Speech » : *Acoustic Behaviour of Animals* (Amsterdam, 1963).

297) — « Issledovanija vnutrennej reči po metodike central'nyh rečevyx pomex », *Izvestija Akademii pedagogičeskix nauk RSFSR,* CXIII (1960).

298) — *Mexanizmy reči* (Moscou, 1958). En anglais : *The Mechanisms of Speech.* La Haye, 1968.

299) — « O kodovyx perexodax vo vnutrennej reči », *Voprosy jazykoznanija,* VI (1964).

300) — « Semiotic Aspects of Communication in Animal and Man », 250, IV (1971).

301) — « Vnutrennie kody jazyka i vnešnie kody reči », in : *To Honor Roman Jakobson,* III (La Haye - Paris, 1967).

CHAPITRE II

L'AGENCEMENT DE LA COMMUNICATION VERBALE *

Le langage est le véhicule spécifiquement humain de l'activité de l'esprit et de la communication. Il est naturel que l'étude de cet instrument précis et efficace fasse partie, comme les rudiments des mathématiques, des plus anciennes sciences. Le plus vieil ouvrage de linguistique que nous possédons, une grammaire sumérienne vieille de près de quatre mille ans, fut suivi dans divers pays d'efforts constants pour interpréter la constitution de l'idiome local et le système langagier en général, ainsi que de spéculations sur le don mystérieux des langues et sur le mystère de leur multiplicité. Si nous concentrons notre attention sur la tradition indienne et gréco-latine en commençant à l'ère pré-chrétienne, on ne peut guère trouver une seule période sans recherches suivies sur l'un ou l'autre aspect du langage. Souvent, les découvertes ne furent faites que pour être temporairement rejetées. Ainsi, les acquisitions capitales de l'Ecole scolastique, la théorie sémantique en particulier, furent bannies après que, comme le disait Charles Sanders Peirce, « eut éclaté une rage barbare contre la pensée médiévale ».

La variété des langues dans l'espace et dans le temps constitua le centre d'intérêt de la recherche tout au long du XIXᵉ siècle. On considérait que la linguistique était uniquement comparative, et le but principal ou exclusif de la comparaison linguistique consistait à mettre en évidence la relation génétique existant entre des langues apparentées remontant à une langue-mère supposée uniforme. La régularité des changements

---

(*) La version anglaise de cet article a paru sous le titre « Verbal Communication », dans *Scientific American* (September 1972). Traduit par Paul Hirschbühler.

subis par chacune des ces langues à tout moment était reconnue
comme la condition théorique préalable à la conversion de
la diversité observée des langues en leur unité originelle supposée. Le courant néogrammairien, qui domina la linguistique
européenne, surtout la linguistique allemande, durant le dernier tiers du XIX° siècle, développa méticuleusement ce principe. La « philosophie linguistique » des néogrammairiens était
regardée par leur champion Karl Brugmann (1849-1919) comme
un antidote contre « l'arbitraire et l'erreur auxquels un empirisme grossier se trouve partout exposé ». Cette philosophie
impliquait l'acceptation de deux uniformités, chacune liée à
des stades successifs : 1) l'uniformité antérieure et la pluralité
subséquente ; 2) un changement uniforme, « sans exception »,
dans toute communauté linguistique, à partir d'un stade antérieur jusqu'à un stade postérieur. Ainsi, on posa la question
de la similitude et de la divergence surtout ou même uniquement à propos de l'ordre temporel des phénomènes linguistiques,
alors que la coexistence et le jeu simultané de l'invariance et
de la variation à l'intérieur de n'importe quel état de langue
donné n'était toujours pas remarqué.

La même époque qui amena l'apparition de cette école
influente vit surgir en différents lieux plusieurs chercheurs et
théoriciens du langage qui avaient dépassés les croyances générales de leur temps et de leur milieu. Ces audacieux précurseurs
de la recherche linguistique contemporaine naquirent vers le
milieu du siècle. Leurs thèses, remarquablement originales et
indépendantes l'une de l'autre mais fondamentalement convergentes, apparurent dans les années 1870 et au début des années
1880. Les conditions méthodologiques et philosophiques préalables à une mise en œuvre immédiate de leurs nouvelles
idées faisaient toujours défaut ; on peut cependant découvrir
un parallélisme remarquable entre leur pensée et les idées qui
sous-tendent le développement des mathématiques et de la
physique modernes.

C'est dans les années 1870 que les notions conjuguées d'invariance et de variation ont revêtu en mathématique et dans
les recherches des linguistes d'avant-garde une importance toujours plus grande et ont fait apparaître la tâche corollaire qu'est
l'élicitation des invariants relationnels à partir d'un flux de
variables. La proposition historique d' « étudier les constituants d'une multiplicité en ce qui concerne les propriétés qui
ne sont pas affectées par les transformations du groupe donné »,
que l'on trouve dans le *Erlanger Programm* de 1872 de
Félix Klein (1849-1925), visait à développer une géométrie généralisée. Un principe semblable inspira les travaux linguistiques
d'avant-garde de la même époque, en particulier les quelques

publications initiales de Henry Sweet (1845-1912), de Jan Baudouin de Courtenay (1845-1929), de Jost Winteler (1846-1929), de Mikołaj Kruszewski (1851-1887) et de Ferdinand de Saussure (1857-1913). Tous considéraient la doctrine des néo-grammairiens comme inadéquate ou insuffisante pour développer une science du langage plus générale et plus immanente, comme Kruszewski l'écrivit à Baudouin dans une lettre perspicace datée de 1882. Pour reprendre la conclusion de mon précédent examen de la lutte difficile de Sweet (cf. chap. XII), chacun de ces rénovateurs courageux qui se risquèrent à voir loin en avant « porte l'empreinte de la tragédie sur toute sa vie », à cause de la résistance d'un milieu conservateur et peut-être plus encore à cause du contenu idéologique de l'ère victorienne, qui entrava l'application concrète et un développement plus important de leurs desseins audacieux et de leurs approches inhabituelles.

Au début des années trente, N.S. Trubetzkoy (1890-1938), un linguiste perspicace et scrutateur de l'entre-deux-guerres, découvrit fortuitement la thèse de Winteler. Dans une lettre de janvier 1931, Trubetzkoy vanta la remarquable prescience de Winteler dont les conceptions et les méthodes sans précédents s'étaient heurtées à un manque de compréhension qui l'avait désappointé et confiné au sort de simple instituteur. Le livre de Winteler, *Die Kerenzer Mundart des Kantons Glarus in ihren Grundzügen dargestellt,* achevé en 1875 et édité un an plus tard à Leipzig, contient une analyse de son dialecte natal germano-suisse esquissé « dans ses aspects fondamentaux » et témoigne d'une rare profondeur et d'une rare pénétration des éléments essentiels de la structure linguistique, particulièrement dans les questions cardinales du système phonique.

᾿ Les mémoires du septuagénaire Winteler, écrits en 1916 pour le bimensuel *Wissen und Leben,* citent un jugement qu'il entendit quatre ans après la parution de sa thèse : « Si seulement il avait débuté différemment, il aurait pu devenir professeur d'université, alors que maintenant il est condamné à demeurer maître d'école jusqu'à la fin de ses jours ». L'ancien instituteur de l'école cantonale d'Aarau confesse qu'il s'est très souvent affligé de son sort cruel. La modeste carrière de Winteler fut même assombrie par l'incompréhension qu'il rencontrait et menacée par l'accusation d'être « plus rouge que les socialistes ».

L'adolescent Albert Einstein, qui avait quitté le gymnasium de Munich et sa dure discipline, qu'il détestait si profondément, postula son admission à l'Institut fédéral de technologie de Zurich, mais échoua à l'examen d'entrée et, en 1895, il se réfugia dans la libérale école cantonale d'Aarau, à quelque quarante kilomètres de Zurich. Un récent essai de Gérard Holton, publié dans *American Scholar,* 41 (1971-72), indique que la période d'Aarau fut un « tournant crucial » dans l'évolution d'Einstein, et, à plusieurs reprises, ce dernier reconnut son influence bénéfique. Adopté comme un frère et accueilli dans le foyer de Jost Winteler comme un membre de la famille, Einstein y rencontra, comme le disent ses biographes, « sa bonne étoile ». Même lorsque plus tard il s'installa à Zurich pour y faire des études supérieures, il ne manquait aucune occasion de rendre visite à son vieil ami à Aarau. Quarante années plus tard, lors du séjour de Einstein à l'Institut des hautes études de Princeton, il se rappelait et louait toujours le « clairvoyant Papa Winteler ».

Dans une lettre d'Einstein (Princeton, 16 novembre 1936) à son ami M. Besso, récemment publiée et traduite par Pierre Speziale, la recherche infatigable de voies nouvelles s'entrelace avec le souvenir du grand maître d'Aarau : « Le lutin mathématique me harcèle sans cesse, de sorte que je parviens rarement, en dépit de mes cheveux blancs, à un instant de détente, et il est bon qu'il en soit ainsi, car les affaires humaines sont de nos jours moins que réjouissantes, sans parler des fous qui se trouvent en Allemagne. Maintenant, on voit vraiment quel esprit prophétique a été le professeur Winteler, qui reconnut ce grave danger si clairement et si tôt dans toute son ampleur. (...) Je considère, en fin de compte, la physique statistique, malgré tous ses succès, comme une phase transitoire et j'ai l'espoir d'aboutir à une théorie vraiment satisfaisante de la matière. »

Ce fut dans la calme atmosphère de l'école d'Aarau et dans le foyer de Winteler que le jeune Einstein retrouva son goût réprimé pour la science. Lorsque nous sommes informés de « l'exercice de pensée que réalisa là le prodigieux adolescent, lequel le mena progressivement à sa théorie de la relativité, la question de l'influence qu'exercèrent sur lui ses conversations quotidiennes avec ce savant lucide s'impose d'elle-même. Winteler resta fidèle au principe de la « relativité configurationnelle » (*Relativität der Verhältnisse*) qu'il avait révélé dans sa thèse, surtout en ce qui concerne la structure phonique du langage. Sa théorie nécessitait en particulier une distinction systématique entre les invariants relationnels et les variables du langage, appelés respectivement propriétés « essentielles » et « accidentelles ». Selon les principes de Winteler, les sons du langage ne peuvent être évalués isolément mais uniquement en relation avec toutes les autres unités phoniques du langage donné et avec les fonctions linguistiques qui leur sont assignées dans une telle multiplicité. Parallèlement, l'audacieux

« autodidacte », comme se présentait lui-même l'auteur du *Kerenzer Mundart,* reconnut et examina explicitement les propriétés de symétrie et l'ensemble de la structure.

Einstein, le futur défenseur de « l'empathie (*Einfühlung*) à l'égard de l'expérience extérieure, ressentait visiblement une affinité spirituelle avec un homme aussi ardemment voué à la science que Jost Winteler qui, en 1875, avait osé préfacer son livre par la déclaration prophétique « Mon ouvrage, dans son essence, s'adresse uniquement à ceux qui sont aptes à saisir la forme verbale comme une révélation de l'esprit humain, un éventail qui se trouve dans notre esprit d'une façon bien plus profonde et bien plus ancrée que les meilleurs produits d'une littérature plus achevée. C'est ainsi que ceux auxquels s'adresse mon ouvrage doivent concevoir l'examen des forces latentes qui déterminent le mouvement continuel de la forme verbale comme une tâche qui, par son intérêt et par sa pertinence, peut entrer en compétition avec n'importe quel autre domaine de connaissance. »

Les rapports concernant les échanges d'idées libres et animés dans le cercle familial de Winteler viennent encore renforcer la certitude de l'empreinte profonde laissée par ses idées stimulantes sur l'esprit réceptif de Einstein. De là, la parabole d'une semence vouée « à mourir sans avoir donné de fruit », la sombre vision qui, depuis sa jeunesse, hantait l'imagination poétique de Winteler, semble avoir trouvé une lumineuse réfutation.

L'histoire de Winteler et d'Einstein nous fournit un nouvel et significatif exemple de l'interconnexion suggestive existant entre la linguistique et la mathématique, de leur parallélisme historique, et en particulier d'une différence également radicale entre deux phases de développement subies par chacune de ces sciences. Ainsi que les historiens des idées mathématiques l'ont affirmé à plusieurs reprises, le concept d'invariance n'a trouvé une large application scientifique que dans notre siècle, après que « le revers de l'invariance » — l'idée de la relativité et ses corollaires — ait été découvert et graduellement maîtrisé. La place prise par la théorie d'Einstein et les progrès réalisés dans l'analyse des relations purement topologiques trouvent en effets des correspondances frappantes dans le développement simultané de conceptions et de méthodes similaires en linguistique. La période actuelle, manifestement constructive, de l'histoire de la linguistique, est apparue comme la suite des anticipations de Winteler et d'autres « défricheurs ».

Dans la tradition néogrammairienne, les notions et étiquettes de linguistique « comparative » et « générale » se recouvraient presque, et la méthode comparative était confinée à une étude

simplement historique ou, strictement parlant, généalogique
de langues et de dialectes apparentés. Aujourd'hui, presque
n'importe quel problème linguistique a reçu un traitement
comparatif approfondi. Chaque question concernant le langage
et les langues est conçue comme une opération manifestement
comparative, à la recherche des relations équivalentes qui sous-
tendent la structure d'une langue donnée et qui, de plus, nous
permettent d'interpréter les affinités et divergences structurelles
qui existent entre les langues, quelles que soient leur origine
et leur localisation. La recherche décisive dans l'examen scientifique des divers niveaux de la structure linguistique consiste
en une élucidation et une identification systématiques des
invariants relationnels parmi la multitude de variantes. Les
variables sont examinées par rapport à la série des diverses
transformations qu'elles subissent et qui peuvent et doivent
être spécifiées.

Quel que soit le niveau de langage que nous examinons,
deux propriétés intégrales de la structure linguistique nous
obligent à utiliser des définitions strictement relationnelles,
topologiques. Tout d'abord, chaque constituant isolé de n'importe quel système linguistique repose sur une opposition entre
deux contradictoires : la présence d'un attribut (« marqué »)
par opposition à son absence (« non marqué »). Tout le
réseau du langage présente un arrangement hiérarchique qui,
à chaque niveau du système, suit le même principe dichotomique de termes marqués superposés aux termes non marqués
correspondants. Ensuite, le jeu continuel, complexe et orienté
des invariants et des variations s'avère être une propriété
essentielle, intrinsèque, du langage à chacun de ses niveaux.

Ces deux dyades — marqué/non marqué et variation/inva-
riance — sont indissolublement liées à l'essence même du langage, au fait que, comme le dit Edward Sapir (1884-1939),
« le langage est le moyen de communication par excellence
dans toute société connue ». Tout ce que le langage peut et
doit communiquer réside tout d'abord et surtout dans une
liaison intime et nécessaire avec le sens, et comporte toujours
une certaine information sémantique. La promotion du sens
comme aspect central de l'analyse structurale s'est affirmé
de plus en plus dans les entreprises linguistiques internationales
des cinquante dernières années. Ainsi, par exemple, il y a
vingt ans, le linguiste français Emile Benveniste, l'une des
figures éminentes du courant structuraliste, déclarait dans une
étude fondamentale, « La classification des langues » (voir
ses *Problèmes de linguistique générale*, 1966) : « Une réflexion
un peu attentive sur la manière dont une langue, dont toute
langue se construit » se ramène « à la question centrale de

la signification », et les linguistes sauront « retrouver dans les structures linguistiques des lois de transformation, comme celles qui permettent, dans les schémas opérationnels de la logique symbolique, de passer d'une structure à une structure dérivée et de définir des relations constantes ».

Des expériences réductionnistes ostensibles et diverses furent faites en Amérique ; tout d'abord des efforts répétés « pour analyser la structure linguistique sans référence à la signification » ; dans des entreprises ultérieures, l'exclusion du sens de l'étude des structures grammaticales s'est manifestée dans des slogans tels que « la description linguistique moins la grammaire égale la sémantique ». Tous ces essais furent incontestablement d'un considérable intérêt, particulièrement parce qu'ils ont réussi à nous procurer une démonstration spontanée du critère sémantique omniprésent, quel que soit le niveau et le constituant de langue examiné. On ne peut plus longtemps jouer à cache-cache avec la signification et évaluer les structures linguistiques indépendamment des problèmes sémantiques. Quel que soit le point du spectre linguistique que nous traitons, des composants phoniques des signes verbaux jusqu'au discours en son entier, nous sommes obligés de garder à l'esprit que tout dans le langage est doué d'une certaine valeur significative transmissible. C'est ainsi que, lorsque nous traitons des sons du langage, nous devons tenir compte du fait qu'ils sont essentiellement différents de tous les autres phénomènes audibles. Une récente et surprenante découverte montre que, lorsqu'on présente simultanément deux sons aux deux oreilles, tous les signes verbaux tels que des mots, des syllabes sans aucun sens, et même des sons du langage pris isolément, sont mieux discernés et identifiés par l'oreille droite, et que tous les autres stimuli acoustiques, tels que la musique et les divers bruits ambiants, sont mieux reconnus par l'oreille gauche. Les composants phoniques du langage doivent leur position particulière dans l'aire corticale et, de façon correspondante, dans la région de l'oreille, uniquement à leur fonction verbale et, de là, une constante attention pour ces fonctions qui guident nécessairement nos activités auditives doit également guider toute étude fructueuse des sons du langage.

Tout langage contient dans sa structure phonique un certain nombre limité de « traits » dits « distinctifs », des invariants relationnels discrets et ultimes qui peuvent, à la suite d'une série de transformations, subir des altérations même drastiques à tous égards, sauf dans leurs attributs décisifs. « La nature catégorielle de l'identification perceptuelle » signalée par le psychologue Jérôme Bruner dans sa remarquable étude sur les « mécanismes nerveux dans la perception »

(*Neural Mechanisms in Perception*, 1958) maintient la constance et la validité de ces traits dans la communication verbale, où ils exercent la faculté fondamentale de distinguer les sens.

Le système des traits distinctifs est un code puissant et économique ; chaque trait est une opposition binaire entre la présence d'une marque et son absence. La sélection et l'interconnexion de traits distinctifs à l'intérieur d'une langue donnée révèlent une remarquable congruence. Une comparaison des structures phonologiques existantes et des lois qui sous-tendent le développement du langage des enfants nous permet de décrire la typologie des systèmes de traits et les règles de leur arrangement hiérarchique interne. La pertinence des traits distinctifs pour la communication, qui est fondée sur leur valeur sémantique, réduit à néant toute idée d'une quelconque contingence ou occurrence au hasard dans leur structuration. La liste des traits distinctifs qui existent dans les langues du monde entier est extrêmement réduite, et la coexistence des traits dans une langue est limitée par des lois d'implication.

L'explication la plus plausible de ces principes totalement ou presque entièrement universels en ce qui concerne l'admissibilité et l'interconnexion des traits réside apparemment dans la logique interne des systèmes de communication qui sont doués d'une capacité autorégulatrice et autodirectrice. La recherche d'un tableau universel des traits distinctifs doit certainement appliquer la méthode d'extraction des invariants qui a déjà été utilisée pour les langues prises isolément ; dans le contexte de langues différentes, le même trait, doté d'attributs catégoriels inaltérés, peut varier dans sa réalisation physique.

Les transformations qui procurent aux invariants diverses variations concomitantes peuvent, grossièrement, se diviser en deux sortes d'altérations, contextuelles et stylistiques. Les variantes contextuelles font référence au voisinage simultané ou séquentiel du trait donné, tandis que les variantes stylistiques ajoutent un élément marqué — émotif ou poétique, ou d'auto-identification (physiognomique) — à l'information neutre, purement cognitive, référentielle, du trait distinctif. Ces variantes et variations appartiennent toutes deux au code verbal commun qui donne aux interlocuteurs la faculté de se comprendre l'un l'autre.

Pour l'étude de la communication verbale, il est nécessaire de reconnaître le fait que toute communauté linguistique et tout code linguistique manquent d'uniformité ; tout le monde appartient simultanément à différentes communautés linguistiques d'importance différente ; nous diversifions notre code et combinons des codes différents. A chaque niveau du code linguistique, nous observons une échelle de transitions qui vont de l'explicite maximum jusqu'à la structure elliptique la plus condensée ; cette échelle est soumise à un ensemble de règles transformationnelles rigoureuses. La propriété cardinale du langage notée par l'initiateur de la sémiotique, Charles Sanders Peirce (1839-1914), à savoir la faculté qu'a tout signe verbal de pouvoir être traduit en un autre plus explicite, rend un réel service à la communication, en ce sens que cela fait contrepoids aux ambiguïtés dues aux homonymies lexicales et grammaticales ou au chevauchement des formes elliptiques.

On fait généralement montre d'une compétence plus réduite comme émetteur de messages verbaux et d'une compétence plus étendue comme récepteur. Les différences de structuration et d'étendue entre les codes de l'émetteur et du récepteur retiennent l'attention toujours plus minutieuse de ceux qui étudient ou qui enseignent le langage. Saint Augustin a saisi l'essence même de cette divergence : « Pour moi, le mot précède, le son suit » (*in me prius est verbum, posterior vox*), mais, pour vous qui essayez de me comprendre, c'est tout d'abord le son qui parvient à votre oreille afin d'insinuer le sens dans votre esprit. » Les transformations bidirectionnelles qui permettent de déterminer l'état des « outputs » à partir de celui des « inputs », et vice versa, sont des préalables essentiels à toute véritable intercommunication.

Les facteurs spatiaux et temporels jouent un rôle significatif dans la structure de notre code linguistique. Diverses formes de changements de code entre dialectes font partie des mécanismes quotidiens de nos relations verbales. Le bilinguisme ou le multilinguisme, qui permettent le passage total ou partiel d'une langue à une autre, ne peuvent être strictement séparés des fluctuations interdialectales. L'interaction et l'interpénétration des langues chez un polyglotte suivent les mêmes règles que celles qui s'appliquent dans le cas de traductions d'une langue en une autre.

Quant au facteur temporel, je dois renvoyer à mes objections antérieures contre la croyance tenace au caractère statique du code verbal : tout changement apparaît d'abord en synchronie linguistique comme une coexistence et une alternance orientée de façons de parler plus archaïques et plus modernes. Ainsi, la synchronie linguistique s'avère être dynamique ; tout code linguistique est convertible à tous ses niveaux, et dans n'importe quelle conversion l'une des variantes en compétition est dotée d'une valeur informationnelle supplémentaire et manifeste donc un statut marqué par opposition au caractère neutre, non marqué, de l'autre. Une phonologie et une grammaire historiques, par exemple l'histoire millénaire des systèmes de sons, de mots, et de phrases du français, se transforme en une étude des constantes extractibles et des transformations temporelles, qui toutes deux demandent une explication adéquate.

L'incomparable flexibilité du langage prend ses racines dans une superposition systématique de plusieurs niveaux intimement liés, structurés chacun d'une manière différente. Le système des quelques traits distinctifs sert à élaborer un code morphologique plus différencié d'entités dotées d'une signification inhérente, par exemple les mots et, dans les langues où les mots sont décomposables, leurs constituants significatifs minimaux (racines et affixes) appelés « morphèmes ». L'analyse des unités morphologiques révèle une fois de plus un système d'invariants relationnels — oppositions binaires de catégories grammaticales marquées et non marquées —, mais il y a une différence d'une importance capitale entre une opposition phonologique et une opposition grammaticale : dans le premier cas, les paires de contradictoires résident dans le côté perceptible du langage — *signans* (signifiant) — alors que dans le second elles se trouvent dans le côté intelligible — *signatum* (signifié).

Pour illustrer cette différence, nous citerons d'abord l'opposition d'une marque phonologique et de son absence, par exemple nasalisé/non nasalisé, réalisée par des paires de consonnes telles que *m/b (mon/bon)* et *n/d (non/don)* ou par des paires de voyelles comme dans *bon/beau*. D'autre part, dans une opposition grammaticale telle que prétérit/présent, le premier temps, qui est non marqué, signale que l'événement raconté précède l'acte de parole, alors que la signification générale du temps présent, non marqué, ne comporte aucune information au sujet de la relation entre l'événement relaté et l'acte d'énonciation. Cette relation varie et sa spécification dépend du contexte. Comparez les diverses significations contextuelles des mêmes formes de temps présent dans les quatre phrases : « Le printemps commence aujourd'hui » ; « Dans un an il commence un nouveau voyage » ; « Avec la mort de César une ère nouvelle commence pour Rome » ; « La vie commence à cinquante ans ».

Ici de nouveau, comme lorsque nous traitons la structure phonique, nous rencontrons la propriété capitale des langues naturelles, leur dépendance du contexte. C'est précisément cette propriété qui les distingue de leurs superstructures formalisées, artificielles, qui tendent à être indépendantes du contexte. Noam Chomsky a noté avec perspicacité, notamment dans « Formal Properties of Grammars », *Handbook of Mathematical Psychology* (tr. fr. *L'Analyse formelle des langues naturelles)*, la différence significative existant entre les systèmes de signes dépendants et indépendants du contexte, mais, comme Daniel Walters s'en plaint à juste titre dans la revue *Information and Control* (1970), les propriétés spécifiques des grammaires dépendantes du contexte reçoivent toujours beaucoup moins d'attention que les grammaires indépendantes du contexte, et l'on peut ajouter que la linguistique se trouve ici devant une tâche étendue, pressante et exigeante. C'est sa dépendance à l'égard du contexte à tous les niveaux qui dote une langue naturelle d'une abondance unique de variations libres. La tension dialectique entre invariants et variables, qui à leur façon semblent également être pertinents, garantit la créativité illimitée du langage.

La morphologie prolonge le modèle phonologique des traits distinctifs par une organisation également cohérente et hiérarchisée de traits *conceptuels* également binaires ; ils restent invariants tout en subissant un ensemble de transformations qui convertissent les significations générales des catégories grammaticales en des significations contextuelles (y compris situationnelles) variées. De cette manière, nous évoluons d'un plan grammatical à un autre, supérieur, plus précisément de la morphologie en tant qu'étude d'unités entièrement codées à l'analyse des structures syntaxiques qui combinent des matrices codées avec une sélection libre ou, comme c'est toujours le cas dans la communication verbale, une sélection *relativement* libre de mots qui les remplissent.

Les mots présentent deux sortes de valeurs sémantiques manifestement distinctes. Leur signification grammaticale obligatoire — un concept ou un groupe de concepts relationnels catégoriels que les mots comportent toujours — s'accompagne dans tous les mots autonomes d'une signification *lexicale*. Comme les significations grammaticales, toute signification lexicale générale est à son tour un invariant qui, à la suite de diverses transformations contextuelles et situationnelles, engendre ce que Léonard Bloomfield (1887-1949) a précisément défini dans *Language* (1933) comme des « significations marginales, transférées ». Elles sont comprises comme dérivées de la signification générale non marquée, et ces tropes, soit se trouvent en accord avec le code verbal, soit s'en écartent d'une manière *ad hoc*.

Les règles de la syntaxe sont ordonnées, et ses règles et leur ordre lui-même déterminant un procédé grammatical « qui ne manque jamais de fournir un concept grammatical », selon les termes subtils introduits par Edward Sapir dans *Language* (1921). Toute structure syntaxique fait partie d'une chaîne transformationnelle et toute paire de constructions partiellement synonymes manifeste une relation entre marqué et non marqué. En anglais, par exemple, le passif est marqué par rapport à l'actif non marqué ; ainsi, une expression telle que « Les lions sont chassés par les indigènes », dont le sens est similaire mais pas identique à celui de la phrase « Les indigènes chassent les lions », marque un changement de perspective sémantique de l'agent à l'objet poursuivi en portant l'attention sur « lions » et en tolérant l'omission de l'agent, comme dans « Les lions sont chassés ».

Dans sa signification générale, chaque nom est un terme générique recouvrant tous les membres d'une classe ou tous les stades d'un tout dynamique. L'application contextuelle aussi bien que situationnelle de ces caractéristiques à des éléments particuliers est une transformation d'une vaste application. Ce jeu d'éléments universels et particuliers, que les linguistes sous-estiment souvent, a été discuté depuis des années par les logiciens et les philosophes du langage, comme dans le *Metalogicus* du XII° siècle de John de Salisbury à la formule de qui — *Nominantur singularia sed universalia significantur* — C.S. Peirce se réfère quand il développe la distinction cardinale entre l' « étendue » et la « profondeur » logique d'un terme.

Lorsque nous observons le processus hautement instructif des progrès graduels d'un enfant dans l'acquisition du langage, nous constatons de quelle importance décisive est l'apparition de la phrase du type sujet-prédicat. Elle libère la parole de la contrainte du *hic et nunc* et permet à l'enfant de traiter des événements éloignés dans l'espace et dans le temps ou même fictifs. Cette capacité, que les mécanistes appellent parfois « discours déplacé », est en fait la première affirmation de l'autonomie du langage. Dans les systèmes de signes autres que les langues naturelles ou artificielles, il n'y a pas de parallèles à la formulation explicite des propositions générales et surtout équationnelles, il n'y a pas moyen de construire des jugements logiques.

Les progrès linguistiques de l'enfant dépendent de sa capacité à développer un métalangage, c'est-à-dire de comparer des signes verbaux et de parler du langage. Le métalangage en tant que partie du langage est également un trait structural sans analogue dans les autres systèmes de signes. Le fondateur de l'école linguistique de Moscou, F.F. Fortunatov (1848-1914), soulignait que « les phénomènes de langage eux-mêmes appartiennent aux phénomènes de la pensée ». La communication entre les personnes, qui est l'une des pré-conditions indispensables pour que l'enfant accède à la parole, est progressivement complétée par une intériorisation du langage. Le langage intérieur, le dialogue avec soi-même, est une superstructure importante de l'échange verbal. Ainsi que le montre l'étude des troubles du langage, les détériorisations du langage intérieur prennent une place importante parmi les désordres verbaux. Une moindre dépendance à l'égard de la censure environnante contribue au rôle actif du langage intérieur dans la montée et la mise au point d'idées nouvelles.

La relation d'équivalence que des linguistes de divers points du monde ont progressivement approchée sous divers noms — « transformation », « transférence », « translation » et « transposition » — depuis l'époque d'entre les deux guerres s'avère être le ressort principal du langage. A la lumière de cela, plusieurs questions controversées de la communication verbale peuvent recevoir une analyse plus exacte et plus explicite.

La langue écrite est une transformation évidente de la langue parlée. Tous les êtres humains sains parlent, mais près de la moitié des habitants du monde sont totalement illettrés, et l'usage effectif de la lecture et de l'écriture n'est l'atout que d'une faible minorité. Cependant, même alors, l'alphabétisme est une acquisition secondaire. Quel que soit le système d'écriture employé, il se réfère généralement à la langue parlée. Comme les invariants communs au langage oral et écrit, chacun de ces deux systèmes présente dans sa composition et dans son emploi un nombre de particularités pertinentes. En particulier, les propriétés qui dépendent du caractère spatial des textes écrits les séparent de la structure purement temporelle des énoncés oraux. L'étude comparative de ces deux structures linguistiques et de leurs rôles dans la communication sociale représente une tâche urgente qu'on ne peut négliger plus longtemps. On supprimera ainsi de nombreuses généralisations hâtives. Ainsi, par exemple, le rôle de l'instruction, de la mémorisation et de la transmission continuelle, loin de se limiter au monde des lettres, est attesté également dans les traditions orales et l'art de la rhétorique, comme Paul Gaechter l'a démontré dans sa monographie *Die Gedächniskultur in Irland* (Innsbruck, 1970) au moyen de données de l'irlandais ancien.

La diffusion plus importante du mot écrit dans le passé récent est maintenant égalée par des procédés techniques de messages oraux « à qui de droit » tels que la radio, la télévision et les instruments d'enregistrement de la parole.

Dans l'étude « Linguistique et poétique » (*Essais de linguistique générale,* I, 1963), j'ai essayé d'esquisser les six fonctions fondamentales de la communication verbale : référentielle, émotive, conative, poétique, phatique et métalinguistique. L'interaction de ces fonctions et en particulier les transformations grammaticales résultantes ne peuvent recevoir une analyse linguistique adéquate que si l'on écarte les survivances des conceptions mécanistes. Par exemple, l'extension de la fonction référentielle (idéationnelle) aux dépens de la fonction conative conduit notre langage à des transformations secondaires, visiblement marquées, de formes primaires impératives comme « Va ! », en des circonlocutions telles que « J'aimerais que tu partes », « Je t'ordonne de partir », « Tu dois partir », ou « Tu devrais partir » qui ont une valeur de vérité imposée de force sur l'expression fondamentale conative. Les efforts pour interpréter les impératifs comme des transformations de propositions déclaratives renversent à tort la hiérarchie naturelle des structures linguistiques.

Finalement, l'analyse des transformations grammaticales et de leur signification devrait inclure la fonction poétique du langage, étant donné que l'essence de cette fonction est de pousser les transformations à l'avant-plan. C'est l'usage poétique réfléchi des tropes et figures lexicales et grammaticales qui amène la force créatrice du langage à son sommet. Une innovation aussi marquée que la perspective temporelle inverse utilisée récemment par trois poètes russes indépendamment l'un de l'autre est difficilement fortuite — « Pour vous le futur est digne de confiance et accompli. Vous dites : demain nous sommes allés en forêt » (A. Voznesenskij) ; « Je me suis retrouvé une fois demain » (S. Kirsanov) ; « C'était demain » (G. Glinka). Dans une lettre datée du 21 mars 1955, quatre semaines avant sa mort, Einstein écrivait : « La séparation entre le passé, le présent et le futur n'a que la signification d'une illusion, même si c'est une illusion tenace. »

Chapitre III

LE LANGAGE EN RELATION
AVEC LES AUTRES SYSTEMES DE COMMUNICATION *

Edward Sapir déclare, et c'est évident, que « le langage est le moyen de communication par excellence de toute société connue ». La science du langage étudie la composition des messages verbaux et celle de leur code sous-jacent. Les caractéristiques structurelles du langage sont interprétées à la lumière des tâches qu'elles remplissent dans les divers modes de communication, et ainsi, on peut sommairement définir la linguistique comme une étude de la communication des messages verbaux. Nous analysons ces messages par rapport à tous les facteurs concernés, à savoir, les propriétés inhérentes du message lui-même, le locuteur et l'allocutaire, que celui-ci reçoive véritablement le message ou qu'il soit simplement conçu par le locuteur comme récepteur virtuel. Nous étudions le caractère du contact qui existe entre les deux protagonistes de l'événement de langage, nous cherchons à faire apparaître le code commun à l'émetteur et au récepteur, et nous essayons de déterminer les traits convergents et les différences qui existent entre les opérations d'encodage du locuteur et la capacité de décodage du destinataire. Finalement, nous cherchons la place que les messages donnés occupent dans le contexte des messages environnants, que ceux-ci appartiennent au même échange d'énoncés, au passé remémoré, ou au futur anticipé, et

---

(*) Paru dans *Selected Writings,* II (1971) sous le titre « Language in Relation to Other Communication Systems ».
Conférence prononcée à Milan le 14 octobre 1968 au Symposium international « Langages dans la société et dans la technique » sous le patronage de Olivetti. Traduit par Paul Hirschbühler.

nous soulevons les questions cruciales qui concernent la relation des messages donnés à l'univers du discours.

Lorsque nous considérons les rôles des protagonistes de l'événement verbal, nous devons discerner les diverses variétés essentielles de leur interconnexion, à savoir, la forme fondamentale de cette relation, l'alternance des activités d'encodage et de décodage chez les interlocuteurs et la différence cardinale entre ce type de dialogue et un monologue. Une question à étudier est l'extension du « rayon de communication », c'est-à-dire l'échange entre plusieurs personnes des répliques et réparties ou l'audience élargie d'un monologue qui peut même être adressé « à qui de droit ».

D'un autre côté, il devient toujours plus évident pour la recherche psychologique, neurologique, et surtout linguistique, que le langage est non seulement un moyen de communication entre les personnes mais qu'il en est également un pour la communication intrapersonnelle. Ce domaine, pendant longtemps très peu exploré ou même totalement ignoré, nous confronte aujourd'hui, surtout après des reconnaissances aussi magnifiques que celles de L.S. Vygotskij et A.N. Sokolov, à une demande pressante pour que soient étudiées l'intériorisation de la parole et les facettes variées de ce langage intérieur qui anticipe, planifie et conclut nos énoncés prononcés, en général guide notre comportement interne et externe et modèle les répliques silencieuses de l'auditeur tacite. Parmi les nombreux problèmes que Charles Sanders Peirce a vus avec une bien plus grande sagacité que ses contemporains se trouve celui de la substance et de la pertinence des dialogues intérieurs entre l'orateur silencieux et le « même homme l'instant d'après ». La relation verbale qui supprime la discontinuité spatiale de ses participants est renforcée par l'aspect temporel de la communication verbale qui garantit la continuité du passé, du présent, et du futur de chacun.

Si parmi les messages utilisés dans la communication humaine les messages verbaux jouent un rôle dominant, nous devons cependant tenir compte également de tous les autres types de messages utilisés dans les groupes humains et examiner leurs particularités structurelles et fonctionnelles sans oublier cependant que le langage est pour l'humanité entière le premier moyen de communication et que cette hiérarchie des moyens de communications se reflète nécessairement dans tous les autres types secondaires de messages humains et les rend de diverses façons dépendants du langage, en particulier de son acquisition antérieure et de l'usage par l'homme de représentations verbales patentes ou latentes pour accompagner ou interpréter n'importe quel autre message. Tout message se compose de signes ; paral-

lèlement, la science des signes appelée « sémiotique » traite
des principes généraux qui sous-tendent la structure de tous
les signes (quels qu'ils soient) et de la façon dont on les utilise dans les messages, ainsi que des traits spécifiques des divers
systèmes de signes et des divers messages qui en font usage.
Cette science prévue par les philosophes du XVII° et du XVIII°
siècle, programmée depuis la fin des années 1860 par Charles
Sanders Peirce de même qu'au tournant du siècle dernier par
Ferdinand de Saussure sous l'étiquette quelque peu modifiée
de « sémiologie », est entrée à présent dans une période de
développement international rapide et animé.

La sémiotique, comme étude de la communication de toutes
les sortes de messages, est le cercle concentrique le plus petit
qui entoure la linguistique, dont le domaine de recherche se
limite à la communication des messages verbaux. Le cercle
concentrique suivant, plus large, est une science intégrée de
la communication qui embrasse l'anthropologie sociale, la
sociologie et l'économie. On peut une fois de plus citer l'observation toujours opportune de Sapir selon laquelle « tout
système culturel et chaque acte isolé de comportement social
implique la communication dans un sens soit explicite, soit
implicite ». Il faut se rappeler que quel que soit le niveau de
communication que nous traitons, chacun implique un échange
de messages et ne peut donc être isolé du niveau sémiotique,
qui à son tour assigne le rôle primordial au langage. La question
de la sémiotique et en particulier des éléments linguistiques inhérents à toute forme de communication humaine doit servir de
ligne directrice capitale à l'examen futur de toutes les variétés
de communication sociale. En fait, l'expérience de la linguistique
a commencé à être remarquée et utilisée de manière créatrice
dans les études modernes d'anthropologie et d'économie ; de
manière vraiment créatrice, parce que le modèle élaboré et
fécond de la linguistique ne peut s'appliquer mécaniquement
et qu'il n'est efficace que pour autant qu'il ne viole pas les
propriétés autonomes d'un domaine donné.

Notre caractérisation de la linguistique par rapport aux
autres sciences, publiée tout d'abord dans le volume de l'Unesco,
*Tendances principales de la recherche dans les sciences sociales
et humaines,* I (1970), et sa version revue dans le présent
volume, chapitre I, ont abordé certaines questions concernant
la relation entre l'étude de la communication de messages aussi
bien verbaux qu'autres et l'étude totale de la communication.
Nous concentrerons ici l'attention sur la nécessité de classifier
les systèmes de signes et les types de messages correspondants,
particulièrement en ce qui concerne le langage et les messages
verbaux. Sans effort vers une telle typologie, ni la communi-

cation des messages, ni même la communication humaine en
général ne peuvent faire l'objet d'une analyse scientifique approfondie.

La doctrine stoïcienne voyait l'essence des signes, et spécialement des signes verbaux, dans leur structure nécessairement
double, à savoir une unité indissoluble entre un *signans* immédiatement perceptible et un *signatum* déductible, appréhensible,
selon l'ancienne traduction latine des termes grecs correspondants. Malgré les tentatives anciennes et récentes de réviser les
conceptions traditionnelles ou au moins d'altérer une des trois
notions impliquées — *signum, signans, signatum* —, ce modèle
plus de deux fois millénaire reste la base la plus solide et la
plus sûre pour la recherche sémiotique qui commence à se
développer et à s'étendre aujourd'hui. Les relations variées
existant entre le *signans* et le *signatum* offrent toujours un critère
indispensable pour toute classification des structures sémiotiques, à condition que celui qui les étudie parvienne à échapper
à deux déviations également hasardeuses : d'une part, les essais
pour forcer n'importe quelle structure sémiotique dans le schème
linguistique sans prêter attention aux traits spécifiques de la
structure donnée seraient et sont nuisibles, comme, d'autre part,
toutes les tentatives pour écarter tout commun dénominateur
en raison de propriétés différentes ne peut que nuire aux intérêts de la sémiotique comparative et générale.

La division des signes en index, icônes et symboles, que Peirce
le premier a avancée dans son travail bien connu de 1867
et qu'il a élaborée tout au long de sa vie, se fonde en fait
sur deux dichotomies importantes. L'une d'elles est la différence
entre contiguïté et similarité. La relation d'index entre *signans*
et *signatum* repose sur leur contiguïté effective, existentielle. Le
doigt qui montre un objet est un index typique. La relation
iconique existant entre le *signans* et le *signatum* n'est selon les
termes de Peirce qu' « une simple communauté de qualité »,
une relative ressemblance ressentie comme telle par l'interprète,
par exemple une peinture reconnue comme paysage par le
spectateur. Nous conservons le nom « symbole » qu'utilise
Peirce pour la troisième classe de signes, malgré la variété
troublante et le caractère même contradictoire des significations
attachées traditionnellement à ce terme ; les autres étiquettes
utilisées pour le même concept ne semblent pas moins équivoques. Contrairement à la contiguïté effective existant entre
la voiture montrée du doigt et la direction indiquée par l'index,
et à la ressemblance réelle existant entre cette voiture et un
dessin ou une esquisse de celle-ci, aucune proximité de fait
n'est requise entre le nom « voiture » et le véhicule qui porte
ce nom. Dans ce signe, le *signans* est lié à son *signatum* « indé-

pendamment de toute connexion effective ». La contiguïté entre
les deux faces constitutives du symbole « peut être appelée une
qualité assignée », selon l'heureuse expression de Peirce de
1867.

Les liens appris, conventionnels, coexistent également dans
les index et les icônes. La saisie totale des tableaux et des
dessins exige un processus d'apprentissage. Aucune peinture
n'est exempte d'éléments idéographiques, symboliques. La projection des trois dimensions sur un plan unique au moyen de
n'importe quelle perspective graphique est une qualité assignée, et si, dans un tableau, de deux hommes, l'un est plus
grand que l'autre, nous devons connaître la tradition spécifique
qui, soit agrandit une figure plus proche, plus importante, émi-
nente, soit fait simplement ressortir une différence de taille.
Il n'est pas question de trois types de signes absolument
séparés mais seulement d'une hiérarchie différente attribuée
aux types de relations réciproques existant entre le *signans*
et le *signatum* des signes donnés ; et de fait, nous observons
des variétés de transition telles que icônes symboliques, symboles iconiques, etc.

Toute tentative visant à traiter les signes verbaux comme
des symboles uniquement conventionnels, « arbitraires », se
révèle être une simplification trompeuse. La fonction iconique
joue aux différents niveaux de la structure linguistique un
rôle important et nécessaire, bien qu'évidemment subordonné.
L'aspect d'index du langage, entrevu de façon pénétrante par
Peirce, devient un problème toujours plus important pour les
études linguistiques. D'un autre côté, il est difficile de produire
un index délibéré qui ne contienne pas d'élément symbolique
et/ou iconique. L'index *hic et nunc* typique des signaux routiers se combine avec la signification conventionnelle, symbolique, d'opposés tels que le vert et le rouge. Même désigner un
objet a des connotations symboliques différentes selon le cadre
culturel : celui-ci dote le signe du doigt de significations telles
que la dégradation, la malédiction ou la cupidité. En plus des
divers types de *semiosis* (= relation variable entre *signans* et
signatum), la nature du *signans* lui-même revêt une grande
importance pour la structure des messages et leur typologie.
Les cinq sens extérieurs remplissent des fonctions sémiotiques
dans la société. Parmi des exemples sans nombre, on peut citer
les poignées de mains, les tapes sur l'épaule, et les baisers pour
le toucher ; les parfums et l'encens pour l'odorat ; le choix,
l'ordre et la gradation des plats et des boissons pour le goût.
Bien qu'un examen systématique de l'aspect sémiotique de
ces sens dans différentes cultures se révélerait plein d'intérêt
et de découvertes curieuses, il est évident que dans la société

humaine les systèmes de signes les plus socialisés, les plus abondants et les plus appropriés reposent sur la vue et l'ouïe. Un trait essentiel distingue les signes auditifs des signes visuels. Dans les systèmes de signes auditifs, ce n'est jamais l'espace mais seulement le temps qui agit comme facteur de structuration ; plus précisément, le temps dans ses deux axes : la successivité et la simultanéité ; la structuration des *signantia* visuels fait intervenir nécessairement l'espace et peut être abstraite du temps, comme pour la peinture et la sculpture, ou surimposée au facteur temporel, comme pour le film. La prévalence des icônes parmi les signes purement spatiaux, visuels, et la prédominance des symboles parmi les signes auditifs purement temporels nous permettent de lier plusieurs critères pertinents pour la classification des systèmes de signes et de promouvoir leur analyse sémiotique et leur interprétation psychologique. Les deux systèmes particulièrement élaborés de signes purement auditifs et temporels, le langage parlé et la musique, présentent, comme diraient les physiciens, une structure granulaire strictement discontinue. Ils se composent d'éléments ultimes discrets, principe étranger aux systèmes sémiotiques spatiaux. Ces éléments ultimes, leurs combinaisons, et leurs règles d'agencement constituent des artifices spéciaux, formés *ad hoc*.

Selon leur mode de production, les signes doivent être divisés en signes directement organiques et en signes instrumentaux. Parmi les signes visuels, les gestes sont produits directement par les organes du corps, alors que la peinture et la sculpture impliquent l'emploi d'instruments. Parmi les signes auditifs, la parole et la musique vocale appartiennent au premier type et la musique instrumentale au second. Il est important de faire la distinction entre la production instrumentale des signes et la simple reproduction instrumentale des signes organiques. La diffusion de la parole par l'intermédiaire du disque, du téléphone ou de la radio ne change pas la structure du discours reproduit : le système sémiotique reste le même. Cependant, la diffusion plus étendue dans l'espace et dans le temps n'est pas sans influence sur la relation entre le locuteur et son auditoire et, de là, sur la composition des messages. Ainsi, des changements dans les moyens de communication orale et le rôle croissant de ces nouveaux moyens est susceptible d'avoir une influence sur l'évolution du discours et de devenir un sujet intéressant pour la recherche linguistique et sociologique. De plus, des moyens techniques tels que le téléphone et la radio, qui privent nos perceptions auditives du support visuel, ne peuvent guère rester sans conséquences sur la perception et la constitution des messages verbaux. Il est évident qu'on ne peut voir un simple moyen technique de reproduction dans

des inventions modernes telles que le cinéma qui, de la simple
reproduction de diverses images visuelles, s'est rapidement transformé en un système sémiotique complexe et autonome.

· Aux signes produits spécialement par l'une ou l'autre partie du
corps humain, soit directement, soit au moyen d'instruments
spéciaux, il faut ajouter et opposer l'éventail sémiotique d'objets
tout faits. Cet emploi des objets comme signes, que le Tchèque
I. Osolsobe, qui étudie cette forme particulière de communication, a désigné par le terme d' « ostension », peut être illustré
par l'exposition et l'arrangement compositionnel d'échantillons
synecdochiques de biens dans des vitrines ou par le choix
métaphorique des fleurs offertes, par exemple un bouquet de
roses rouges comme signe d'amour. Le théâtre, qui se sert des
hommes comme *signantia* (les acteurs) d'hommes conçus comme
signata (les personnnages) est un type particulier d'ostension.

Tout signe exige un interprète. Un type clair de communication sémiotique implique deux interprètes différents, l'émetteur d'un message et son destinataire. Cependant, comme nous
l'avons signalé plus haut, le discours intérieur réunit l'émetteur
et le destinataire en une seule et même personne, et les formes
elliptiques de communication intrapersonnelle sont loin d'être
confinées aux signes verbaux seulement. Le nœud mnémotech-
nique qu'un Russe fait dans son mouchoir pour se rappeler une
tâche urgente à accomplir est un exemple typique de communication intérieure entre le moi pris à deux moments différents.

On trouve présent dans diverses formes de divination un
système de symboles conventionnels décodés par le récepteur
sans qu'existe d'émetteur intentionnel du message. Le code
traditionnel des présages permet à l'augure de déduire des
influences présumées sur les affaires humaines à partir des
les variations signifiantes observées dans le vol des oiseaux,
lesquels ne sont que la source de tels messages sans en être
les émetteurs. Les signes iconiques involontaires sont également
fréquents : par exemple, Freud observe que certains champi-
gnons évoquent facilement une image phallique. Il est probable
que dans certains cas une telle image peut se définir, dans la
terminologie de Peirce, comme une icône symbolique engendrée
ou au moins soutenue dans l'imagination de l'individu par une
association métaphorique vivante dans la tradition orale (cf.
l'étiquette mycologique de *phallus impudicus).*

Les index fournissent le plus vaste domaine de signes inter-
prétés par leurs récepteurs sans qu'existe aucun émetteur volontaire. Ce n'est pas volontairement que les animaux laissent des
traces à l'usage du chasseur, mais celles-ci servent néanmoins
de *signantia,* lui permettent de déduire les *signata* qui y cor-

respondent et ainsi d'identifier le type de proie aussi bien que la direction et le temps écoulé depuis son passage.

D'une façon semblable, le médecin utilise les symptômes des maladies comme index ; d'où la « sémiologie » (autrement dit, la symptomatologie), branche de la médecine qui a pour objet les signes qui indiquent et spécifient un trouble physique, pourrait être incluse dans le domaine de la sémiotique — la science des signes — si l'on suit Peirce en traitant également les index purement involontaires comme une sous-classe d'une classe sémiotique plus large. La nécessité qu'il y a de les interpréter comme quelque chose qui sert à inférer l'existence de quelque chose d'autre (*aliquid stat pro aliquo*) transforme les index involontaires en une variété de signes, mais nous devons tenir compte de façon systématique de la différence décisive entre la « communication », qui implique un émetteur véritable ou présumé, et l' « information », dont la source ne peut être considérée comme un émetteur par celui qui interprète les indications reçues.

Le langage est l'exemple d'un système purement sémiotique. Tous les phénomènes linguistiques — depuis les composants les plus petits jusqu'aux énoncés entiers et à leur échange — fonctionnent toujours et uniquement comme signes. L'étude des signes ne peut cependant se limiter à de tels systèmes uniquement sémiotiques, mais doit également prendre en considération des structures sémiotiques appliquées, comme l'architecture, le vêtement, ou la cuisine. D'une part, il est vrai que nous n'habitons pas dans des signes mais dans des maisons, et d'autre part il est de même évident que la tâche des constructeurs ne se limite pas simplement à nous fournir retraites et abris. Dans les principes de construction de tout style architectural, en particulier dans leur organisation de l'espace à trois dimensions, des exemples manifestes ou latents de *sémiosis* trouvent leur expression. Tout édifice est simultanément une sorte de refuge et un certain type de message. De même, tout vêtement répond à des exigences nettement utilitaires et présente en même temps diverses propriétés sémiotiques, comme P.G. Bogatyrev l'a parfaitement démontré dans sa monographie de pionnier sur le caractère sémiotique du vêtement traditionnel slovaque. Une étude historique et géographique des modes et de l'art culinaire d'un point de vue sémiotique pourrait conduire à de nombreuses conclusions typologiques révélatrices et surprenantes.

Les fonctions cardinales du langage — les fonctions référentielle, émotive, conative, phatique, poétique, et métalinguistique — et leur hiérarchie différente dans les divers types de messages ont été décrites et discutées à plusieurs reprises.

Cette approche pragmatique du langage doit conduire *mutatis mutandis* à une étude analogue des autres systèmes sémiotiques : desquelles de ces fonctions ou de quelles autres sont-ils dotés, selon quelles combinaisons, et dans quel ordre hiérarchique ? Les structures sémiotiques avec une fonction poétique dominante ou — pour éviter un terme se rapportant avant tout à l'art littéraire — avec une fonction esthétique, artistique dominante, présentent un domaine particulièrement payant pour la recherche typologique comparative.

Dans certaines de nos études précédentes, nous avons tenté de décrire les deux facteurs fondamentaux qui opèrent à n'importe quel niveau du langage. Le premier de ces deux facteurs, la « sélection », « est produit sur la base de l'équivalence, de la similarité et de la dissimilarité, de la synonymie et de l'antonomie », tandis que dans le second, la « combinaison », la construction de toute chaîne, « repose sur la contiguïté » : si l'on étudie le rôle de ces deux facteurs dans le langage poétique, il devient clair que « la fonction poétique projette le principe d'équivalence de l'axe de la sélection sur l'axe de la combinaison. L'équivalence est promue au rang de procédé constitutif de la séquence ».

Nicolas Ruwet, qui combine un sens aigu du langage, spécialement de l'art littéraire, et une connaissance scientifique rare de la musique, déclare que la syntaxe musicale est une syntaxe d'équivalences : les diverses unités sont dans des relations mutuelles d'équivalence multiforme. Cette affirmation suggère une réponse spontanée à la question complexe de la *semiosis* musicale : plutôt que de viser quelque objet extrinsèque, la musique se présente comme *un langage qui se signifie soi-même*. Des parallélismes de structures bâtis et ordonnés différemment permettent à l'interprète de tout *signans* musical perçu immédiatement de déduire et d'anticiper un nouveau constituant correspondant (par exemple des séries) et l'ensemble cohérent formé par ces constituants. C'est précisément cette interconnexion des parties aussi bien que leur intégration dans un tout compositionnel qui fonctionne comme le *signatum*-même de la musique. Doit-on citer les nombreuses preuves fournies par des compositeurs d'autrefois et d'aujourd'hui ? L'aphorisme décisif de Stravinsky peut suffire : « Toute musique n'est qu'une suite d'élans qui convergent vers un point défini de repos *. » Le code des équivalences reconnues entre les parties et celui de leur corrélation au tout constitue dans une large mesure un ensemble de parallélismes appris, assignés, reçus

---

(*) En français dans le texte.

comme tels dans le cadre d'une époque, d'une culture ou d'une école musicale donnée.

On peut tirer de ceci plusieurs conclusions. La classification des relations entre *signans* et *signatum* décrite au début de ce chapitre postulait trois types fondamentaux : une contiguïté effective, une contiguïté attribuée, et une similarité effective. Cependant, le jeu des deux dichotomies — contiguïté/similarité et effectif/assigné — permet une quatrième variété, à savoir, la similarité assignée. C'est précisément cette combinaison qui devient apparente dans la *semiosis* musicale. La *semiosis* introversive, le message qui se signifie lui-même, est indissolublement liée à la fonction esthétique des systèmes de signes et domine non seulement la musique mais également la poésie glossolalique ainsi que la peinture et la sculpture non figuratives où, comme Dora Vallier le déclare dans sa monographie *L'Art abstrait* (1967), « chaque élément n'existe qu'en fonction du reste * ». Mais ailleurs, en poésie et dans la plus grande partie de l'art visuel figuratif, la *semiosis* introversive, qui joue toujours un rôle cardinal, coexiste et « co-agit » avec une *semiosis* extroversive, alors que le composant référentiel est soit absent soit très réduit dans les messages musicaux, même dans ce qu'on appelle la musique à programme. Ce que nous avons dit ici de l'absence ou de la pauvreté de composant référentiel, conceptuel, n'ignore pas la connotation émotive que véhiculent la musique, les *glossolalia*, ou encore l'art visuel non figuratif. La question de Sapir reste opportune : « Le pouvoir même de la musique ne réside-t-il pas dans la précision et la délicatesse avec laquelle elle exprime une gamme d'états d'esprit qu'il est autrement très difficile, impossible, à exprimer ? » (Cf. L.B. Meyer, *Emotion and Meaning in Music,* Chicago, 1956.)

L'étude de la communication doit faire la distinction entre les messages homogènes qui utilisent un seul système sémiotique et les messages syncrétiques reposant sur une combinaison ou une fusion de différents systèmes sémiotiques. Nous observons des types habituels déterminés de telles combinaisons. L'anthropologie est confrontée à la tâche de faire l'étude comparative des traditions syncrétistes et de leur diffusion dans les cultures ethniques du monde entier. Apparemment, nous avons de la peine à trouver des cultures primitives sans poésie ; il semble cependant que certaines de ces cultures ne possèdent pas de poèmes proprement dits mais seulement des poèmes chantés ; en revanche, la musique vocale semble plus répandue que la musique instrumentale. Aussi, le syncrétisme de la poésie et

---

(*) En français dans le texte.

de la musique est peut-être primordial en comparaison de
la poésie indépendante de la musique et de la musique indépendante de la poésie. Les signes visuels corporels manifestent
une propension à se combiner aux systèmes de signes auditifs :
les gestes de la main et les mouvements du visage fonctionnent
comme signes s'ajoutant aux énoncés verbaux ou comme leurs
substituts, alors que les mouvements qui mettent en jeu les jam-
bes et l'ensemble du corps semblent être liés d'une manière
prédominante ou, dans certaines cultures traditionnelles, d'une
manière exclusive à la musique instrumentale. La culture
moderne développe les spectacles syncrétiques les plus complexes, comme les comédies musicales et surtout les comédies
musicales filmées, qui combinent diverses méthodes sémiotiques
auditives et visuelles.

Les signaux représentent un type spécial de signes qu'il
faut distinguer des autres systèmes sémiotiques. Un signal,
comme tout autre type de signes, comporte son *signatum,* mais,
à l'opposé des autres signes, les signaux ne peuvent se combiner
en une nouvelle construction sémiotique, même s'ils appartiennent à un code plus large d'unités librement choisies. Toutes
les combinaisons de signaux simples, si le système comporte
non seulement des signaux simples mais également des signaux
complexes, sont prescrites par le code, de sorte que le corpus
des messages possibles est équivalent au code. La *semiosis*
des signaux assigne ceux-ci soit aux symboles index, soit aux
icônes index. Les signaux peuvent être spatiaux comme temporels, visuels comme auditifs. Ils manifestent dans la communication sociale des emplois diversifiés ; mentionnons quelques
exemples, comme les badges et autres insignes, les marques de
fabrique, les sceaux, les emblèmes, les écussons, les bannières,
les étendards, les signaux routiers, les feux, les avertissements
sonores et les coups de klaxon.

Finalement, les systèmes capables de construire des propositions doivent être distingués de tous les autres types sémiotiques utilisés dans la société humaine. A l'opposé de tels
systèmes propositionnels, qui comprennent le langage et des
superstructures diverses superposées au langage, tous les autres
systèmes peuvent être appelés idiomorphiques, étant donné que
leur composition est relativement indépendante de la structure linguistique, bien que le développement et l'emploi de ces
systèmes impliquent la présence du langage. Dans la classe
des systèmes propositionnels, la langue parlée est le système
fondamental qui — ontogénétiquement et phylogénétiquement —
précède tous les autres systèmes de cette classe. La transposition de la parole en sifflement ou en battements de tambour
représente deux substituts typiques, le premier directement

organique, l'autre instrumental, dus en partie à un besoin occasionnel d'audibilité élargie, en partie à des fins rituelles ; dans chacune de ces structures, la structure sous-jacente commune, la parole ordinaire, subit un choix elliptique de traits à retenir.

L'écriture est la transposition la plus importante en un autre support : elle assure une plus grande stabilité et un accès aux destinataires éloignés dans l'espace et/ou dans le temps. Que les caractères écrits d'un système donné représentent des phonèmes, des syllabes, ou des mots entiers, généralement ils fonctionnent comme signifiants des unités correspondantes — plus petites ou plus grandes — de la langue parlée. Néanmoins, comme on l'a réalisé tout au long de l'histoire déjà ancienne de la linguistique et comme les phonologues du cercle linguistique de Prague l'ont démontré et souligné, l'aspect graphémique du langage manifeste à des degrés remarquables une relative autonomie. La langue écrite a tendance à développer ses propriétés structurelles particulières, de sorte que l'histoire des deux variétés linguistiques principales, le son et les lettres, est riche de tensions où alternent dialectiquement répulsions et attractions mutuelles. Durant les dernières décennies, l'ancienne prédominance, dans la diffusion, du mot écrit et imprimé, a subi la concurrence toujours plus forte de la langue parlée diffusée par la radio et la télévision. La différence décisive entre auditeurs et lecteurs et, parallèlement, entre activités de parole et d'écriture, repose dans la transposition de la suite verbale du plan temporel au plan des signes spatiaux, ce qui atténue fortement le caractère univoque du flot verbal. Alors que l'auditeur fait la synthèse d'une séquence après que ses éléments se soient évanouis, pour le lecteur, les mots restent (*verba manent*), et il peut revenir de ce qui suit à ce qui précède. Cependant, même après la substitution de la lecture intériorisée, silencieuse, aux performances obligatoirement à haute voix du novice, le lecteur exercé garde pour toujours une activité motrice latente, comme des expériences récentes l'ont prouvé.

Les langages formalisés, qui servent à diverses fins scientifiques et techniques, sont des transformations artificielles des langues naturelles et en particulier de leur variété écrite. Elena V. Padučeva, une des investigatrices les plus perspicaces sur le plan linguistique des formes opaques et irrationnelles des langues naturelles, met au jour de nombreux faits frappants, par exemple, le caractère sémantiquement indéfini de la phrase, « Les amis de Pierre et de Jean sont arrivés », qui peut signifier soit le(s) ami(s) de Pierre uniquement et ceux (celui) de John uniquement, ou seulement leur(s) ami(s) commun(s), ou enfin, leur(s) ami(s) commun(s) plus leur(s) ami(s) particulier(s). Mais la créativité des langues naturelles repose précisément sur leur capacité cachée, spécifique, à éviter les détails superflus et sur la dépendance de ses significations à l'égard de la contrainte du texte. Ce sont précisément ces variables sémantiques, esquissées perspicacement dans la quête de l'Ecole scolastique de l'échelle des « suppositiones » qui assure ce qu'on appelle la « sensibilité au contexte », laquelle caractérise les constituants des langues naturelles.

Le caractère unique des langues naturelles par rapport à tous les autres systèmes sémiotiques est évident dans leurs fondements. Les significations proprement génériques des signes verbaux se particularisent et s'individualisent sous la pression de contextes changeants ou de situations non verbalisées mais verbalisables.

La richesse exceptionnelle du répertoire des unités significatives codées avec précision (morphèmes et mots) est rendue possible grâce au système diaphane de leurs composants purement différentiels, sans signification propre (les traits distinctifs, les phonèmes, et leur règles de combinaison). Ces composants sont des entités sémiotiques *sui generis*. Le signifié d'une entité de ce type est pure « altérité », à savoir une différence sémantique présumée entre les unités significatives auxquelles il appartient et celles qui *ceteris paribus* ne contiennent pas la même entité.

Un dualisme rigoureux sépare les unités lexicales et idiomatiques, totalement codées dans la langue naturelle, de sa structure syntaxique qui consiste en matrices codées accompagnées d'un choix relativement libre des unités lexicales qui peuvent les remplir. Une liberté encore plus grande et des règles d'organisation encore plus souples caractérisent la combinaison des phrases en unités de discours supérieures.

Les tropes et figures grammaticaux et lexicaux ainsi que les procédés de composition qui gouvernent l'art du dialogue et du monologue trouvent leur analogue le plus proche dans la technique réthorique du cinéma, ou l'ostension qui présente des personnages et des décors de théâtre ou pris au hasard semble se transformer en un récit efficace par la diversité des plans (tropes cinématographiques), par les découpages sélectifs du preneur de vue et du scénariste ainsi que par les règles de composition du montage.

Si le film rivalise avec la complexité de la narration verbale, il existe un type substantiel de structure syntaxique que seules les langues naturelles ou formalisées sont capables d'engendrer, à savoir, les jugements, les propositions générales et surtout' les propositions équationnelles. C'est dans ce domaine que le langage déploie sa force et sa portée la plus grande pour la pensée humaine et pour la communication conceptuelle.

Chapitre IV

DE LA RELATION ENTRE SIGNES VISUELS
ET AUDITIFS *

L'analyse exhaustive d'un système de signes requiert une constante référence aux problèmes généraux de la sémiotique ; dans le contexte de cette science nouvelle au développement rapide et spontané, la question de l'interrelation existant entre les divers systèmes de signes est un thème fondamental d'une brûlante actualité. Nous sommes confrontés à la tâche de construire un modèle général de la production et de la perception des signes et des modèles spécifiques des différents types de signes.

Le rapport structurel et perceptif qui existe entre les signes visuels et auditifs est l'un des thèmes qui figurent à l'ordre du jour. Je suis revenu à ce problème après avoir lu les comptes rendus des journaux à propos des déclarations de Khrouchtchev sur l'art moderne, ses protestations violentes et dictatoriales contre la peinture non figurative, abstraite. Il était clair qu'il avait réellement une aversion violente à l'égard de ce type de peinture, et la question suivante nous vient inévitablement à l'esprit : pourquoi rencontrons-nous si souvent cette réaction outragée, cette peur superstitieuse et cette incapacité à saisir et à accepter la peinture non figurative ? Une brochure officielle de Moscou a résumé cette attitude de répulsion : « Nous n'aimons pas l'art abstrait pour la simple raison qu'il nous entraîne loin de la réalité, du travail et de la beauté, de la joie et de

(*) Ce texte résulte de la fusion de deux articles : « On Visual and Auditory Signs », *Phonetica*, XI (1964) et « About the Relation between Visual and Auditory Signs », remarques conclusives faites au Symposium sur les modèles pour la perception de la parole et de la forme visuelle (Boston, octobre 1964). Traduit par Paul Hirschbühler.

la tristesse, de la palpitation même de la vie, qu'il nous conduit vers un monde illusoire et spectral et la futilité d'une prétendue expression personnelle. » Mais pourquoi le même refrain perd-il tout sens lorsqu'on l'applique à la musique ? Tout au long de l'histoire du monde, il est très rare que l'on se soit plaint et qu'on ait demandé : « Quel aspect de la réalité représente telle ou telle sonate de Mozart ou de Chopin ? Pourquoi nous éloigne-t-elle de la pulsation même de la vie et du travail, vers le monde futile de l'expression dite personnelle ? » La question de la *mimésis,* de l'imitation objective, semble cependant être naturelle et même obligatoire pour la grande majorité des hommes dès que l'on entre dans le domaine de la sculpture ou de la peinture.

Le regretté M. Aronson, observateur de talent qui a étudié d'abord à Vienne avec N. Trubetzkoy, ensuite à Léningrad avec B. Ejxenbaum, a écrit en 1929 un rapport instructif sur les expériences qu'il menait avec plusieurs autres chercheurs à Radio-Léningrad dans le but d'améliorer et de développer les drames radiophoniques (1). Des essais furent faits pour introduire dans le montage des scénarios des reproductions exactes de divers bruits naturels. Cependant, comme l'expérience l'a révélé, « seule une part insignifiante des bruits qui nous entourent est perçue par notre conscience et reliée à une image concrète ». La station de radio enregistra avec soin des bruits de gares et de trains, de ports, de mer, de vent, de pluie et de diverses autres sources sonores, mais les gens furent incapables d'identifier les différents bruits et d'en indiquer la source. Les auditeurs ne savaient pas clairement s'ils entendaient du tonnerre, des trains ou des vagues. Ils savaient seulement que c'était du bruit et rien de plus. La conclusion qu'Aronson tira dans son étude à partir de ces données très intéressantes fut cependant inexacte. Il supposa que la vue joue un rôle plus important que l'ouïe. Il suffit de se rappeler que la radio s'occupe uniquement de faire entendre de la parole et de la musique. Ainsi, l'essence du problème tient, non au degré d'importance, mais à une différence fonctionnelle entre la vue et l'ouïe.

Nous avons signalé une question troublante, à savoir, comment il se fait que la peinture ou la sculpture non objectives, non figuratives, abstraites, continuent à susciter des attaques violentes, du mépris, de la raillerie, des invectives, de l'ahurissement et vont même parfois jusqu'à provoquer des mesures d'interdiction, de censure, alors que les appels en faveur de

---

(1) Aronson, M., « Radiofilme », Slavische Rundschau, I (1929) 539 sqq.

l'imitation de la réalité extérieure sont de rares exceptions
tout au long de l'histoire de la musique ?

Cette question trouve un parallèle dans une autre énigme
notoire : pourquoi le langage parlé est-il le seul moyen de
communication qui soit universel, autonome et fondamental ?
Tous les hommes parlent, à l'exception de ceux qui sont affectés
de troubles pathologiques. L'incapacité de parler (*aphasia uni-
versalis*) est un état pathologique. Par contre, l'analphabétisme
est une condition sociale répandue et même généralisée dans
certains groupes (2). Comment se fait-il que les systèmes de
signes visuels soient, ou bien confinés à un rôle accessoire,
auxiliaire, comme celui des gestes et des mimiques du visage,
ou bien que — pour les lettres et les glyphes par exemple —
ces ensembles sémiotiques constituent, dans la terminologie
de J. Lotz, des formations parasitaires, des superstructures facultatives ajoutées au langage parlé et impliquant son acquisition
antérieure (3) ? Dans la formulation succincte de E. Sapir,
« le langage phonétique a le pas sur tous les autres symbolismes
de communication, qui, par comparaison, sont tous soit substitutifs, comme l'écriture, soit tout à fait additionnels, comme
le geste qui accompagne la parole » (4). Ces faits demandent
à être élucidés.

Si l'on se sert de la division des signes en index, icônes et
symboles de C.S. Peirce, on peut dire que, pour celui qui
l'interprète, un index est associé à son objet par une contiguïté
effective, existentielle, et une icône par une ressemblance effective, alors qu'il n'existe pas de lien existentiel contraignant
entre les symboles et les objets auxquels ils se réfèrent. Un
symbole fonctionne « en vertu d'une loi ». Des règles conventionnelles sous-tendent les relations existant entre les divers
symboles d'un seul et même système. Le lien qui existe entre
le signifiant sensible d'un symbole et son signifié intelligible
(traduisible) repose sur une contiguïté apprise, acceptée, usuelle.
La structure des symboles et des index implique donc une
relation de contiguïté (artificielle dans le premier cas, physique

---

(2) Environ 43-45 % de la population mondiale est totalement illettré
et 65-70 % l'est « fonctionnellement » comme le montre l'enquête
statistique de l'Unesco, *L'Analphabétisme dans le monde au milieu du
XXᵉ siècle* (1957). Selon les résultats de la recherche la plus récente
publiée dans *Harvard Educational Review* (1970), plus de la moitié de la
population des Etats-Unis de plus de vingt-cinq ans ne possède pas le
niveau d'alphabétisation nécessaire pour maîtriser des documents aussi
courants que le code de la route, les journaux et les demandes d'emploi.

(3) Lotz, J., « Natural and scientific language », *Proc. Amer. Acad.
Arts Sciences,* LXXX (1951), 87 sqq.

(4) Sapir, E., Language. *Selected Writings* (University of California
Press, 1949), 7 sqq.

dans le second), alors que l'essence des icônes réside dans la similitude. D'autre part, l'index est le seul signe qui, à l'opposé de l'icône et du symbole, implique la coprésence réelle de son objet. A proprement parler, la différence essentielle entre les trois types de signes réside plutôt dans la hiérarchie de leurs propriétés elles-mêmes. Ainsi, toute peinture, selon Peirce, « est largement conventionnelle dans son mode de représentation », et pour autant que « des règles conventionnelles soutiennent la ressemblance », un tel signe peut être considéré comme une *icône symbolique* (5). D'autre part, le rôle pertinent que les *symboles iconiques* et *indicateurs* jouent dans le langage attend toujours un examen approfondi.

Dans notre expérience quotidienne, les index visuels sont bien plus reconnaissables et bien plus largement utilisés que les index auditifs. De même, les icônes auditives, c'est-à-dire les imitations de sons naturels, sont mal reconnues et guère utilisées. D'autre part, le caractère universel de la musique, le rôle fondamental de la parole dans la culture humaine et, finalement, une simple référence à la prédominance du mot et de la musique à la radio suffisent à prouver que la conclusion d'Aronson quant à la suprématie de la vue sur l'ouïe dans notre vie culturelle ne vaut que pour les index et les icônes, et non pour les symboles.

Nous avons tendance à réifier les signes visuels, à les relier à des objets, à attribuer de la *mimésis* à de tels signes et à les considérer comme des éléments d'un « art imitatif ». A toutes les époques, des peintres ont projeté des éclaboussures ou des taches d'encre ou de couleur, et ont essayé de les visualiser comme des visages, des paysages ou des natures mortes. Combien de fois des brindilles cassées, des rainures dans des pierres ou d'autres sinuosités naturelles, des courbes et des taches, ne sont pas pris pour des représentations d'objets ou d'êtres ! Cette tendance universelle, inhérente, explique pourquoi un spectateur naïf qui regarde une peinture abstraite suppose instinctivement qu'il s'agit d'une sorte de peinture-rébus et s'irrite ensuite lorsqu'il ne peut trouver de réponse à cette énigme imaginaire. Incapable de découvrir ce que l'œuvre est « supposée représenter », le spectateur déçu conclut que « ce n'est que du barbouillage ! ».

Les perceptions visuelles et auditives se produisent visiblement dans l'espace et dans le temps, mais la dimension spatiale prime dans le cas des signes visuels, et la dimension temporelle dans celui des signes auditifs. Un signe visuel complexe com-

---

(5) Peirce, C.S., « Speculative grammar », *Collected Papers, II* (Harvard University Press, Cambridge, Mass., 1932), 129 sqq.

prend une série de composants simultanés, alors qu'un signe auditif complexe est formé en principe d'une série de constituants successifs. Les accords, la polyphonie, et, l'orchestration, sont des manifestations de la simultanéité dans la musique, alors que le rôle dominant est assumé par la séquence. On a parfois mal interprété la primauté de la succession dans le langage comme linéarité du langage. Cependant, les phonèmes, faisceaux de traits distinctifs simultanés, révèlent le second axe de toute séquence verbale. Du reste, c'est le dogme de la linéarité qui incite ceux qui y adhèrent à associer une telle séquence à une chaîne de Markov et à négliger la structure hiérarchique de toute construction syntaxique.

Il existe une différence frappante entre une représentation essentiellement spatiale, visible d'un seul coup, et le flux musical ou verbal qui se déroule dans le temps et qui excite notre ouïe d'une manière consécutive. Même un film exige à tout moment une perception simultanée de sa composition spatiale. Pour être produite, suivie et retenue, la séquence verbale ou musicale doit remplir deux exigences fondamentales : présenter une structure systématiquement hiérarchique, et être analysable en composants ultimes, discrets et strictements modelés et définis pour leur rôle. C'est précisément le cas des traits distinctifs dans le langage et c'est de même vrai en ce qui concerne les notes dans n'importe quelle type de gamme musicale. Thomas d'Aquin a clairement formulé la même idée. Lorsqu'il définit les traits caractéristiques que présentent les composants phoniques du langage, il déclare que ce sont des *significantia artificialiter*. Ils fonctionnent comme unités significatives dans un arrangement artificiel. Un tel système de structures hiérarchiques contraignantes n'existe pas en peinture. Il n'y a pas de superposition ou de stratification obligatoire comme on en trouve dans le langage et dans la musique. Discutant des problèmes de la perception visuelle lors d'une rencontre scientifique, Walter Rosenblith, qui était bien au fait des recherches linguistiques sur les traits distinctifs, fit pertinemment l'observation suivante : « Quel dommage que nous ne trouvions pas dans notre expérience visuelle d'éléments équivalents aux traits distinctifs. Combien il serait plus facile de disséquer et de décrire les perceptions visuelles. » Il ne s'agit pas d'une différence fortuite mais d'une propriété cardinale, spécifique, inhérente aux systèmes de signes temporels, séquentiels, auditifs.

Le cinéma représente un champ d'études très riche pour les études sémiotiques : des chercheurs de tous pays ont accompli quelques premiers pas dans cette direction. En liaison avec notre discussion des signes spatiaux et temporels, permettez-moi de vous faire partager mon expérience personnelle des films abstraits. Bien qu'ayant appartenu aux adhérents ardents et actifs de la peinture abstraite dès ses premiers pas en Russie (V. Kandinskij, M. Larionov, K. Malevič, S. Bajdin, S. Romanovič, A. Rodčenko), je me sens totalement épuisé après avoir regardé ce genre de films pendant cinq ou dix minutes, et j'ai relevé de nombreux témoignages semblables chez d'autres personnes. D.M. MacKay utilisait une bonne expression — « le bruit visuel » — qui rend parfaitement compte d'une telle réponse à ces stimuli. Le fossé qui existe entre l'intention de l'artiste et la réaction d'un décodeur naïf en face d'une séquence visuelle non figurative est un fait psychologique digne d'être noté.

On peut difficilement discuter des problèmes de la simultanéité et de la successivité sans se référer aux considérations instructives exprimées à ce sujet dans les travaux modernes sur l'aphasie. A.R. Luria surtout, le spécialiste moscovite de la pathologie du langage, a insisté sur la différence substantielle existant entre deux types fondamentaux de troubles que l'on a appelés à titre d'essai « le désordre de la simultanéité » et « le désordre de la successivité ». Luria a indiqué de façon convaincante les caractéristiques distinctes qui, dans la topographie du cortex, correspondent à chacun de ces deux types d'altération ; il a cherché à lier le premier type de troubles à des lésions dorsolatérales et le second à des lésions médiobasales. De concert avec les désordres de la successivité, les troubles de la simultanéité jouent également un rôle considérable dans la pathologie du langage. Lorsque nous disons « simultanéité », nous entendons non seulement les déficiences dans la manipulation d' « accords » de composants simultanés tels que les faisceaux de traits distinctifs (les phonèmes), mais également toutes les altérations affectant l'axe de sélection du langage, les altérations dans le choix des formes grammaticales ou lexicales qui peuvent occuper une seule et même place dans la séquence et qui constituent ainsi dans notre système linguistique un ensemble commutatif (ou permutatif). De toute évidence, tout le champ de la grammaire transformationnelle appartient au même domaine.

Dans son livre sur *Le Cerveau de l'homme et les processus mentaux* (6), Luria montre que c'était une erreur de lier uniquement aux centres dits visuels qui se trouvent à l'arrière du cortex tous les troubles affectant la perception d'objets tels que des tableaux. Il révèle que la partie frontale, prémotrice, est également responsable de certaines distorsions, et il a analysé

---

(6) A. Luria, *Mozg čeloveka i psixičeskie processy* (Académie des Sciences Pédagogiques, Moscou, 1963).

l'essence de ces altérations. Dans notre perception d'un tableau, nous procédons par pas successifs, progressant à partir de certains détails choisis, vers la totalité de l'œuvre et, pour le spectateur, l'intégration suit comme une phase ultérieure, comme un but. Luria a observé que certaines altérations prémotrices affectent précisément le passage d'un stade au stade suivant dans une telle perception préliminaire, et ils se réfère au travail de pionnier de Sečenov (1878) (7). A propos de la parole et d'activités similaires, ce grand neurologue et psychologue du siècle dernier a esquissé deux types de synthèses distincts, cardinaux : l'une séquentielle et l'autre simultanée. Les deux espèces jouent un rôle non seulement dans le comportement verbal mais également dans l'expérience visuelle. Alors que la synthèse simultanée s'avère être ce qui détermine la perception visuelle, ce stade final est précédé, comme l'a souligné Luria, d'une suite de démarches exploratoires successives. En ce qui concerne la parole, la synthèse simultanée est la transposition d'un fait séquentiel en une structure synchrone, alors que, dans la perception des tableaux, une telle synthèse représente l'approximation phénoménale la plus proche de la peinture contemplée.

Les lésions dorsolatérales affectent la synthèse simultanée dans le comportement verbal comme dans l'expérience visuelle (8). Par contre, les lésions des sections médiobasales du cortex altèrent la synthèse par étapes, en particulier la « dynamique de la perception visuelle et la construction de séquences de paroles organisées. Un patient de Luria souffrant d'une lésion dans la région médiobasale du cerveau et qui « était confronté à un dessin complexe pouvait saisir immédiatement un composant isolé, mais ce n'était qu'ensuite que les autres composants commençaient à émerger, peu à peu ».

Le problème des deux types de synthèses a une importance capitale pour la linguistique. L'interrelation de la successivité et de la simultanéité dans le discours et la langue a fait l'objet d'ardentes discussions de la part des linguistes de notre siècle, mais certains aspects essentiels du même problème avaient déjà été approchés avec sagacité dans la vieille science indienne du langage. Au cinquième siècle, Bhartrhari, le grand maître de la théorie linguistique indienne, distinguait trois stades dans l'événement de parole. Le premier, la conceptualisation par le locuteur, n'implique aucune durée ; le message peut être simultanément présent comme un tout dans l'esprit du locuteur. Suit la performance elle-même ; selon le traité de ce savant,

---

(7) I. M. Sečenov, *Èlementy mysli* (Moscou, 1959).
(8) A. Luria, « Disorders of Simultaneous Perception in a Case of Bilateral Occipito-parietal Brain Injury », *Brain*, LXXXII (1959), 437 sqq.

celle-ci a deux aspects : la production et l'audition. Ces deux
activités sont naturellement séquentielles. Ce stade ouvre la
voie au troisième, le stade de la compréhension, celui où la
séquence paraît être changée en une « co-incidence ». L'interprète doit saisir et percevoir la séquence en un seul et même
temps. Cette conception rappelle le problème de la psychologie
moderne de « la mémoire immédiate » ou, en d'autres termes,
de « la mémoire à court terme », que George Miller a examiné
avec finesse (9). A ce stade, l'ensemble de la séquence, qu'il
s'agisse d'un mot, d'une phrase, ou d'un groupe de phrases,
émerge comme une totalité synchroniquement présente décodée
au moyen de « la synthèse simultanée ».

Ces questions cruciales réapparaissent sans cesse dans l'ensemble des travaux, et des principes similaires ont été appliqués
de façon répétée à l'art littéraire. Il y a deux siècles eut lieu
en Allemagne une discussion fascinante dans laquelle
G.E. Lessing, le fameux maître et théoricien de la littérature,
essaya d'établir une frontière rigoureuse entre l'art littéraire
et les beaux-arts. Il enseignait que la peinture est un art fondé
sur la simultanéité (*räumliches Nebeneinander*), tandis que la
poésie ne joue qu'avec la séquence temporelle (*zeitliches Nachein-
ander*). Un autre écrivain et penseur allemand remarquable,
J.G. Herder, a répondu à Lessing que l'idée d'une succession
simple dans le domaine littéraire est de la fiction et qu'un art
fondé uniquement sur la suite *(Zeitfolge)* est impossible. Pour
comprendre et juger une œuvre poétique, nous devons, selon
Herder, avoir une saisie synchronique de sa totalité, et il donne
le nom grec d'*energeia* à la synthèse simultanée qui nous permet
de comprendre la totalité d'un flux de paroles.

Il est clair qu'entre les signes visuels, spatiaux, en particulier
la peinture, et d'un autre côté l'art littéraire et la musique, qui
ont affaire principalement au temps, il existe non seulement
un nombre de différences significatives mais également de nombreux traits communs. Il faut soigneusement tenir compte de
ces divergences et de ces convergences, et, quelle que soit
l'importance de la synthèse simultanée, il existe cependant
une profonde dissemblance entre les arts de l'espace et ceux
du temps, entre les systèmes de signes spatiaux et temporels
en général. Pour le spectateur qui réalise la synthèse simultanée
d'un tableau, celui-ci subsiste devant ses yeux dans sa totalité,
il est encore présent ; mais, lorsqu'un auditeur arrive à la
synthèse de ce qu'il a entendu, les phonèmes se sont en fait

---

(9) G.A. Miller, « The Magical Number Seven, Plus-or-minus Two,
or, Some Limits on Our Capacity for Processing Information », *Psychological Review*, LXIII (1956).

déjà évanouis. Ils ne survivent que sous la forme d'images éloignées, de souvenirs quelque peu abrégés, ce qui crée une différence essentielle entre les deux types de perception et de percepts. Quant à la persistance différente des images auditives et visuelles, on a observé que quelqu'un à qui on présente des lettres une à une, à la vitesse où nous entendons les sons correspondants, est incapable de saisir le message (10). Il ne faut en aucune façon interpréter nos remarques comme si nous nous rangions aux côtés des adversaires de l'art abstrait. Le fait qu'il s'agisse d'une superstructure ne suivant pas la ligne de moindre résistance de nos habitudes de perception n'est pas en contradiction avec l'existence légitime et autonome de la peinture ou de la sculpture non figurative et des tendances figuratives en musique. Le caractère transmutatif de l'art abstrait, qui transgresse de force la frontière existant entre la musique et les beaux-arts, ne peut être condamné comme une tromperie (russe, *trjukačestvo*) décadente, perverse, ou dégénérée (allemand : *entartet*). Du fait que l'écriture a des limites sociales et territoriales alors que le langage parlé est universel, seuls des fanatiques fous du primitivisme tireraient la conclusion que l'alphabétisme est nuisible et futile. Il est clair que ces deux constructions — le langage écrit et la peinture abstraite — sont des superstructures, des modèles secondaires, des épiphénomènes, mais ce n'est pas un argument que l'on peut brandir contre leur développement prospère et leur diffusion, même si ceux-ci se font au prix d'une certaine perte pour la communication et la tradition orales ou pour les arts figuratifs *stricto sensu*.

---

(10) A.M. Liberman et F.S. Cooper, « Some Observations on a Model for Speech Perception », *Proc. AFCRL Symposium of Models for the Perception of Speech and Visual Form* (M.I.T. Press, 1966).

Chapitre V

LE « OUI » ET LE « NON » MIMIQUES *

La zone de propagation de certains signes gesticulatoires et mimiques englobant assez souvent un territoire plus vaste que les isoglosses propres de la parole, il en résulte facilement une représentation naïve de l'universalité de tels ou tels gestes signifiants, ainsi que des mouvements de la tête et des muscles du visage (1). Quand, au début de 1914, l'écrivain F.T. Marinetti visita Moscou, le peintre M.F. Larionov, qui avait accueilli avec hostilité le visiteur futuriste, noua ensuite avec lui des relations amicales, bien qu'il ne connût pas encore à cette époque une seule langue étrangère et que son nouvel ami ne comprît pas un mot de russe. Larionov régala son hôte tantôt de sa propre peinture et de celle de ses amis, tantôt de vodka. Un jour Michel Fiodorovitch attendait avec impatience au Cercle de littérature et d'art la fin des débats que Marinetti menait en français avec les hommes de lettres moscovites et soudain abasourdit l'Italien en s'approchant tout près de lui et en se donnant à lui-même une chiquenaude sur le cou par deux fois. Quand sa tentative de rappeler de cette façon à l'étranger qu'il serait temps d'aller boire un coup ou, pour parler par métonymie, de s'en jeter un coup derrière la cravate, s'avéra visiblement sans succès, Larionov remarqua avec amertume : « Quelle andouille ! Il ne comprend même pas cela ! »

(*) Publié en russe dans le recueil dédié à la mémoire de P.S. Kuznecov (Moscou, 1970). Traduit par Jean-Claude Marcadé.
(1) « Il linguaggio del gesto è un languaggio universale ? », demande Giuseppe Coccharia dans son curieux livre *Il linguaggio del gesto*, Turin, 1932, p. 20.

Les soldats russes qui avaient séjourné en Bulgarie pendant la guerre avec la Turquie de 1877-78 ne pouvaient pas oublier l'opposition diamétrale qui les avait frappés, entre leurs mouvements de tête et ceux des indigènes pour indiquer le « oui » et le « non ». La répartition contraire des signes et des significations déroutait les interlocuteurs et par moments menait à des malentendus fâcheux. Bien que la mimique propre se laisse contrôler dans une mesure moindre que la parole, les Russes auraient pu sans efforts particuliers transposer les signes d'affirmation et de négation à la manière bulgare, mais la difficulté principale était dans l'incertitude des Bulgares de déterminer auquel des deux codes mimiques — le sien propre ou celui du pays — avait recours dans chaque cas particulier leur interlocuteur russe.

La confrontation de deux systèmes opposés de mimique affirmative ou négative entraîne aisément une autre erreur, à savoir la certitude d'une répartition purement conventionnelle et arbitraire des deux mouvements, opposés sémantiquement, de la tête. Or, une analyse attentive met à nu les dessous plastiques — *iconicity,* selon la terminologie sémiotique de Charles Peirce (2) — de ces symboles qui paraissent tout à fait privés de liaison dans leur ressemblance entre leur forme extérieure et leur signification. Le système russe, avec ses deux signes d'affirmation et de négation, correspond au code mimique de l'écrasante majorité des pays européens. De plus, des signes semblables ayant la même fonction sont répandus en général largement, bien que ce ne soit pas partout, parmi les différents peuples de toutes les parties du monde. Le hochement de la tête sert ici d'expression de consentement, autrement dit de synonyme du mot prononcé, « oui ».

Comme certaines formes de gesticulation affirmative manuelle, ce signe mimique a son analogie dans le rituel de la salutation, propre au même milieu ethnique (3). Le mouvement de tête en avant et vers le bas sert de représentation concrète de la soumission à l'exigence de l'interlocuteur, à son désir, sa

---

(2) C.S. Peirce, *Collected Papers,* II, Cambridge, Mass., 1932, Speculative Grammar. D. Efron, *Gesture and Environment,* New York, 1941, utilise le terme *pictorialism.*

(3) Arnold H. Landor, *Alone with the Hairy Ainu,* Londres, 1893, p. 234, remarque que, pour affirmer et nier, les Aïnu ne se servent pas de mouvements de tête, mais seulement de gestes manuels : « Les deux mains sont gracieusement ramenées sur la poitrine et joliment inclinées vers le bas — les paumes vers le haut — en signe d'affirmation. En d'autres termes, leur affirmation est une forme plus simple de leur manière de saluer, comme notre hochement de tête est utilisé par nous de la même façon dans les deux cas.»

proposition ou son opinion ; il personnifie la disponibilité obéis-
sante pour répondre affirmativement à une question posée de
manière positive (4).

En opposition directe à la tête penchée en avant en signe,
dirait-on, de soumission, il devrait y avoir la tête, rejetée en
arrière en signe de désaccord, de divergence, de refus, tout
simplement de position négative. Cependant, à une telle opposition unilatérale de deux mouvements de la tête fait obstacle
le besoin d'une répétition insistante emphatique du signe mimique affirmatif aussi bien que négatif ; ainsi, les répétitions parlées : « Oui, oui, oui ! » et « Non, non, non ! » (5)

La chaîne correspondante des mouvements de tête serait
dans le premier cas l'alternance « avant - arrière - avant -
arrière - avant - arrière », etc., et, dans le second, le contraire :
« arrière - avant - arrière - avant - arrière - avant - arrière -
avant », etc., c'est-à-dire deux séries semblables ; toute la différence entre elles se réduit au mouvement initial en avant ou
en arrière et échappe facilement au destinataire, restant en deçà
du seuil de sa perception.

Les signes sémantiquement polaires d'affirmation et de négation exigeaient des formes mimiques opposées de façon évidente.
Le mouvement penché lors du hochement affirmatif recevait une
opposition nette dans le mouvement de tête giratoire sur le
plan horizontal, propre au synonyme mimique du mot prononcé
« non ». La forme extérieure de ce dernier signe, construite
sans aucun doute par contraste avec le mouvement affirmatif
de la tête, n'est tout de même pas privée de caractère plastique.
L'écartement du visage du côté opposé à l'interlocuteur (dans
la première phase, il semble que ce soit habituellement vers
la gauche (6)) personnifie, en quelque sorte, l'isolement, le

---

(4) L'analyse des gestes affirmatifs et négatifs de la main n'entre
pas dans notre propos. Garrick Mallery, « Sign language among North
American Indians », *First Annual Report of the Bureau of Ethnology*,
Washington, 1881, en a donné un résumé abondant, mais tout à fait
mécanique et non systématique. En liaison avec les nombreux exemples
de doigts recourbés qui bougent en signe d'accord *forward and down-
ward,* l'auteur se réfère à des sources qui interprètent la main faisant
un geste d'approbation des Indiens du Dakota et des Irokois comme
métaphore de la tête hochée affirmativement (p. 455). Cf. W. Tomkins,
Universal Indian Sign Language, San Diego, Calif., 1926, p. 58.

(5) « Puede reforzarse por la *iteración simple o múltiple* » —
G. Meo-Zilio, « El lenguaje de los gestos en el Uruguay », *Boletín de
Filología*, XIII, Santiago-du-Chili, 1961, p. 129. Cf. son *El Lenguaje de
los gestos en El Río de La Plata*, Montevideo, 1960, p. 100.

(6) Un tel mouvement de négation de la tête précisément vers la
gauche est noté, par exemple chez les Indiens de la Terre de Feu
(Cf. M. Gusinde, *Die Yamana : vom Leben und Denken der*

refus, la cessation du contact direct du visage au visage (7).

Si, dans le système considéré des « oui » et des « non » mimiques, le point de départ est le signe d'affirmation, par contre, dans le code bulgare, qui a des correspondants encore dans quelques groupes ethniques de la péninsule balkanique et du Proche-Orient, c'est le signe de négation qui sert de point de départ. Le « non » mimique bulgare, qui paraît au premier abord identique optiquement au « oui » mimique russe, découvre lors d'une observation attentive une distinction substantielle. Le hochement russe affirmatif, exécuté une seule fois, se limite au mouvement penché de la tête en avant et au retour de la tête à sa position verticale habituelle. Dans la mimique bulgare, la négation exprimée une seule fois consiste à rejeter la tête en arrière et à revenir ensuite à la position verticale. Cependant, le renforcement emphatique transforme le retour à la position normale en une certaine inclinaison de la nuque dans le « oui » russe ou du front dans le « non » bulgare. Souvent, sous l'effet de l'emphase, un seul et même signe mimique est soumis à une telle répétition immédiate en une fois ou plusieurs fois, et une telle répétition, comme on l'a noté plus haut, efface plus ou moins la différence entre l'affirmation mimique russe et la négation bulgare.

Mais, dans la forme pure de la négation bulgare, la tête, rejetée en arrière, loin de l'interlocuteur, personnifie le recul, le désaccord, la divergence, le rejet de la proposition, le refus d'une réponse positive à la question posée, alors que la mimique bulgare d'affirmation, le mouvement de la tête d'un côté à l'autre, représente visiblement une forme secondaire, produite par son antonyme négatif. Des observations plus attentives de la structure du « oui » mimique bulgare et de son noyau fondamental intégrant découvriront probablement, même dans ce signe visuel, une certaine mesure de plasticité — *un rudiment*

Wassernomaden am Kap Hoorn. Die Feuerland-Indianer, II, Vienne, 1937, p. 1447) et chez les Perses (D.C. Phillott, *Journal and Proceedings of the Asiatic Society of Bengal*, p. s. III, p. 619).

(7) Les paumes ouvertes, avec les doigts tendus, levées, en quelque sorte, en signe de résistance et de défense devant l'interlocuteur — tel est le geste plastique qu'accompagne ou remplace le « non » mimique chez de nombreux peuples des deux hémisphères. Les mains dans ce geste se déplacent soit en avant et en arrière, comme si elles voulaient « parer » l'interlocuteur — soit d'un côté à l'autre, comme pour se protéger de lui, en faisant un geste de refus, de dénégation. Cf. avec ces deux variantes des variétés, proches par la forme et par la signification, du geste menaçant : le mouvement de l'index levé perpendiculairement à la ligne des épaules en Europe orientale ou bien parallèlement aux épaules en Europe centrale.

de lien naturel entre le signifiant et le signifié, selon la formulation de Saussure (8). Avec le mouvement premier, fait de préférence vers la droite et avec chaque mouvement de tête ultérieur, celui qui donne la réplique affirmative tend, ouvre en quelque sorte son oreille à l'interlocuteur, manifestant de cette manière une attention bienveillante plus grande à ses paroles. Voir les tournures bulgares comme « *Je suis tout oreilles* », « *Je tends l'oreille* ». La mimique d'affirmation et de négation est représentée en Europe par les deux types considérés plus haut — le type « russe » et le type « bulgare », selon notre nomenclature conventionnelle — et, enfin, par une troisième variété qui a cours dans certaines parties de la Méditerranée, à savoir le mouvement penché de la tête, en avant pour affirmer, et en arrière pour nier. Les Grecs d'Athènes utilisent successivement cette opposition, comme nous avons pu l'observer, et le même système conserve sa vitalité dans quelques régions de l'Italie méridionale, par exemple chez les Napolitains et les Calabrais (9).

Cependant, le fait que la différence entre les mouvements penchés répétés de la tête en avant et en arrière se laisse saisir difficilement trouve pleine confirmation dans ce cas précis. Ces deux penchements de tête sont conjugués en réalité avec deux mouvements mutuellement opposés des prunelles, des globes des yeux et des sourcils — vers le bas en signe d'accord et vers le haut en signe de négation. Mais même ces mouvements, ainsi que les déplacements nommés de la tête, s'avèrent à leur tour tout simplement des phénomènes d'accompagnement redondants : dans le rôle de signal mimique autonome apparaît uniquement la fente entre les sourcils et les pommettes, tout particulièrement entre le sourcil droit et la pommette, rétrécie en signe d'affirmation ou au contraire élargie en signe de négation (10).

Le travail des muscles du visage, appelant le mouvement du sourcil dans la direction de la pommette ou partant d'elle, crée une sorte de synecdoque : le sourcil baissé et levé devient

---

(8) F. de Saussure. *Cours de linguistique générale,* I, chap. I, § 2.

(9) Comme l'affirme Mallery, p. 441 : « Les anciens Grecs, suivis en cela par les Turcs d'aujourd'hui et les paysans italiens, rejettent la tête en arrière au lieu de la secouer pour dire « non ». » Il est curieux que, dans le cas d'amalgame des deux formes de négation — verticale et horizontale —, le choix du premier de ces deux synonymes mimiques soit interprété dans le sud de l'Italie comme un regard tourné avec humilité vers le haut pour éviter une négation démesurée, impudemment catégorique, un refus net, impoli.

(10) On note une concordance semblable chez les Perses (cf. l'article cité plus haut de D.C. Phillot) et chez les Polynésiens (cf. A. Métraux, *Ethnology of Easter Island,* Honolulu, 1940, p. 33.

le substitut signifiant, ayant sa valeur par lui-même, de la tête penchée humblement ou, au contraire, rejetée en arrière de manière indocile. Autre signal qui spécifie le signe mimique de négation, c'est par exemple, dans les tribus arabes qui utilisent une opposition semblable des penchements du front et de la nuque, un claquement, des « *clicks* » accompagnant la phase fondamentale initiale du signe désigné plus haut, c'est-à-dire le courbement contraire de la tête.

Aux « oui » et aux « non » mimiques du type russe qui domine en Europe sont liés par la forme et la signification encore quelques autres signes mimiques. La question est opposée au hochement affirmatif de la tête rejetée en arrière avec le menton projeté en avant et vers le haut. Ou bien la tête se fige dans cette position, ou bien l'expéditeur de la question mimique la remue légèrement des deux côtés. Ce faisant, les yeux grand ouverts caractérisent une question embarrassante, tandis que les yeux plissés caractérisent l'attitude d'encouragement de celui qui interroge. Comme nous l'avons noté dans un autre contexte, c'est l'espace écarté ou au contraire rétréci entre les sourcils et les pommettes qui joue le rôle décisif.

L'étonnement, qui prive en quelque sorte de l'aptitude à une réplique ayant une seule signification, « ni oui, ni non », s'exprime par un hochement de tête d'un côté à l'autre, habituellement de gauche à droite. Le mouvement penché apparente ce signe au « oui » mimique, et la direction d'un côté à l'autre au « non » mimique. Le haussement d'épaule désigne le doute (« Peut-être bien que oui, peut-être bien que non »). La réduction de l'angle entre la tête et les épaules rapproche les signes de l'étonnement et du doute embarrassés, mais dans le premier cas la tête est penchée vers les épaules immobiles et dans le second les épaules se lèvent en direction de la tête immobile.

Il est indispensable de soumettre à un examen détaillé la composition formelle et la sémantique des systèmes mimiques en dégageant les invariants sémiotiques à l'intérieur de chacun d'eux. On doit étudier la répartition et la diffusion géographique des diverses structures, tout comme le rôle qui leur est dévolu dans les processus de communications (degré de concordance et signifiance hiérarchique du geste, de la mimique et du mot). Le linguiste tiendra alors compte de la nomenclature autochtone extrêmement instructive concernant les signes mimiques habituels, aussi bien de la terminologie nominale que verbale.

Posées il y a presque cent ans dans l'œuvre pénétrante de Darwin, « *Expression des émotions chez l'homme et les animaux* » (1872), les questions passionnantes des rapports du naturel et du conventionnel dans ces signes moteurs, du « principe antithétique » binaire de leur construction et enfin des variations nationales et des invariants universels, par exemple dans la mimique affirmative et négative (11), réclament un examen attentif et systématique (12).

---

(11) Ch. Darwin, chap. 2 et 11.
(12) J'exprime toute ma reconnaissance à Claude Lévi-Strauss pour les indications bibliographiques précieuses qu'il m'a aimablement fournies.

DEUXIÈME PARTIE

ÉLÉMENTS ULTIMES DE LA LANGUE : TRAITS DISTINCTIFS

CHAPITRE VI

PREMIER ESSAI (1938)
OBSERVATIONS SUR LE CLASSEMENT
PHONOLOGIQUE DES CONSONNES *

On ne pourrait mieux définir la thèse fondamentale de la phonologie qu'en citant la formule classique de Ferdinand de Saussure : « Les phonèmes sont avant tout des entités oppositives, relatives et négatives. » Nous délimitons les phonèmes d'une langue donnée en découpant dans la chaîne parlée les plus petites tranches phoniques susceptibles de différencier les significations des mots. Nous identifions les phonèmes d'une langue donnée en les décomposant en leurs caractères phonologiques constitutifs, c'est-à-dire que nous établissons pour chaque phonème quelles *qualités* l'opposent aux autres phonèmes du système en question. Ainsi le vocalisme du turcosmanli avec ses huit phonèmes ne comprend que trois différences spécifiques : l'opposition des voyelles ouvertes et fermées, celle des voyelles palatales et vélaires et enfin celle des arrondies et des non arrondies.

Par opposition aux voyelles fermées, les voyelles ouvertes possèdent, du point de vue acoustique, une *perceptibilité* majeure et un son plein. Deux oppositions de timbre distinctes correspondent à la division des voyelles en vélaires et palatales d'une part, en arrondies et non arrondies de l'autre. La différence des deux oppositions est manifeste pour l'acoustique tant objec-

(*) Communication présentée d'abord au Cercle linguistique de Prague (voir le résumé dans *Slovo a slovesnost*, IV [1938], p. 192), puis au 3e Congrès international des sciences phonétiques, Gand 1938, et publiée dans les *Proceedings of the Third International Congress of Phonetic Sciences* (Gand 1939).

tive que subjective. Pour désigner le contenu acoustique des voyelles palatales et vélaires, nous nous servirons des termes « aiguës » et « graves », acceptés par M. Grammont. On pourrait dire en se fondant sur l'analyse de Stumpf : 1) qu'une voyelle palatale complète la formante de la vélaire correspondante par une formante supérieure, et 2) qu'une voyelle arrondie ne se distingue de la non arrondie correspondante que par un rabaissement de sa formante supérieure ou unique. Les nouveaux spectrogrammes des voyelles compliquent un peu ces formules sans pourtant dissimuler leur netteté.

Si la note caractéristique d'une voyelle arrondie est moins haute que celle de la non arrondie correspondante, c'est qu'on rétrécit l'orifice antérieur du résonateur buccal. En émettant une voyelle palatale, on divise le résonateur buccal et on élargit le pharynx, son orifice postérieur. La note caractéristique de la palatale est par conséquent plus haute que celle de la vélaire correspondante munie d'un résonateur indivis avec le pharynx rétréci.

Tout le vocalisme de l'osmanli et tout système vocalique en général obéit au principe de la *dichotomie* et se laisse réduire à un nombre restreint de qualités phonologiques formant des oppositions binaires. La logique distingue deux espèces d'oppositions. Le premier type, opposition des termes *contradictoires,* est une relation entre la présence et l'absence d'un même élément. Exemple : voyelles longues s'opposant aux voyelles sans longueur. Le second type, opposition des termes *contraires,* est une relation entre deux éléments « qui font partie d'un même genre, et qui diffèrent le plus entre eux ; ou qui, présentant un caractère spécifique susceptible de degrés, en possèdent respectivement le maximum ou le minimum ». Exemple : voyelles aiguës s'opposant aux graves. De même dans le domaine du consonantisme comme l'a surtout mis en relief le prince Trubetzkoy, toutes les différences phonologiques du mode d'articulation, de l'intensité et du travail phonatoire secondaire se décomposent intégralement en des oppositions binaires des deux types signalés. Il ne reste que les *distinctions des consonnes d'après le lieu de leur articulation.* Seraient-elles en contradiction avec la dichotomie du système phonologique ? Présenteraient-elles ainsi une exception unique ?

Imaginons une série de consonnes qui ne se distinguent prétendument que par le lieu de leur articulation, par exemple les six occlusives sourdes du tchèque ou du hongrois. Nous avons été jusqu'ici portés à croire que la totalité des traits communs à deux de ces consonnes se rencontre aussi dans les autres consonnes de la même série. Mais cela revient à admettre que chaque point d'articulation dont on chercherait vainement à définir l'équivalent acoustique immédiat constitue une qualité phonologique indécomposable. Il en résulterait d'autre part que les six phonèmes en question forment entre eux suivant la formule mathématique des combinaisons quinze oppositions disparates, par conséquent quinze qualités différentielles, et que la disposition de ces phonèmes les uns par rapport aux autres dans le système reste indéterminée. Mais, dans ce cas, il n'y aurait à vrai dire ni sytème ni même oppositions, puisque le système exige un enchaînèment ordonné des parties et que l'opposition présuppose des termes contradictoires ou contraires.

D'ordinaire, on essaye au moins de ranger les consonnes en question d'après le voisinage de leurs zones d'articulation, de sorte que les vélaires d'un côté et les labiales de l'autre terminent la série. Mais comment expliquer, dans ce cas, des phénomènes si fréquents et répandus dans les langues du monde que les changements de vélaires en labiales et vice versa, et leurs substitutions acoustiques réciproques ? On invoque le principe des extrêmes qui se touchent, mais à moins que ce ne soit de la mystique ou de l'arbitraire pur, la question se pose de savoir si ces deux extrêmes ne se trouvent pas unis dans le cadre d'un *genus proximum,* opposé au reste des consonnes.

Il se trouve effectivement que les vélaires et les labiales prennent leur qualité dans un *résonateur buccal long et indivis ;* par contre, pour les palatales et les dentales, la langue partage la cavité buccale en *deux courtes caisses de résonance.* De plus, les expériences, et en particulier les admirables radiographies des sons tchèques, que l'on doit à M. Hála, montrent que *le pharynx se rétrécit* pour les vélaires et les labiales, tandis qu'il *s'élargit* pour les palatales et les dentales correspondantes.

De même, c'est une différence spécifique qui oppose les vélaires et les palatales, y compris toutes les chuintantes aux labiales et aux dentales. En unissant les premières sous le nom de *postérieures* et les secondes sous celui *d'antérieures,* on peut énoncer la formule suivante : pour les postérieures, le point d'articulation se trouve être en arrière et, pour les antérieures, en avant de la caisse de résonance unique ou dominante.

Ainsi les différences entre quatre types de consonnes (vélaires, palatales, dentales, labiales) se réduisent en fait aux deux oppositions de qualités phonologiques, que nous venons de définir au point de vue de la phonation et que nous allons examiner maintenant du point de vue acoustique.

Les consonnes postérieures s'opposent aux antérieures correspondantes par un plus haut degré de durée. Ainsi, dans des expériences de Rousselot sur les consonnes françaises, *p* et *t* sont par ordre de compréhensibilité au-dessous de *k* ; de même *b* et *d* au-dessous de *g* et les constrictives *f* et *s* au-dessous de la chuintante correspondante. La filtration acoustique (Abbau) des sons pratiquée par Stumpf a donné des résultats analogues.

C'est au résonateur long et indivis et à son orifice postérieur rétréci qu'est due la note caractéristique des consonnes vélaires et labiales, *note relativement basse,* correspondant à celle des voyelles vélaires et opposée à celle des consonnes palatales et dentales. Cette dernière est *relativement haute* et correspond à peu près à la note caractéristique des voyelles palatales. La différence de hauteur en question est démontrée non seulement par de nombreuses observations acoustiques, mais aussi par les expériences de Stumpf qui en filtrant un *s* obtient un *f.* L'exemple du sourd, cité par Rousselot, qui confond les voyelles et les consonnes graves avec les aiguës correspondantes est également très instructif.

Pour l'ouïe de la parole, comme le fait justement remarquer Köhler, il ne s'agit pas sans doute de hauteurs musicales absolues, mais uniquement d'une *opposition de deux timbres indécomposables* et, dans notre cas en particulier, il s'agit d'une opposition de consonnes aiguës et graves. Les deux catégories opposées sont présentes avec netteté dans le sentiment linguistique. Ainsi par exemple les onomatopées hésitent souvent entre les consonnes postérieures et antérieures du même timbre et, d'autre part, dans la langue poétique, la nuance affective diffère sensiblement selon que les vers mettent en relief les consonnes aiguës ou les graves.

Des faits longuement discutés comme le passage roumain de *k* en *p* devant *t* et *s* (*direct* → *drept,* etc.) trouvent facilement leur explication en connexion avec les deux oppositions considérées : par assimilation partielle, la consonne grave postérieure se change devant les aiguës antérieures en une consonne antérieure sans perdre sa gravité.

Les consonnes graves peuvent se changer en aiguës correspondantes devant les voyelles aiguës. Le passage des vélaires aux palatales dans cette position est bien connu et nous nous bornons à signaler le changement de *p, b* et *m* en *t, d* et *n* devant *i* dans tchèque de l'Est. D'un autre côté, comme l'a constaté l'éminent phonéticien Thomson, les consonnes aiguës et les consonnes graves influent en deux sens opposés sur le timbre des voyelles contiguës, et les données abondantes de la phonologie historique sur le traitement divergent des voyelles accompagnées d'une consonne grave ou au contraire d'une consonne aiguë confirment cette observation et y trouvent leur explication.

« On dit, qu'une consonne est mouillée », enseigne M. Grammont, « quand à son timbre habituel vient s'ajouter un timbre particulier qui rappelle ce qu'il y a de spécifique dans celui du *j.* » *Mutatis mutandis,* on pourrait répéter la même formule par rapport aux consonnes arrondies, dont le timbre particulier rappelle ce qu'il y a de spécifique dans celui de la semi-voyelle labiale. L'orifice antérieur du résonateur buccal est rétréci et par conséquent une note basse caractérise le timbre en question ; au contraire, la note caractéristique de la mouillure est haute, grâce au résonateur aplati. Un timbre particulier vient en effet « s'ajouter » — autrement dit, les consonnes mouillées s'opposent aux consonnes sans mouillure et les arrondies aux consonnes sans arrondissement ; ce sont donc des oppositions de termes contradictoires, tandis que l'opposition des consonnes *aiguës* et *graves* est une opposition de termes contraires, ainsi que celle des *postérieures* et des *antérieures* ou, du point de vue acoustique, l'opposition des perceptibilités majeure et mineure. Ces deux oppositions, de même que celle des consonnes *nasales* (1) et *orales,* dues toutes les trois à la place et à la structure différentes des *résonateurs,* constituent le noyau du système phonologique des consonnes et trouvent équivalent acoustique exact dans le vocalisme.

Rappelons que c'est à ces trois oppositions consonantiques que se borne, si on laisse de côté les liquides, sur lesquelles on reviendra ci-dessous, un type archaïque des langues primitives et de même, selon la comparaison heureuse de M. Sommerfelt, le langage enfantin (tel qu'il se présente vers la fin de la première année, ainsi que le précise M. Grégoire). A l'exception de quelques idiomes indiens, les consonnes à perceptibilité mineure se divisent toujours en graves et en aiguës, c'est-à-dire en labiales et dentales. Quant aux consonnes à perceptibilité majeure, c'est-à-dire les vélo-palatales, leur scission en graves et aiguës ou en d'autres termes, en vélaires et en palatales correspondantes reste inconnue à un nombre considérable, sinon à la majorité des langues du monde. Les langues de l'Océanie possèdent les deux variétés de consonantisme oral dans leur forme pure, d'un côté le *triangle* $\frac{k}{p\ t}$, « système consonantique le plus simple », suivant l'observation précise du P. van Ginneken, et de l'autre le *carré* $\frac{k\ c}{p\ t}$, représenté par l'aranta que vient d'analyser M. Sommerfelt (2). Les deux structures offrent, par leur composition et par leur rapport

---

(1) Les nasales par opposition aux orales sont dues à un tuyau bifurqué.

(2) $c =$ consonne palatale occlusive, suivant la transcription de l'Association phonétique.

mutuel, une analogie des plus frappantes avec les deux types du *système vocalique* : le carré et le triangulaire. L'abîme que creusaient les manuels d'autrefois entre la structure des consonnes et celle des voyelles est contesté à juste raison par l'acoustique moderne et apparaît surmonté dans l'étude phonologique.

La distinction entre les consonnes dentales, palatales, labiales et vélaires est fondée sur les caractères différents de leur résonateur buccal. Mais les classes mentionnées peuvent se diviser chacune en deux séries de consonnes correspondantes. Ainsi on distingue les linguo-dentales et les sifflantes, les palatales proprement dites et les chuintantes, les bilabiales et les labiodentales, les vélaires proprement dites et les uvulaires. On range d'ordinaire toutes ces consonnes d'après la région de leur articulation, bien que les descriptions phonétiques aient permis d'observer à maintes reprises que, de ce point de vue, la délimitation des séries en question est à peine possible. Quelle est donc la différence spécifique qui détermine ces subdivisions ?

Un *frottement énergique* de l'air expiré provoquant un ton tranchant (le *Schneidenton* de Stumpf) oppose les sifflantes, les chuintantes, les labio-dentales et les uvulaires, en un mot les consonnes *stridentes* à leurs « partenaires » mentionnés, qu'on peut qualifier de consonnes *mates*. Une paroi supplémentaire participant à ce frottement distingue l'articulation des constrictives stridentes de celle des mates : ainsi, au fonctionnement des lèvres qui seul intéresse l'émission des bilabiales celle des labio-dentales, vient ajouter l'action des dents ; outre le fonctionnement de la langue et des dents supérieures, propre aux linguo-dentales, la phonation des sifflantes comporte de plus une action des dents inférieures, et c'est elle également qui intervient dans la production des chuintantes ; le fonctionnement du palais mou et du dos de la langue qu'exigent les vélaires proprement dites est complété par celui de la luette dans la prononciation des uvulaires. Le même frottement intense distingue les occlusives stridentes des occlusives mates. Les premières sont d'ordinaire des affriquées, c'est-à-dire des occlusivo-fricatives, alors que les secondes sont des occlusives proprement dites, ou à plus exactement parler des occlusivo-explosives.

L'opposition des dentales stridentes et mates existe par exemple dans la langue anglaise, qui distingue les constrictives sifflantes et linguo-dentales. L'opposition des labiales stridentes et mates existe par exemple dans la langue ewe, qui distingue les constrictives labio-dentales et bilabiales. En allemand, cette opposition a lieu pour les dentales et pour les labiales grâce

aux couples t-« ts » (Tauber-Zauber) et p-« pf » (Posten-Pfosten).
En français, l'opposition des stridentes et des mates coïncide
avec celle des constrictives et des occlusives : toutes les constrictives sont stridentes et toutes les occlusives sont mates. A
l'exclusion des liquides, le système triangulaire des consonnes
françaises avec ses quinze phonèmes se réduit à cinq oppositions de qualités phonologiques contraires : l'opposition des
consonnes postérieures et antérieures, l'opposition des consonnes
nasales et orales, l'opposition des antérieures graves et aiguës,
l'opposition des orales occlusives et constrictives et celle des
orales sonores et sourdes.

Il nous reste à examiner deux espèces rares de consonnes
que, d'habitude, on range également d'après le lieu de leur
articulation. Toutes les consonnes que nous venons d'examiner
sont articulées *soit en arrière soit en avant* de leur résonateur
buccal unique ou dominant. Cependant, certaines langues leur
opposent des consonnes dont le point d'articulation se trouve
à *la fois en arrière et en avant du résonateur cardinal.* Pour les
consonnes au résonateur long et indivis, cela signifie deux points
d'articulation — l'un derrière et l'autre devant le résonateur.
C'est le cas des labiovélaires opposées dans certaines langues
africaines aux consonnes vélaires et labiales. D'autre part, aux
consonnes palatales et dentales divisant la cavité buccale en
deux résonateurs dont l'un prédomine, viennent s'opposer les
rétroflexes correspondantes, divisant le canal buccal en deux
résonateurs, tous deux également cardinaux.

Quelle est la place qu'occupent dans le système phonologique
total toutes les oppositions consonantiques passées en revue ?

Les phonèmes d'une langue donnée se divisent en *voyelles*
et en *consonnes.* D'après leur fonction primaire ou constante,
les premières sont sonantes et les secondes consonantes.

Les *voyelles déterminées* s'opposent à la voyelle indéterminée
ou *neutre.* Ce « chva », selon la formule judicieuse de M. Bröndal, est défini « par la non-application des éléments définis-
seurs, c'est-à-dire par l'absence de toute détermination à part
celle qui constitue la nature même des voyelles ». Nous retrou-
vons une opposition toute pareille dans maints systèmes consonantiques, où un phonème laryngal fonctionne comme *consonne
neutre.* La position des organes pour ces deux phonèmes neutres
est à peu près celle du repos.

Les *liquides* s'opposent au reste des consonnes déterminées.
L'opposition de r et de l peut se neutraliser dans certaines
conditions comme c'est le cas en grec moderne ; il y a des
langues, par exemple le coréen, où ce ne sont que deux variantes
d'un même phonème : il est beaucoup plus facile à reconnaître
l'affinité évidente des consonnes liquides que de dégager les

caractères objectifs de cette affinité. Il semble que c'est le fait du *glissement* qui est décisif pour l'impression acoustique des consonnes en question : pour les latérales, le souffle qui rencontre un barrage sur la ligne médiane du canal buccal s'écarte et « s'échappe sur les côtés de la langue où il glisse », selon l'expression de M. Grammont, « comme un liquide qui s'écoule ». Pour les *r* intermittents, c'est l'obstacle élastique qui glisse écarté par le souffle et rappelle ainsi la formation du ton dans les tuyaux à anche. On pourrait aussi dire, en suivant M. Menzerath, que les liquides s'opposent aux autres consonnes par l'ouverture et la fermeture simultanées du canal buccal : pour les latérales, les deux actions dites simultanées se réalisent effectivement en même temps mais à deux lieux divers, tandis que, pour les intermittentes, ces deux actions se réalisent au contraire tour à tour au même lieu. C'est à l'acoustique physique de confronter la phonation des *l* et des *r*. Peu s'en faut que la présence des liquides dans le système phonologique soit universelle, tandis que le dédoublement de cette classe en *r* et *l* manque à une quantité de langues. Ainsi, une zone étendue des langues bordant le Pacifique ne connaît qu'un phonème liquide unique. La subdivision phonologique du type latéral ou du type intermittent est un fait relativement rare. Le cas échéant, l'opposition des liquides graves et aiguës se trouve fusionner avec celle des liquides antérieures et postérieures. Les intermittentes, de même que les latérales, peuvent se dédoubler en des phonèmes mats et stridents. Comme spécimens de ces dernières, citons d'une part les fricatives et les affriquées latérales des langues caucasiques-septentrionales et de l'autre la fricative intermittente dite « *r* chuintant » (*r*) du tchèque et des parlers grecs ou bien celle de l'arménien et le « *r* mi-occlusif malgache », étudié par Rousselot.

La théorie phonologique, fidèle aux suggestions de Ferdinand de Saussure, a toujours insisté sur le fait que ce n'est pas le phonème, mais *l'opposition,* et par conséquent la *qualité différentielle,* qui est l'élément primaire du système ; il apparaît de plus en plus nettement que non seulement la diversité des phonèmes est beaucoup plus limitée que celle des sons de la parole, mais qu'également le nombre des qualités différentielles est beaucoup plus restreint que celui des phonèmes. C'est la réponse que donne la phonologie à la question embarrassante de l'acoustique : comment se fait-il que l'oreille humaine distingue sans difficulté toutes les consonnes si nombreuses et si imperceptiblement variées de la langue ?

CHAPITRE VII

DEUXIEME ESSAI
LE CONCEPT LINGUISTIQUE
DES TRAITS DISTINCTIFS *
REMINISCENCE ET MEDITATIONS

> Ainsi ce remarquable travail phonétique de la part du linguiste n'exige chez lui que l'habileté à saisir une convention existant de fait.
>
> Charles Sanders Peirce, *Minute Logic.*

Les manuels de linguistique de nos années d'université définissaient le langage comme un instrument de communication, mais en fait ceux-ci s'intéressaient presque uniquement à la généalogie (au pedigree) des *disjecta membra* du langage. On n'y trouvait aucune réponse aux questions cruciales suivantes : Comment les divers composants de cet instrument fonctionnent-ils ? Quelle est la relation multiforme, le jeu réciproque entre les deux côtés de tout signe verbal — l'aspect sensible, perceptible, que les Stoïciens ont appelé *signans* (le signifiant), et l'aspect intelligible ou, à proprement parler, traduisible, qu'ils ont nommé *signatum* (le signifié) ?

Lorsque, jeune étudiant, j'ai demandé à mon professeur, D.N. Ušakov, d'examiner ma liste de lectures linguistiques, il en approuva les nombreux titres, sauf la monographie de 1912 de L.V. Ščerba sur les voyelles du russe, un travail qui se développait à partir des recherches de Baudouin de Courtenay

---

(*) Cet essai combine le texte de « Retrospect » (1962), *Selected Writings* I et le rapport « The Phonemic Concept of Distinctive Features », *Proceedings of the Fourth International Congress of Phonetic Sciences, Helsinki 1961* (La Haye, 1962). Traduit par Paul Hirschbühler.

et qui suivait un courant nettement étranger à celui des disciples orthodoxes de l'école linguistique de Moscou. Naturellement, c'est précisément ce livre interdit que je lus en premier lieu, et je fus aussitôt captivé par ses provocants commentaires d'introduction sur le concept de phonème. Un peu plus tard, en 1917, S.J. Karcevskij revint à Moscou après avoir étudié à Genève, et il nous familiarisa avec les éléments essentiels de la doctrine saussurienne. C'est également pendant ces années que des étudiants de psychologie et de linguistique de notre université discutaient avec passion les essais les plus récents des philosophes pour construire une phénoménologie du langage et des signes en général. Nous avons appris à sentir la délicate distinction entre le *signatum* et le *denotatum* (le référé), à assigner de ce fait une position intrinsèquement linguistique tout d'abord au *signatum* et, ensuite, par déduction, à sa contrepartie, également inaliénable, au *signans*. La nécessité d'établir la phonologie comme une discipline nouvelle, strictement intralinguistique, devenait toujours plus évidente.

Peut-être que l'impulsion la plus forte vers un changement dans la façon d'approcher le langage et la linguistique fut cependant — pour moi, du moins — le turbulent mouvement artistique du début du vingtième siècle. Les grands artistes nés dans les années 1880 — Picasso (1881-1973), Joyce (1882-1941), Braque (1882-1963), Stravinsky (1882-1971, Xlebnikov (1885-1922), Le Corbusier (1887-1965), purent se former et approfondir à loisir leur apprentissage au cours d'une des périodes les plus tranquilles de l'histoire du monde, avant que cette « dernière heure de calme universel » (*Poslednij čas vsemirnoj tišiny*), termes dans lesquels le poète russe Maksimilian Vološin la glorifie, ne soit brisée par une chaîne de cataclysmes. Les plus grands artistes de cette génération ont anticipé avec pénétration les bouleversements qui allaient se produire et les ont affrontés encore assez jeunes et dynamiques pour tester et tremper dans la tourmente leur propre pouvoir de création. La capacité extraordinaire de ces inventeurs à surmonter sans cesse leurs anciennes habitudes dépassées, ainsi que leur don sans précédent pour saisir et remodeler n'importe quelle tradition plus ancienne ou tout modèle étranger sans sacrifier leur propre individualité dans la stupéfiante polyphonie de créations toujours nouvelles, étaient intimement liés à leur sensibilité unique pour saisir la tension dialectique qui existe entre les parties et le tout unifiant, et entre les parties conjuguées, surtout entre les deux aspects de tout signe artistique, le *signans* et le *signatum*. Stravinsky, dans sa « recherche de l'Un dans le Multiple », révèle le cœur de son travail quand il nous rappelle que « l'un précède le multiple » et que « la coexistence des deux est constamment nécessaire ». Comme il l'a compris, tous les problèmes de l'art (et nous pouvons ajouter : ceux du langage également) « tournent inéluctablement autour de cette question ».

Ceux de nous qui s'occupaient du langage apprirent à appliquer le principe de la relativité aux opérations linguistiques ; nous étions normalement attirés dans cette direction par le développement spectaculaire de la physique moderne et par la théorie et la pratique du cubisme en peinture, où tout est fondé sur la relation et l'interaction entre les parties et les totalités, entre la couleur et la forme, entre la représentation et le représenté. Braque déclarait : « Je ne crois pas aux choses, je ne crois qu'à leurs relations (1). » La façon dont le *signatum* existe par rapport au *signans* d'une part et au *denotatum* de l'autre n'avait jamais été exposée si clairement, ni les problèmes sémantiques de l'art mis en lumière d'une manière aussi provocante que dans les peintures cubistes, qui retardent la reconnaissance de l'objet transformé et masqué ou qui vont même jusqu'à le réduire à zéro. Pour faire vivre les relations intérieures et extérieures des signes visuels, il faut, comme disait Picasso, « briser, faire une révolution et partir de zéro » (2). A la conception structurale des signes verbaux, l'expérimentation de Picasso et les premiers et audacieux rudiments de l'art abstrait, sans sujet, ont donné un analogue sémiotique suggestif, alors que les travaux inégalés de Xlebnikov, un explorateur de la création poétique aux niveaux variés, ont ouvert une vaste perspective sur les mystères intérieurs du langage. Sa recherche « des infinitésimaux du mot poétique », ses jeux paronomastiques avec des paires minimales ou, comme il avait l'habitude de le dire lui-même, avec « la déclinaison interne de mots » comme /m,éč/-m,áč/, /bík/ - /bók/, /bobr/ - /babr/ et de vers tels que « /v,íd,il vid,il v,ós,in vos,in,/ » (*videl vydel vësen v osen'*) annonçaient « la saisie intuitive d'une entité inconnue », l'anticipation des « unités phonologiques ultimes », comme on les nommera deux décennies plus tard.

La poésie de Xlebnikov devint le sujet de ma première « confrontation » avec l'analyse du langage dans ses moyens et fonctions, un essai imprimé à Prague vers le début de 1921 mais écrit et discuté presque deux années auparavant dans notre Cercle linguistique de Moscou (3). Cette association de jeunes chercheurs, fondée en 1915 et très active en 1919-1920, s'occupait

---

(1) A. Liberman, *The Artist in His Studio* (New York, 1960), p. 39.
(2) *Ibidem*, p. 33.
(3) *Novejšaja russkaja poèzija* (Prague, 1921). Cf. « Fragments de la nouvelle poésie russe », *Poétique*, VII (1971).

surtout de poétique (4). En ce qui concerne le traitement du langage « pratique » et de son histoire, nous subissions encore, de la part de la doctrine élaborée, codifiée et contraignante des néogrammairiens, une pression trop forte pour nous risquer à des modes d'analyse que je devais baptiser à titre d'essai « méthode structurale » dans mes propositions au 1er Congrès des slavistes, le 7 octobre 1929 (5). Le langage poétique, délaissé par les néogrammairiens mais qui présente les aspects linguistiques les plus évidemment délibérés, orientés et intégrés, était un domaine qui appelait un nouveau type d'analyse et surtout exigeait de nous l'étude du jeu réciproque entre le son et le sens. En fait, « étudier cette coordination de certains sons avec certains sens, c'est », dans la formulation concise de Bloomfield, « étudier le langage » (6).

C'est sur la poésie que furent testés les premiers concepts phonologiques. Dans mon essai sur Xlebnikov, j'ai suggéré que la texture phonique « ne s'occupe pas des sons mais des phonèmes, c'est-à-dire de représentations acoustiques capables d'être associées à des représentations sémantiques » ; peu après, j'ai proposé comme base de l'analyse du vers une approche phonologique de la prosodie descriptive, comparative et générale : « A une prosodie et une rythmique motrices et acoustiques, nous devons opposer une prosodie et une rythmique phonologiques et par conséquent examiner les éléments prosodiques de base sous l'angle phonologique. » Ainsi, le concept d'éléments phonologiques et de leur système devint la note dominante de mon travail sur la métrique comparative (1922).

Cependant, il était indispensable également d'en arriver à attaquer aussi cet aspect du langage qui avait été traditionnellement le monopole des néogrammairiens. Les cours sur l'histoire des sons et des formes grammaticales du tchèque que j'avais suivis à l'université Charles à Prague (1920-1921) m'avaient saisi par leur assemblage futile de données linguistiques complètement désordonnées, atomisées. L'avertissement critique que A.A. Šaxmatov, un des plus grands linguistes de l'école de Moscou, avait adressé en 1899 au maître de la grammaire historique du tchèque, J. Gebauer, était toujours de circonstance : « Une des tâches principales de la grammaire historique est d'examiner le développement de la totalité de la structure phonique sans nous confiner à des incidents isolés, parce que

---

(4) Cf. R. Jakobson, « Un exemple de migration de termes et de modèles institutionnels », *Tel Quel*, XLI.

(5) « Sur le mot 'structural' », *Change*, X (1972), p. 181-188.

(6) L. Bloomfield, *Language* (New York, 1933), p. 27. Tr. fr. *Le Langage*, Payot, 1970.

l'histoire des sons pris individuellement est étroitement et indissolublement liée à l'histoire de l'ensemble de la structure phonique. (...) Les faits homogènes qui trouvent leur origine dans une même cause et à la même époque ne doivent pas être présentés séparément mais d'une manière conjointe et cohérente (7). » L'exigence de Šaxmatov d'entreprendre une confrontation synthétique des faits apparentés devait être suivie du conseil de Trubetzkoy (1925), qui provenait en fait de la même école, de rechercher « une logique interne » dans les changements phonétiques (8). Au milieu des années 1920, j'ai essayé de découvrir les ressorts qui sous-tendent le développement de la structure phonique du tchèque, depuis la dissolution graduelle de l'unité linguistique du slave commun jusqu'aux temps modernes. Très vite il devint manifeste qu'aucun processus ne pouvait être correctement saisi et éclairci si l'on ne considérait pas la structure du système phonologique qui subit ces changements. Mon esquisse de la phonologie historique du tchèque resta inachevée, mais l'étude plus vaste qui suivit, *Remarques sur l'évolution phonologique du russe comparée à celle des autres langues slaves* (publiée en 1929) (9), commençait par le « système phonologique » défini comme un ensemble d' « oppositions phonologiques » qui peuvent servir à distinguer des significations lexicales ou morphologiques et qui ne peuvent être décomposées en oppositions différentielles plus simples. « C'est en eux justement que réside l'essence du système phonologique. » La définition du « phonème » était donc déduite de celle d'opposition : les phonèmes étaient traités comme les termes d'oppositions phonologiques irréductibles à des termes plus simples (10).

Un type d'opposition, que j'avais isolé du reste à titre d'essai et que j'ai appelé pendant un temps « Corrélations », s'avéra par la suite être une clé pour l'analyse structurale complète des systèmes phonologiques. Une corrélation était décrite comme une opposition binaire manifestée par plus d'une paire de phonèmes : l'un des membres de chaque paire de termes contradictoires se caractérise par la présence d'une marque phonologique donnée, et l'autre par son absence ; cette absence peut être renforcée par la présence d'une propriété contraire. Le *principium divisionis,* qui est le même dans toutes les paires

---

(7) A.A. Šaxmatov, « Historická mluvnice jazyka českého. Napsal Jan Gebauer. Kritičeskij otzyv » (*SPb.* 1899).

(8) N.S. Trubetzkoy, « Einiges über die russische Lautènwiklung und die Auflösung der gemeinrussichen Spracheinheit », *Zeitschrift für slavische Philologie*, I (1925), p. 288.

(9) *Selected Writings* I, pp. 7-116.

(10) *Ibidem*, pp. 8 sq.

corrélées, est « factorisé ». Il peut fonctionner indépendamment
de chaque paire corrélée. Il se manifeste, par exemple, dans
l'emploi de l'opposition vocalique longue/brève dans la versification fondée sur la quantité, ou dans les assonances slaves
traditionnelles, où l'appariement de consonnes voisées et non
voisées est inadmissible, alors qu'à l'intérieur de chacune de
ces deux classes toutes les consonnes « riment » les unes avec
les autres. Réciproquement, le *tertium comparationis* — l' « archiphonème », comme j'appelais le noyau commun de deux
phonèmes d'une paire corrélée (12) — peut être extrait à son
tour de la propriété différentielle et assumer un rôle autonome,
comme quand, par exemple, les rimes tchèques ou serbes
ignorent la différence phonologique entre voyelles longues et
brèves. Ainsi, au tout début de notre siècle, un exemple de
poésie tchèque aussi remarquable que l' « Ekloga » d'Antonin
Sova ne tient pas compte de cette différence dans cinq vers sur
douze : /miloval-da:l, ha:je-kraje, stra:ɲi-zaɲ:, fskřkem-mɲe-
ke:m, zemi:-jemi/. Parmi les facteurs qui favorisent l'extraction
du noyau commun et de la *differentia specifica,* j'ai indiqué
les règles morphologiques qui gouvernent l'emploi de telles
oppositions phonologiques et l'environnement phonologique qui
impose des contraintes à leur occurrence.

La décomposition des phonèmes çorrélatifs en leur noyau
commun et leur propriété différentielle contredisait visiblement
la définition du phonème comme l' « unité phonologique, qui
ne peut être dissociée en unités phonologiques plus petites et
plus simples », conception qui survit encore obstinément de nos
jours. La contribution fondamentale de Trubetzkoy à la théorie
des systèmes vocaliques (13) ne fut pas loin de réduire le
vocalisme à un petit nombre d'oppositions binaires. Il a été
graduellement montré que chacune de ces oppositions était
utilisée dans certains des types existants d' « harmonie vocalique », ce qui révèle la structure dichotomique de toutes les
qualités vocaliques et montre leur autonomie opérationnelle
avec une particulière clarté. Ainsi, les voyelles d'un mot doivent
être toutes étroites (diffuses) ou toutes larges (compactes) dans
les langues mandchou-toungouses (14), et toutes d'arrière (graves) ou toutes d'avant (aiguës) dans diverses langues turques,
mongoles et finno-ougriennes. A côté d'une telle « attraction
palatale » apparaît dans certaines de ces langues une « attrac-

---

(11) *Ibidem,* pp. 9 sqq., pp. 152 sqq.
(12) *Ibidem,* p. 12.
(13) N.S. Trubetzkoy, « Zur allgemeinen Theorie der phonologischen
Volkalsysteme », *Travaux du Cercle linguistique de Prague,* I (1929).
(14) V. Avrorin, *Doklady i soobščenija Instituta jazykoznanija* AN
SSSR, XI (1958), pp. 140 sqq.

tion labiale ». Dans toute langue turque synharmonique, les mots à première voyelle non arrondie (non bémolisée) ne peuvent contenir de voyelles arrondies (bémolisées) dans les autres syllabes, et une séquence de voyelles étroites dans un mot est soit entièrement arrondie soit entièrement non arrondie ; dans toutes les autres règles d'harmonie labiale, les langues turques diffèrent l'une de l'autre (15). De nombreuses langues africaines ne peuvent combiner les voyelles tendues et lâches dans un même mot ; en ibo, l'harmonie vocalique repose sur un jeu réciproque entre les oppositions tendu/lâche et diffus/compact (16). En hindoustani et dans quelques autres langues indiennes, les mots contiennent des voyelles uniquement nasales ou uniquement orales (17).

Attiré par le problème des unités sémiotiques simultanées, j'ai écrit à Xlebnikov en février 1914 à propos des possibilités du synchronisme (*odnovremennost'*) et de « certaines analogies entre la poésie expérimentale et les accords musicaux » (18). Le développement de la recherche phonologique, qui conduisit à une décomposition progressive des phonèmes en leurs qualités distinctives, m'incita en 1932 à redéfinir le phonème comme « l'ensemble des qualités phoniques simultanées qui sont utilisées dans une langue donnée pour distinguer des mots de sens différent » et à voir dans le répertoire de ces propriétés oppositives le fondement de tout système phonologique (19). Le concept de « qualités différentielles » ou « distinctives » (j'ai adopté en anglais l'expression *distinctive features* « traits distinctifs », utilisée en 1933 par Sapir et Bloomfield) (20), était destiné à assumer le rôle d'entité discrète ultime qui avait été accordé auparavant au phonème.

Bien que Ferdinand de Saussure ait saisi et décrit l'interrelation existant entre les deux coordonnées du langage — l'axe de la « simultanéité » et l'axe de la « successivité » —, sa suggestion prophétique que des éléments différentiels » cons-

---

(15) M. Čerkasskij, « Opyt formal'nogo opisanija garmonii glasnyx v tjurkskix jazykax », *Voprosy jazykoznanija*, X, n° 5 (1961), pp. 94 sqq.

(16) I.C. Ward, *An Introduction to the Ibo Language*, (Cambridge, 1936).

(17) H.M. Hoenigswald, « Declension and Nasalization in Hindustani », *Journal of the American Oriental Society*, LXVIII (1948), pp. 143 sq.

(18) Cité dans le recueil *Majakovskij — Materialy i issledonanija*, Akademija Nauk SSSR (Moscou, 1940), pp. 385 sq.

(19) » Phoneme and Phonology »', *Selected Writings*, I (1971²) ; cf. « Phonemic Notes on Standart Slovak » (1931), *ibidem*, 224 sq.

(20) « Observations sur le classement phonologique des consonnes », *Proceedings of the Third International Congress of the Phonetic Sciences* (Ghent, 1938), et *Selected Writings*, I, pp. 272-279.

tituaient le phonème ne put se développer parce qu'il partageait de façon persistante avec son époque la croyance conventionnelle en la linéarité du *signans* (« linéarité du signifiant »). Ce cercle vicieux entrava pour longtemps toute analyse en traits distinctifs.

Le 23 mars 1938, mon essai de réduction de la multiplicité des phonèmes au nombre réduit de leurs composants « ultimes » fut discuté tout d'abord au Cercle linguistique de Prague, qui était à cette époque une officine active de la recherche phonologique, et, le 18 juillet, j'ai présenté un rapport sur le même thème au 3e Congrès international des sciences phonétiques, à Gand (21). Dans ces travaux, les consonnes constituaient le centre d'intérêt parce que leur arrangement traditionnel, fondé sur le point d'articulation, semblait défier et empêcher toute véritable systématisation des oppositions phonologiques.

La recherche phonologique rencontrait deux nouveaux problèmes fondamentaux, conformément à la double nature du langage. L'analyse distributionnelle, qui avait été appliquée avec fruit aux relations « syntagmatiques » du langage, et à sa structure phonologique en particulier, mais qui avait été confinée originellement à la concaténation en séquence, demandait à être étendue à l'autre dimension du signe verbal, c'est-à-dire à la superposition de ses composants simultanés. Désormais, les questions de contexte embrassent non seulement les facteurs précédents et suivants dans la chaîne mais également les facteurs simultanés.

D'autre part, l'approche phonologique des relations « paradigmatiques » dans le langage subit des altérations radicales. Le rôle fondamental assigné par Ferdinand de Saussure au concept d' « opposition » en phonologie et en grammaire demandait à être spécifié davantage et à être décrit plus précisément. Peu après le congrès de Gand, l'éminent théoricien hollandais du langage H.J. Pos publia ses commentaires éclairants sur les principes et les perspectives de la linguistique structurale. Il fit remarquer que l'opposition est, par essence, une opération logique (22). La présence d'un terme d'une opposition binaire implique et révèle nécessairement l'autre terme, l'opposé (« A l'idée du blanc, il n'y a que celle du noir qui soit opposée, à l'idée du beau, celle du laid »). Au contraire, dans une dualité contingente, aucun des deux membres ne

---

(21) E. Sapir, *Selected Writings* (Berkeley et Los Angeles, 1949), p. 25 ; Bloomfield, *o. c.*, pp. 77. 79.
(22) H.J. Pos, « Perspectives du structuralisme », *Travaux du Cercle linguistique de Prague*, VIII (1939). Cf. l'insistance de S.K. Šaumjan, *Problemy teoretičeskoj fonologii* (Moscou, 1962) sur l'aspect logique des rapports phonologiques.

« permet de faire de prédiction sur l'autre ». Il est évident toutefois qu'un phonème n'a pas un seul opposé qu'on puisse prédire. Ainsi, on ne sait quel est l'opposé du phonème turc /u/ avant que celui-ci ait été décomposé en ses traits distinctifs. L'analyse en traits montre que /u/ est une voyelle étroite (diffuse), d'arrière (grave), arrondie (bémolisée). Chacun des traits distinctifs qui constituent ce phonème (et tout phonème, quel qu'il soit) appartient à une seule « dualité d'opposition » dans la langue donnée, et n'importe lequel de ces composants implique la coexistence de son opposé dans le même système phonologique : « diffus » s'oppose à « compact », « grave » à « aigu », et « bémolisé » à « non bémolisé ». Notre conclusion — que la valeur d'opposition devrait être transférée du phonème au trait distinctif (23) — ne contredit pas les vues de Ferdinand de Saussure lui-même, étant donné qu'ici comme en bien d'autres endroits, les éditeurs du *Cours* ont dévié de son enseignement authentique. Dans les transcriptions originales des cours de Saussure, nous voyons en effet que ce ne sont pas les phonèmes mais leurs « éléments » qui prennent « une valeur purement oppositive, relative, négative » (24).

La nécessité que Saussure proclama d'assigner une définition purement relative et oppositive aux éléments différentiels est devenue la base de toute analyse cohérente en termes d'éléments « ultimes » ou en termes de « traits ». L'idée que « les différences entre les propriétés sont en fait discrètes » et que leur aspect différentiel « est réellement le concept fondamental » (25) se retrouve dans les divers domaines de la science moderne. L'approche topologique — « Ce ne sont pas les choses qui importent, mais leurs relations » (E.T. Bell) (26) — est tout autant décisive pour la méthodologie de la phonologie. On ne peut pas définir le phonème /p/ du français sans se référer aux autres phonèmes — par exemple, au reste des obstruentes non voisées. L'affirmation banale « /p/ sera défini comme une labiale par opposition à /t/ et aux autres phonèmes » est trompeuse : il n'y a pas d'opposition entre /p/ et les autres obstruentes, étant donné que la présence de /p/ n'implique ni ne prédit les autres obstruentes. De surcroît, les relations entre /p/ et chacune des autres obstruentes non voisées varient. Dans la terminologie de Sapir, les « espaces relationnels »

---

(23) Cf. R. Jakobson, « Zur Struktur des Phonems » (1939), *Selected Writings* I, pp. 301 sqq.
(24) F. de Saussure, *Cours de linguistique générale.* Edition critique par R. Engler (Wiesbaden, 1968), p. 268.
(25) E. Schrödinger, *What is Life ?* (New York, 1947) pp. 28 sq.
(26) E.T. Bell, *The Development of Mathematics* (New York et Londres, 1945 2), pp. 466 sq.

entre /p/ et /t/, /p/ et /k/, ou /p/ et /f/, sont totalement différents, et, pour la perception de la parole, chacune de ces paires offre son propre indice discriminatoire (27).

Tous les autres traits étant égaux dans chacun de ses membres, la paire /p/-/t/ manifeste, selon la nomenclature perceptive de Grammont, l'opposition grave (ton bas)/aigu (ton haut). Certains critiques ont hâtivement rejeté le niveau perceptif, qu'ils affirment faire partie d'une acoustique subjective, impressionniste ; cependant, l'impression subjective de l'auditeur joue un rôle décisif dans la communication verbale, et parallèlement, dans l'analyse de la parole, le stade perceptif de l'événement de parole a une importance suprême. C'est à partir des qualités des sons telles qu'elles sont distinguées et interprétées par l'auditeur qu'il faut procéder lorsqu'on cherche leurs corrélats aux niveaux physique et physiologique. Par exemple dans la paire /p/ - /t/, à l'opposition de ton bas (grave) et de ton haut (aigu) correspond une différence physique entre résonance *relativement* basse et résonance *relativement* haute (comme l'ont illustré à la perfection les expériences menées par Eli Fischer-Jörgensen dans les laboratoires Haskins (28)). Alors que de telles résonances basses sont produites par une cavité buccale plus ample et moins compartimentée, les résonances opposées, plus hautes, sont dues à une cavité plus petite et plus divisée.

Selon la nomenclature perceptive actuelle des qualités phoniques, l'élément déterminant dans la distinction entre /k/ et /p/ est la relative « compacité » ou « densité » par opposition au caractère relativement « diffus » (sur la densité tonale comme dimension phénoménale, voir S.S. Stevens (29)). Au niveau

---

(27) E. Sapir, « The Sound Pattern in Language », *Language* I (1925), p. 35 : « Chaque membre de ce système se caractérise (...) par une distance psychologique à l'égard de tous les autres membres du système. Les espaces relationnels entre les sons d'une langue sont (...) nécessaires à la définition psychologique de ces sons. » On notera une analogie remarquable : « Il a fallu une grande imagination scientifique pour comprendre que ce ne sont ni les charges ni les particules mais le champ dans l'espace entre les charges et les particules qui est essentiel pour la description des phénomènes physiques. » (A. Einstein & L. Infeld, *The Evolution of Physics* (New York, 1942, p. 259). Tr. fr. dans *Linguistique*, Minuit, 1968, pp. 143-164.

(28) Eli Fischer-Jørgensen, « Acoustic Analysis of Stop Consonants », *Miscellanea Phonetica*, II (1954), pp 58 sq.

(29) S.S. Stevens, « Tonal Density », *Journal of Experimental Psychology*, XVII (1934), pp. 585 sqq. Certains linguistes rejettent l'approche psycho-acoustique des sons de la parole en faveur de données physiques qui prétendent viser les « sons eux-mêmes ». Nous rejetons cette métaphysique du *das Ding an sich* et nous nous référons à la déclaration concise de S.S. Stevens et de H. Davis selon laquelle, ce qui est étudié dans le premier cas, c'est l'effet de l'onde sonore sur l'organisme vivant,

physique, comme Gunnar Fant l'a reformulé, « dans les occlusives et les fricatives, le degré de concentration du spectre est
la caractéristique principale de la compacité » (30). Tout
d'abord et avant tout, une « forte concentration d'explosion »
distingue /k/ de /p/ et de /t/ (selon la comparaison que
E. Fischer-Jörgensen a faite entre son analyse acoustique détaillée et des expériences sur la perception des occlusives synthétiques). Par conséquent, /p/ et /t/ s'opposent à /k/ de la
même manière, comme diffus à compact, et l'un à l'autre comme
grave à aigu. Les consonnes compactes s'articulent dans la
région vélopalatale de la cavité buccale, et les consonnes
diffuses — les dentales et les labiales — en avant de cette
région. Aux tentatives phonologiques fallacieuses « de définir
/t/ et /k/ indépendamment l'un de l'autre », l'analyse en traits
oppose une définition purement relationnelle. Alors que les
phonèmes coïncident pour la plupart dans certains de leurs
traits et entretiennent donc l'un envers l'autre une relation de
chevauchement mutuel (« relation d'empiètement », dans les
termes de Cantineau (31), tous les traits distinctifs sont fondés
sur le principe d'oppositions *véritablement* dichotomiques.

On peut rappeler le choix « binaire » du dialogue aigu
de Lewis Carrol : « Did you say *pig* or *fig* ? » — « I said
pig. » Pour reconnaître s'il s'agit de *pig* ou de *fig,* dans le cas
où la décision n'est pas suggérée par le contexte, l'auditeur a
besoin de saisir l'indice qui oppose /p/ à /f/. Dans les mots
pig et *big,* les premiers segments forment une opposition binaire
différente, et une troisième apparaît dans *pig* et *tig*. L'opposition
« binaire » sous-tendant la distinction phonologique minimale
de deux mots est soit identique, comme dans *pig-fig* et *dig-sig,*
soit différente, comme dans *pig-fig* et *pig-big* ou *tig-dig*. Alors
que la matité de l'occlusive initiale de *tig* est non distinctive,
et que *tig-sig* et *tig-thig* (« prier ») présentent la même opposition *discontinu/continu,* les mots de la « paire » *sig-thig* se
différencient par l'opposition strident (bords rugueux)/mat
(bords lisses). Les distinctions minimales reposent sur des
« diades » soit équivalentes, soit divergentes, et *il n'y a pas
de troisième terme.*

Notons ceci au passage : il ne fait pas de doute que les
remarquables progrès techniques réalisés dans l'analyse et la
synthèse de la parole durant ces deux dernières décennies ont

---

et, dans le second, l'effet de cette onde sur une machine : *Hearing*
(New York, 1938).

(30) G. Fant, *Acoustic Theory of Speech Production* (La Haye, 1960),
pp. 217 sq.

(31) J. Cantineau, « Le Classement logique des oppositions », *Word.*
XI (1955), pp. 6 sq.

débouché sur une représentation nettement plus fine des corrélats articulatoires, acoustiques et perceptifs des oppositions phonologiques et sur une vue plus claire des correspondances entre données physiologiques, physiques et psychologiques ; mais les premiers examens des traits distinctifs aux divers niveaux de l'analyse de la parole ont été rendu possibles par les recherches de la période précédente sur les sons de la parole comme stimuli auditifs et réponses sensorielles d'une part, et par les études aux rayons X de la production de la parole de l'autre. Plusieurs de ces travaux ont ouvert la voie à l'utilisation de nouveaux critères pour la systématisation des unités phonologiques (32).

Il n'est pas possible de confiner l'analyse phonologique aux seules relations syntagmatiques. Les tentatives pour identifier une catégorie phonologique uniquement sur la base des règles de distribution aboutissent inévitablement à une impasse. On ne peut, par exemple, citer comme définition phonologique de base des obstruentes voisées du polonais le fait qu'elles sont limitées à des positions non finales, pas plus qu'on ne peut définir le wagon-restaurant comme le wagon qu'on ne trouve jamais entre deux wagons de marchandises. Pour dire que les wagons-restaurants ou les obstruentes voisées n'apparaissent pas dans une position donnée, nous devons tout d'abord savoir comment identifier les wagons-restaurants et les distinguer des wagons de marchandises, des wagons de voyageurs et des wagons-lits, ou comment distinguer les obstruentes voisées des non voisées.

Certains observateurs ont été enclins à croire que, sans aucun recours à la « substance sonore », l'analyse d'une série de mots russes tels que /z,át,/ « gendre », /z,áp,/ « terre de labours », /z,áp/ « avait froid » /v,ás,/ « ligature », /v,ás/ « orme », /v,ál/ « languissant », /dán,/ « tribut », /dán/ « donné », /bás/ « basse », /páx/ « aine »,/pál/ « linguet », conduirait à une distinction entre /a/ comme phonème « central » ou simplement phonème vocalique, et les autres éléments de cette série comme phonèmes « marginaux », consonantiques.

---

(32) Citons particulièrement : W. Köhler, « Akustische Untersuchungen », Zeitschrift für Psychologie, LIV, LVIII, LXIV, LXXII (1910-1915) ; C. Stumpf, Die Sprachlaute (Berlin, 1926) ; S.B. Polland & B. Hála, Artikulace českých zvuků v roentgenových obrazech (Prague, 1926) ; H. Fletcher, Speech and Hearing (New York, 1929) ; L. Barczinski & E. Thienhaus, « Klangspektren und Lautstärke deutscher Sprachlaute », Archives néerlandaises de phonétique expérimentale, XI (1935) ; A. Meillet, Etude expérimentale de la formation des voyelles (Paris, 1938) ; A. Sovijärvi, Die gehaltenen, geflüsterten und gesungenen Vokale und Nasale der finnischen Sprache (Helsinki, 1938) ; T. Chiba & Kajiyama, The Vowel, Its Nature and Structure (Tokyo, 1941).

Ces observateurs déclarent que l'entité /a/ est centrale, car elle peut apparaître seule dans un texte, alors que les phonèmes marginaux ne se présentent jamais seuls. Toutefois un tel raisonnement est fondé sur l'identité présumée de tous les /a/ qui figurent dans la série. En fait, comme l'a noté D. Jones, dans des positions fortement accentuées, ces spécimens présentent au moins cinq variétés clairement distinguables, depuis un son d'avant proche de [ɛ] jusqu'à une voyelle large très arrière ; en outre, plusieurs nuances intermédiaires peuvent être détectées par l'oreille (33). La phonologie n'admet pas d'opérations « avec des entités anonymes ». L'acte d'identification $a_1 = a_2$ est indispensable, et il n'y a que deux façons possibles de procéder. Ou bien l'identification se fait en recourant à une notion inévitablement vague de ressemblance phonétique, ce qui constitue une introduction incontrôlée de la matière phonétique brute dans la phonologie, ou bien l'analyse phonologique considère et analyse délibérément la substance physique dans le but de faire apparaître les valeurs strictement relatives, oppositives, superposées aux « prémisses phonétiques » par le code de la langue. C'est de cette dernière façon que l'étude phonologique des relations paradigmatiques surmonte les contingences phonétiques brutes et révèle la dichotomie systématique des traits distinctifs ; cette dichotomie est fondamentalement le même principe logique qui sous-tend la structure grammaticale de la langue.

Mutatis mutandis, l'analyse en traits distinctifs recourt à des procédés semblables à ceux qui ont été utilisés pour la mise à jour des phonèmes. Les deux procédures successives — à savoir la tabulation des « microphonèmes » et l'élicitation consécutive « des macrophonèmes », selon la description W.T. Twaddell (34), trouvent un équivalent dans l'analyse ultime qui va, dirons-nous, du « micro-trait » (« le terme de toute différence phonologique minimum ») au « macro-trait ». Twaddell insiste avec raison sur le fait que le passage des microphonèmes aux macrophonèmes (et à plus forte raison des micro-traits aux macro-traits) ne peut reposer sur aucune caractéristique positive constante des unités elles-mêmes, mais seulement sur « une relation qualitative constante » entre les microphonèmes (et de même pour les micro-traits) de classes différentes. Le critère déterminant est une relation terme à terme, isomorphique, entre ces classes. Ainsi, dans une langue qui

---

(33) D. Jones, *The Phoneme, Its Nature and Use* (Cambridge, 1962) ; p. 26.
(34) W.T. Twaddell, « On Defining the Phoneme », *Language Monographs*, XVI (Baltimore, 1935).

présente [p], [t], et [k] devant les voyelles postérieures, mais
[p,], [t,] et l'affriquée chuintante [ĵ] (ou [ʃ]) devant les voyelles
antérieures, [p] et [p,] appartiennent à un seul macrophonème
labial (en bref, un phonème) grave par opposition au phonème
dental réalisé par les variantes [t] et [t,], et ces deux phonèmes
sont diffus par opposition au phonème compact, vélopalatal,
représenté par les variantes contextuelles /k/ et /ĵ/ (ou
/ʃ/). De même, dans une langue où [k] apparaît devant les
voyelles postérieures mais /ĵ/ devant les voyelles antérieures,
et [p] et [t] devant les voyelles postérieures et antérieures, les
oppositions compact/diffus et grave/aigu restent valides pour
les deux classes de microphonèmes : *p-t-k et p-t-ĵ*. Ici encore,
nous assignons [k] et [ĵ] à un seul et même phonème vélopalatal, qui s'oppose par son caractère compact aux deux phonèmes diffus, le grave /p/ et l'aigu /t/.

L'analyse ultime suit la même procédure. Le système des
consonnes du français (35), qui a peut-être reçu à cet égard
la discussion la plus vive, offre un exemple convaincant. Parmi
les occlusives de ce système, la forte /p/ et la douce /b/
s'opposent par leur gravité à l'acuité de la forte /t/ et de la
douce /d/, et toutes ces occlusives sont diffuses par opposition
aux occlusives compactes, la forte /k/ et la douce /g/. Parallèlement, dans la classe des continues, la forte /f/ et la
douce /v/ s'opposent, en tant que graves, à la forte /s/ et à
la douce /z/ en tant qu'aiguës ; et toutes ces continues s'opposent par leur caractère diffus à la compacité de la forte
/ʃ/ et de la douce /z/. Finalement, dans la classe des nasales,
le caractère diffus de la grave /m/ et de l'aiguë /n/ s'oppose
à la compacité de /ɲ/. L'isomorphisme qui sous-tend les trois
classes des quinze consonnes du français — occlusives, continues et nasales — est très évident : à l'intérieur de chacune
de ces trois classes, seuls les phonèmes diffus se subdivisent en
grave et aigus. Cet agencement « triangulaire » des consonnes
(et des voyelles également) est largement répandu dans l'ensemble des langues du monde, étant donné que les phonèmes
diffus, par rapport aux phonèmes compacts, sont naturellement
plus susceptibles de se diviser en graves et aigus.

Dans le système des consonnes du français, le trait de compacité présente trois variantes contextuelles ; chacune dépend
d'un trait simultané : les consonnes compactes sont réalisées
comme vélaires quand elles sont explosives, comme palatales
quand elles sont nasales et comme postalvéolaires quand elles
sont continues. En termes de synthèse de la parole, la trans-

---

(35) Cf. R. Jakobson, J. Lotz, « Notes on the French Phonemic Pattern », *Word*, V (1949), et *Selected Writings* I, pp. 426-434.

formation des consonnes compactes du français d'occlusives
en nasales ou en fricatives déplace le point d'articulation de
l'aire vélaire à l'aire palatale ou postalvéolaire respectivement,
alors que leur relative compacité reste inchangée. Les limites
entre les variantes contextuelles palatales et vélaires semblent
vaciller : /ŋ/ apparaît comme un substitut facultatif de /ɲ/ et,
selon les observations de Marguerite Durand, il existe à présent
dans le parler de Paris « une tendance marquée » à une articulation palatale de /k/ et de /g/ (36).

De nombreux dialectes slaves ont une prévocalique [v] et
une postvocalique [w]. En position intervocalique, certains de
ces dialectes ont [v], d'autres [w]. La labiodentale [v] et la
bilabiale [w] sont ici des variantes contextuelles d'un seul et
même phonème labial voisé. Au niveau des traits, il s'agit de
la même relation d' « exclusion mutuelle » (en d'autres termes,
de « distribution complémentaire ») que celle qui est manifestée
par les bruyantes labiales (c'est-à-dire les diffuses graves) du
français, qui se réalisent comme bilabiales quand elles sont
plosives et comme labiodentales quand elles sont continues.

Si aucune des continues du français n'a exactement le même
point d'articulation que les occlusives, cette différence repose
évidemment sur le fait que, dans les continues optimales, la
friction et la turbulence sont notablement plus fortes que dans
les plosives optimales, de sorte que l'opposition entre les
bruyantes plosives et continues se fond avec l'opposition stri-
dent/mat, et, selon la suggestion de A.W. de Groot, le terme
« complexe » ou « composite » (on pourrait dire « syncrétique »)
pourrait s'appliquer à un tel amalgame (37). Le bruit plus
intense des bruyantes stridentes requiert une barrière supplémentaire à bords rugueux. Par conséquent, en plus des lèvres,
qui constituent le seul obstacle utilisé dans la production des
bilabiales, les labiodentales font intervenir également les dents ;
de leur côté, les sifflantes utilisent aussi les dents inférieures
en plus des obstacles utilisés dans les consonnes mates correspondantes. Ainsi, parmi les bruyantes diffuses graves
(labiales), les fricatives /f/ et /v/ sont les correspondantes
stridentes des occlusives mates /p/ et /b/ ; dans la série des
diffuses aiguës (dentales), /s/ et /z/ sont les opposées stridentes de /t/ et /d/ ; et si les bruyantes compactes ne présentent pas d'opposition grave/aigu, les occlusives /k/ et /g/
trouvent leurs contreparties stridentes dans les sibilantes compactes /ʃ/ et /ʒ/. En français, les trois types de continues

---

(36) *Conférences de l'Institut de linguistique de l'Université de Paris*,
XI (1954), p. 89.
(37) *Word*, IX (1953), p. 62.

stridentes utilisent les dents pour bâtir l'obstruction supplémentaire. Les bruyantes uvulaires présentent une autre mais plus
rare réalisation du caractère strident dans le sommet compact
un système consonantique triangulaire.

La différence de localisation entre les occlusives du français
et les continues correspondantes est un avertissement adéquat
contre la conception simpliste qui fait du phonème un agrégat
mécanique de composants matériellement invariables. Toute
combinaison de traits distinctifs en faisceaux simultanés donne
lieu à une variation contextuelle spécifique. Vu les équivoques
incessantes, il est nécessaire de mettre encore une fois l'accent
sur le fait que tout trait distinctif n'existe que « comme terme
d'une relation ». La définition d'un tel invariant phonologique
ne peut se faire en termes absolus : elle ne peut faire référence
à une ressemblance métrique, mais doit reposer uniquement
sur l'équivalence relationnelle (38). Par exemple, dans la structure vocalique du bulgare ou du golde (nanaj), chacune
des trois classes de tonalités — aigu (antérieur), bémolisé grave
(arrondi postérieur), et non bémolisé grave (non arrondi postérieur) — est représentée par une paire compact (ouvert)-diffus
(fermé), à savoir, /e/-/i/, /o/-/u/, /a/-/ə/. L'affinité physico-
motrice entre /ə/, le phonème diffus de la dernière paire, et
les phonèmes compacts des deux autres paires, /e/ et /o/, n'a
pas de pertinence phonologique, car la même opposition sous-
tend les trois paires : /a/ est à /ə/ comme /e/ est à /i/ et
comme /o/ est à /u/. L'articulation plus ouverte de /a/ et
de /ə/ par rapport aux deux autres paires est une variation
contextuelle associée à la présence simultanée des traits grave
et non bémolisé (vélaire et non arrondi) ; mais les relations
purement abstraites, topologiques, restent inchangées dans les
trois paires. Ici nous travaillons avec des formes phénoménales
dont les propriétés spécifiques sont, selon l'expression de
Ehrenfels, transposables : de telles propriétés ne sont pas
affectées par une modification des données absolues sur lesquelles elles reposent.

Naturellement, il peut y avoir des cas où les deux termes
d'une opposition phonologique, en particulier de traits contradictoires, sont identifiables au moyen d'indices absolus également, comme voisement et non voisement, ou nasalité et
absence de nasalité (pure oralité). Chacune de ces propriétés
fonctionne cependant comme un élément d'une paire d'opposés
et existe dans la langue tout d'abord comme terme d'une
relation logique. En outre, même dans les cas cités, les

---

(38) *Selected Writings*, I, p. 151 sq.

variations peuvent limiter considérablement l'application de critères absolus à la détection des invariants phonologiques. Par exemple, dans certaines positions où les voyelles orales ou les consonnes non voisées subissent une assimilation partielle à leur environnement nasal ou voisé, la différence entre la présence et l'absence de nasalité ou de voisement peut se modifier en une discrimination entre un maximum et un minimum de nasalisation ou de voisement (des contradictoires deviennent donc des contraires) ; de plus, les « divers degrés de compromis entre la voix haute et le chuchotement » (39) peuvent maintenir une distinction entre consonnes non voisées et voisées, bien qu'il se fasse que le rôle des cordes vocales soit réduit et altéré de façon substantielle, de sorte que les variantes murmurées des phonèmes voisés sont parfois plus proches de la production normale des phonèmes non voisés.

De fait, le principe dichotomique était présent de façon latente dans la classification traditionnelle des consonnes en séries conjuguées telles que : explosives/continues, fortes/douces, aspirées/non aspirées, glottalisées/non glottalisées, voisées/non voisées, phrayngalisées/non pharyngalisées, arrondies/non arrondies, palatalisées/non palatalisées, nasalisées/non nasalisées ; et chacune de ces paires présentait une différence spécifique au niveau articulatoire comme au niveau physique. La tâche ultérieure était de reconnaître que le classement habituel des consonnes selon leur point d'articulation était insuffisant pour dresser leur typologie phonologique qui, comme l'avait clairement vu Sapir, n'a rien à voir avec le simple « point d'articulation ». Trois facteurs distincts devaient être distingués : le volume relatif et la configuration de la chambre de résonance (plus ample et moins compartimentée, plus petite et plus compartimentée), la relation entre le volume de la chambre de résonance et la position du rétrécissement le plus étroit (centrifuge/centripète), et la relation entre le flux d'air et l'obstruction (turbulence plus forte/turbulence plus faible).

Dès que la suite grossière des points d'articulation eût été décomposée en ces trois oppositions binaires, il devint évident que le consonantisme et le vocalisme partageaient une règle de dichotomie systématique. Le rasoir d'Occam nous a forcé à unifier les deux configurations en un seul système (40). Les premiers essais dans cette direction remontent aux anciens grammairiens indiens, qui ont cherché des correspondances entre voyelles et consonnes et, en particulier, ont réuni les

---

(39) R.M.S. Heffner, *General Phonetics* (Madison, 1949), pp. 85 sqq.
(40) « On the Identification of Phonemic Entities », *Selected Writings* I, pp. 418-425.

séries *k* et *a* sous l'étiquette commune de *kanthya*, et les séries *n* et *u* sous celle de *osthya*. Ce serait faire preuve d'un parti pris anti-empirique, arbitraire, que de ne pas tenir compte de la correspondance terme à terme existant entre la relation des occlusives et des continues labiales aux dentales analogues d'une part, et entre la relation des voyelles d'arrière aux voyelles d'avant de l'autre. Une lecture rapide de *Visible Speech* (41) a suffi à révéler que « la tonalité principale de chacune des voyelles d'avant » est nettement plus haute que la tonalité principale des voyelles d'arrière, et que la « tonalité » de /t/, /d/, /s/ et /z/ est nettement plus haute que celle de /p/, /b/, /f/ et /v/. Nous sommes confrontés ici à deux variantes contextuelles, deux expressions différentes d'une seule et même opposition grave/aigu. Le corrélat génétique de cette opposition est la place plus périphérique du rétrécissement, qui détermine la production des consonnes et des voyelles graves, par opposition à la place relativement médiane du rétrécissement, typique des phonèmes aigus correspondants.

Nous observons de plus que dans le vocalisme et le consonantisme les phonèmes qui ont une concentration d'énergie manifestement plus basse dans le spectre et une configuration de la cavité buccale « plus proche de celle d'un cor au résonateur tourné vers l'intérieur (Fant, *o. p.*) semblent être opposés aux phonèmes *correspondants* qui ont une concentration d'énergie plus élevée et un appareil vocal plus proche de celui d'un cor au résonateur tourné vers l'extérieur. Cette relation terme à terme nous permet d'interpréter l'opposition diffus/compact comme une propriété commune aux structures vocalique et consonantique et dès lors de faire correspondre les systèmes vocaliques « triangulaire » et « quadrangulaire » et les systèmes consonantiques équivalents. La suggestion selon laquelle le principe dichotomique pourrait difficilement s'appliquer à une structure triangulaire, « étant donné que les relations des trois éléments sont mutuellement proportionnelles, à savoir a : i = i : u = u : a » (42), est erronée, parce que a : i = a : u = compact : diffus, alors que i : u = aigu : grave.

Les buts que nous avons essayés d'atteindre en choisissant « l'ensemble le plus simple d'éléments nouveaux identifiant et supplantant les phonèmes » ont été résumés de façon concise par Z.S. Harris : l'analyse componentielle doit être « menée

---

(41) R.K. Potter, G. A. Kopp & H.C. Green, *Visible Speech* (New York, 1947).

(42) A.A. Reformatskij, « Dixotomičeskaja klassifikacija differencial' nyx priznakov i fonematičeskaja model' jazyka », *Voprosy teorii jazyka v sovremennoj zarubežnoj lingvistike* (Moscow, 1961), p. 117.

pour tous les phonèmes d'une langue » et doit être fondée
« non sur des catégories phonétiques absolues (...) mais sur
des catégories relatives déterminées par les différences existant
entre les phonèmes de cette langue ». Etant donné que « tout
phonème peut être distingué de n'importe quel autre en termes
de combinaison des composants auxquels il est égal », l'analyste « s'intéresse essentiellement aux (...) oppositions binaires » (43). Nous sommes totalement d'accord avec A. Martinet : « le binarisme actuel s'explique fort bien comme une
extension systématique du rapport corrélatif » et deux termes
sont vraiment corrélatifs si « l'existence de l'un fait nécessairement supposer l'existence de l'autre » (44). C'est sans
rigueur pourtant qu'il applique ce critère à ses propres exemples. Il déclare que « les mots *père* et *fils* sont corrélatifs,
puisqu'un père suppose l'existence d'un fils et vice versa »,
mais en fait, le concept de père (« ancêtre mâle au premier
degré », selon la définition de H.S. Sörensen) n'implique nécessairement que celui d'enfant (« descendant au premier degré »)
mais pas précisément celui d' « enfant mâle ». De surcroît,
s'il déclare que les phonèmes avec un voisement distinctif impliquent nécessairement l'existence de phonèmes avec un non-
voisement distinctif, alors c'est sans raison aucune qu'il nie
l'existence d'une relation similaire entre les phonèmes /k/
et /t/ du français. Dans une langue qui possède ces deux
phonèmes, chacun est doté d'une des deux qualités opposées
compact/diffus, et l'existence de l'une de ces propriétés distinctives implique nécessairement l'existence de sa contrepartie.
Au contraire, dans une structure consonantique qui n'a pas
d'opposition distinctive entre compact et diffus, la présence
de /t/ ne peut évidemment pas impliquer l'existence de /k/.
Par exemple, en tahitien, l'occlusive /t/ ne possède que le trait
d'acuité par opposition à l'occlusive grave /p/, alors qu'en
oneida, qui n'a pas de consonnes labiales, /t/ ne joue aucun
rôle dans l'opposition grave/aigu (/a/ : /e/ = /o/ : /i/ =
/w/ : /j/), mais ne manifeste que le trait *diffus* (/t/ : /k/ =
/i/:/e/ = /o/:/a/ = /ũ/:/ʌ̃/) (45). Ainsi, l'analyse en
traits révèle la différence de constitution essentielle qui, en
dépit de leur similitude phonétique, existe entre le /t/ de
l'oneida et le /t/ tahitien.

---

(43) Z.S. Harris, *Methods in Structural Linguistics* (Chicago, 1951),
p. 146.
(44) A. Martinet, « Substance phonique et traits distinctifs » *Bulletin
de la Société de linguistique de Paris*, LIII (1958), pp. 77 sq. Repris
dans A. Martinet, *La Linguistique synchronique*, P. U. F., 1965, chap. V.
(45) F.G. Lounsberry, *Oneida Verb Morphology* (New Haven, 1953),
pp. 27 sqq.

La transition de l'analyse de la parole au niveau du phonème à son analyse au niveau des traits exige que les deux ensembles soient rigoureusement distingués et que des amalgames hétérogènes comme « phonèmes prosodiques » (au lieu de « traits prosodiques ») ou phonèmes prétendûment « indécomposables » en traits soient scrupuleusement évités. Une décomposition totale des unités linguistiques supérieures en leurs traits distinctifs — leurs composants ultimes — est non seulement parfaitement réalisable mais même indispensable (46). Cela nous fournit la clé des lois structurales du système phonologique. Sans une analyse en traits explicite ou au moins implicite, on ne peut même pas répertorier convenablement les phonèmes d'une langue. La palatalisée russe [b,] est suivie par des voyelles antérieures, et la vélaire non palatalisée [b_x] par des voyelles postérieures : [gub,á] « en ruinant » - [gub_xá] « lèvre » ; [gub,í] imp. « ruine » - [gub_xw] gén. « de la lèvre » ; [gr,ib,öt] 3° pers. sg. « il rame » - [gr,ib_xók] « champignon » ; [b,üs,t,] « buste » -[$b,ús_x$y] « collier ». Comment déterminer laquelle de ces deux différences successives constitue la différence phonologique : /b,/ - /b/ ou /a/ - /a/, /i/ - /y/, /ö/ - /o/, /ü/ - /u/ ? Il est vrai que l'occlusive labiale finale est voisée lorsqu'elle est suivie de près par une bruyante voisée initiale — donc, [r,æp,] « ride » et [r,áp$_x$] « criblé » sont distingués devant la particule *že* comme [r,æb,ze] - [r,áb$_x$ze), mais dans cette position il n'y a pas de différence phonologique entre occlusives voisées et non voisées. De plus, dans de nombreux dialectes russes, toutes les labiales finales ont perdu leur palatalisation, de sorte que la distinction entre labiales palatalisées et non palatalisées est restreinte à la position prévocalique : [p,it,át,] « nourrir » - [$p_x$yt,át,] « torturer ». Nous déduisons de ces faits qu'une valeur phonologique doit être attribuée en russe aux labiales palatalisées et non palatalisées et non aux voyelles antérieures et postérieures qui suivent, parce que dans cette langue il existe une distinction autonome entre la présence et l'absence de palatalisation consonantique, alors qu'il n'y a pas de distinction autonome entre voyelles antérieures et postérieures.

Une analyse systématique en traits détruit les survivances des discussions d'amateurs selon lesquelles « il ne subsiste aucune bonne raison pour établir parmi les traits une 'distinction' entre 'distinctif' et redondant » (47), ce qui, soit dit en

---

(46) Cf. « Mufaxxama, the 'Emphatic' Phonemes in Arabic », *Selected Writings* I, pp. 510-522.
(47) Cf. Y. Bar-Hillel, « Three Methodological Remarks on 'Fundamentals of Language' », *Word*, XIII (1957), p. 328.

passant, est une répétition d'arguments dressés il y a un demi-siècle contre la phonologie à ses débuts. Ainsi en 1913, A. Thompson faisait à L. Ščerba l'objection que dans la paire russe [ad,et,] « habiller » - [ad,ɛt$_x$] « habillé », non seulement la différence entre [t,] et [t$_x$] mais aussi celle entre [e] et [ɛ] « pouvait être reconnue comme le support de la différence de signification » (48). Aujourd'hui cependant, il est clair que, dans ce cas, au lieu d'une seule opposition consonantique (la présence ou l'absence de palatalisation) nous serions confrontés à des différences phonologiques multiples entre voyelles plus antérieures ou voyelles plus postérieures et entre voyelles plus fermées ou plus ouvertes, en plus de la différence entre consonnes palatalisées et non palatalisées : cf. russe [vóʃt,] « chef » - [kóʃt$_x$] « frais d'entretien » ; [s,él,t,] « hareng » - [k,él,t$_x$] « celte » ; [s$_x$kórp,] « tristesse » - [s$_x$kár$_x$p^x] « meubles » ; [l,gót$_x$ə] « avantage » - [l$_x$gut$_x$] « ils mentent ».

L'embarrassant problème des phonèmes dits « neutralisés » et de leur assignation disparaît au niveau des traits distinctifs, et le concept d' « archiphonème » trouve ici sa véritable base. Des mots russes comme *devki*, « filles », apparaissent sous trois variantes facultatives ou dialectales : [d,éf,k,i], avec une palatalisation de la labiale par assimilation devant [k,] et un [e] étroit devant la consonne palatalisée ; [d,éf$_x$k,i], avec une vélarisation de [f$_x$], typique des consonnes non diésées (« dures » dans la nomenclature scolaire russe), et l'ouverture habituelle du [ɛ] qui précède ; et [d,éfk,i], avec une assimilation partielle de la labiale par [k,] : autrement dit, [f], sans devenir palatalisé, perd sa vélarisation normale, et, devant une consonne vélarisée, [ɛ] se rapproche de [e]. Quelle que soit la réalisation de la labiale continue dans cette position, le phonème diffère ici des continues labiales finales — la diésée dans [kr$_x$óf,] « sang », et la non diésée dans [kr$_x$óf$_x$] « abri » — par l'absence du trait binaire diésé/non diésé. Alors que la distribution des traits est absolument claire, la question de savoir combien de phonèmes sont représentés par ces trois labiales demeure controversée. Si nous supposons qu'il y a deux phonèmes, l'assignation de la labiale de *devki*, avec ses trois variantes facultatives [f,], [f$_x$] et [f], soit au phonème diésé soit au phonème non diésé, serait totalement artificielle. De son côté, la réponse « trois » est également criticable, étant donné qu'il n'y a pas de contexte où l'absence simultanée de vélarisation et de palatalisation est susceptible d'alterner de façon distinctive avec la présence d'une de ces propriétés. Dans trois autres exemples russes - *petli*

---

(48) *Archiv f. slav. Philologie*, XXXIV (1913), pp. 560 sqq.

[p,étl,i] « boucles », *pet'li* [p,ét,l,i] « chanter ? », et *pet li*
[p,ɛt͓l,i] « chanté ? », l'occlusive dentale intérieure du premier
exemple ne participe pas à l'opposition phonologique diésé/
non diésé, alors que le phonème final correspondant est diésé de
façon distinctive dans le second - /p,ét,/ « chanter » - et non
diésé de façon distinctive dans le troisième - /p,ét/ « chanté ».

L'interrelation des traits distinctifs, configuratifs (surtout
démarcatifs), expressifs et redondants (49) requiert un examen
comparatif précis. Un tel examen doit en particulier éviter
toute confusion entre ces ensembles de traits essentiellement
hétérogènes et tout effacement des limites effectives entre leurs
fonctions divergentes. Le préjugé qui consiste à confiner la
recherche phonologique aux seuls traits distinctifs et à les
désigner totalement arbitrairement comme les seuls qui soient
utiles et pertinents déforme tout autant la réalité. Leur caractère discret, qui les distingue spécifiquement de la gamme gra-
duée des traits expressifs, ne donne pas au linguiste le droit
d'écarter ces derniers.

Parmi les problèmes controversés sur le plan des phonèmes
mais solubles sans équivoque lorsqu'on passe au niveau des
traits, on peut citer les hésitations fréquentes des linguistes
entre une interprétation biphonématique ou monophonématique.
Par exemple, les aspirées du bengali discutées par Ch.A. Ferguson et M. Chowdhury se trouvent à la fois essentiellement
et distributionnellement par rapport aux consonnes non aspirées
dans la même opposition que /h/ par rapport à zéro (50). Des
aspirées comme /bh/, lorsqu'elles sont vues comme des groupes,
donnent le tableau de traits distinctifs que voici :

	b	h
Grave	+	
Compact	—	
Nasal	—	
Voisé	+	
Tendu		+

Ceci voudrait dire que le second phonème du groupe supposé
n'a pas d'opposition en commun avec le premier phonème et
qu'il ne participe qu'à une opposition tendu/lâche, manifestée
uniquement par la paire /h/-zéro. De ce fait, au lieu de traiter

---

(49) Cf. R. Jakobson, *Essais de linguistique générale* I, pp. 109 sqq.
(50) C.A. Ferguson & M. Chowdhury, « The Phonemes of Bengali »,
Language, XXXVI (1960), pp. 45 sq. ; cf. F. Ja. Elizarenkova, « Differencial'nye èlementy soglasnyx fonem xindi », *Voprosy jazykoznanija*, X,
n° 5 (1961).

/bh/ ou les autres aspirées du bengali comme une juxtaposition de deux phonèmes, nous sommes enclins à admettre ici une simple superposition de traits :

	b^c
Grave	+
Compact	—
Nasal	—
Voisé	+
Tendu	+

En fait, c'est cette dernière façon d'analyser qui « réduit sévèrement le nombre de phonèmes » dans les séquences et simplifie nettement « l'établissement des distributions ».

Non seulement dans la discussion linguistique des traits distinctifs mais également dans leur confrontation avec la logique mathématique (51) et avec la théorie de la communication (52), il est apparu parfaitement clair que l'échelle dichotomique fournit la manière la plus avantageuse et la plus économique de décrire les données phonologiques. De surcroît, elle fournit une matrice appropriée pour la comparaison typologique des langues.

Loin d'être simplement une aide à la recherche, un modèle imposé par l'analyste sur la matière linguistique, les traits bivariants sont, comme l'a révélé l'étude du comportement verbal, des indices discriminatoires indispensables pour la perception de la parole. L'auditeur se trouve en fait confronté à « un nombre de décisions entre termes alternatifs ». Les psychologues nous ont appris que la capacité d'identifier des stimuli d'une manière absolue est peu développée chez l'auditeur humain, de sorte que « le système auditif doit répondre à des relations » (53) ; et la réduction du champ des possibles à quelques décisions binaires permet l'accomplissement optimum de cette tâche (54). Les identifications perceptives de

---

(51) Cf. G. Ungeheuer, « Das logistische Fundament binärer Phonemklassifikationen », *Studia Linguistica* (1959), pp. 69 sqq.

(52) Cf. E.C. Cherry, « Roman Jakobson's 'Distinctive Features' as the Normal Co-ordinates of a Language », *For Roman Jakobson* (La Haye, 1956), pp. 60 sqq ; D. Gabor, *Lectures on Communication Theory* (M.I.T., 1951) ; W. Meyer-Eppler, *Grundlagen und Anwendungen der Informationstheorie* (Berlin-Göttingen-Heidelberg, 1959), pp. 319 sqq.

(53) J.C.R. Licklider and G. Miller, « The Perception of Speech », *A Handbook of Experimental Psychology*, réd. par S.S. Stevens (New Yor, 1951) ; p. 1069.

(54) Cf. I. Pollack and L. Ficks, « Information of Elementary Multidimensional Auditory Displays », *J. of the Acoust. Soc. of Am.*, XXVI (1954), pp. 155 sqq. ; P.C. Wason, « Response to Affirmative and Negative Binary Statements », *British J. of Psychology*, LII (1961),

« locuteurs natifs » « sans formation en linguistique » sont gouvernées par leur connaissance des traits distinctifs existants et de leurs probabilités de cooccurrences simultanées ou séquentielles ; parallèlement, comme les expériences de R.W. Brown et de C. Hildum le suggèrent, la plupart des erreurs ne concernent qu'un phonème, et la plupart des changements dans un phonème n'impliquent qu'un seul trait distinctif (par exemple, passage de /p/ à /t/, /k/, /b/, ou /f/) » (55). Ce n'est pas une connaissance consciente qui agit dans la communauté linguistique mais, comme l'a noté Sapir, « un sentiment très délicatement nuancé de relations subtiles, éprouvées et possibles » (56). Il y a une correspondance frappante entre ce qui devient toujours plus apparent dans l'utilisation de la structure phonologique par les adultes natifs et l'acquisition progressive du langage par l'enfant, si on l'examine dans ses aspects intrinsèquement linguistiques et psychologiques. Henry Wallon, l'éminent expert français de la psychologie de l'enfant, présente des vues très lumineuses sur les stades initiaux de la pensée et de la parole : « La pensée n'existe que par les structures qu'elle introduit dans les choses. (...) Ce qu'il est possible de constater à l'origine, c'est l'existence d'éléments couplés. L'élément de pensée est cette structure binaire, non les éléments qui la constituent. (...) Le couple, ou la paire, sont antérieurs à l'élément isolé. (...) Sans ce rapport initial qu'est le couple, tout l'édifice ultérieur des rapports serait impossible. (...) Il n'y a pas de pensée ponctiforme, mais dès l'origine dualisme ou dédoublement. (...) En règle générale, toute expression, toute notion, est intimement unie à son contraire, de telle sorte qu'elle ne peut être pensée sans lui. (...) La délimitation la plus simple, la plus saisissante, est l'opposition. C'est par son contraire qu'une idée se définit d'abord et le plus facilement. La liaison devient comme automatique entre oui-non, blanc-noir, père-mère, de telle sorte qu'ils semblent parfois venir en même temps aux lèvres et qu'il faut comme faire un choix et réprimer celui des deux termes qui ne convient pas. (...) Le couple est à la fois identification et différenciation (57). » Ce témoignage de la psycho-

---

133 sqq. ; N.I. Žinkin, « Proiznesenie slov », *Int. J. of Slav. Linguistics and Poetics,* I-II (1959), pp. 79-114.

(55) R.W. Brown & D.C. Hildum, « Expectancy and the Perception of Syllables », *Language,* XXXII (1956), pp. 411 sqq.

(56) E. Sapir, « The Unconscious Patterning of Behavior in Society », *The Unconscious, A Symposium* (New York, 1927), p. 123 ; cf. *Selected Writings,* p. 548.

(57) *Les Origines de la pensée chez l'enfant,* I (Paris, 1945), pp. 41, 44, 67, 115.

logie a été totalement confirmé par les scissions dichotomiques progressives observées dans le développement du système phonologique chez les enfants, et, après nos premières esquisses approximatives (58), des observations linguistiques toujours renouvelées faites sur des enfants appartenant à divers groupes ethniques ont clairement fait apparaître la construction phonologique du langage, alors que les premières études approfondies sur les troubles du langage ont vérifié l'affirmation que, dans certains types d'aphasies que nous avons appelés « désordre de la contiguïté », la régression de la structure phonique se fait dans l'ordre inverse des acquisitions phonologiques de l'enfant.

Ma thèse réitérée sur les oppositions distinctives inhérentes à la structure du langage était conçue comme une description intrinsèque littérale de phénomènes réels et non pas du tout comme une façon imagée et métaphorique de s'exprimer. Toutes les distinctions fonctionnant dans le langage sont acquises, utilisées, perçues et interprétées par les participants de la communication verbale, et le linguiste les recode comme il fait pour tous les autres constituants superposés du stock de symboles que possèdent les usagers de la langue. Le linguiste traduit ce système de symboles en un système correspondant appelé « métalangage ». A cet égard, il y a une différence essentielle entre une science physique, qui impose son propre code de symboles sur les « index » (au sens de C.S. Peirce) (59), et la phénoménologie du langage, dont la tâche est de résoudre le code interne qui sous-tend effectivement tous les symboles verbaux et, comme disait Sapir, tous les « atomes symboliques » (60). Le code verbal est une propriété réelle de toute communauté linguistique donnée, et, dès lors, la controverse linguistique bien connue entre la position du *hocus pocus* et celle de la « vérité donnée par Dieu » (*God-given truth)* est sans objet. Toute opposition phonologique ou grammaticale n'est ni une fiction ni de la métaphysique, mais simplement et uniquement une vérité imposée par le code *(code-given truth)*.

En position de « neutralisation », les phonèmes réduisent le nombre de leurs composants distinctifs, alors qu'au niveau des traits chaque opposition distinctive est dotée d'une constance perceptive ; et, pour autant que les traits soient convenablement définis en termes purement relationnels, aucun chevauchement ne peut se produire. L'invariant relationnel de chaque paire d'opposés est *per definitionem* réalisé dans chaque contexte

---

(58) R. Jakobson, *Langage enfantin et aphasie* (Paris, 1969).
(59) C.S. Peirce, *Collected Papers* IV (Cambridge, Mass., 1933), § 447.
(60) E. Sapir, *Language* (New York, 1921), ch. III.

où le trait donné apparaît, sauf quand ce trait est omis dans une variété de langage elliptique. N'importe quelle variété de ce type peut cependant être traduite en cas de besoin par le locuteur ou l'auditeur en un sous-code plus explicite de la même langue. Les formes peu soignées sont précisément jugées comme réduites, mal articulées, négligées, et chaque demande de répétition comme chaque risque de quiproquo entraîne le rétablissement de la distinction omise. L'existence d'un code explicite optimum sur le plan phonologique et sur le plan grammatical est une condition *sine qua non* de toute ellipse ; par ailleurs, une séquence elliptique historiquement ne l'est plus d'un point de vue synchronique : l'omission facultative d'un trait s'est transformée en son absence obligatoire. Le sous-code phonologique explicite ou le « style total » de prononciation, selon les termes de Ščerba (61), est une ressource interne de la langue parlée, totalement différente des auxiliaires extrinsèques qu'utilisent les locuteurs pour déchiffrer les homonymes, comme une prononciation calquée spécialement sur l'orthographe ou le recours à l'épellation ou simplement à l'écriture.

Toute suggestion d'écarter le problème de la traduction d'un sous-code en un autre (62) doit être rejetée, comme toutes les tentatives visant à priver la linguistique de certaines des propriétés vitales appartenant au langage. Le sous-code elliptique possède ses propres lois structurales, et sa coexistence avec le sous-code explicite constitue la phase synchronique de toute fusion phonologique, étant donné que généralement l'origine et l'aboutissement d'un changement phonologique sont d'abord conçus comme appartenant à deux sous-codes coexistants. Cette approche synchronique des changements linguistiques abolit l'identification habituelle de la synchronie avec la statique et de la dynamique avec la diachronie. Le concept de synchronie dynamique exige un traitement strictement relationnel des changements « en fonction du système phonologique qui les subit » (63). Convaincu dès le départ que « la tâche qui nous attendait était de surmonter la statique et d'écarter l'absolu » (64), j'ai concentré mon travail de recherches de la fin des années vingt sur la mutabilité comme composant constant,

---

(61) L.V. Ščerba, « O raznyx stiljax proiznošenija i ob ideal'nom fonetičeskóm sostave slov », *Zapiski Neofilologičeskogo Občšestva pri Petrogradskom Universitete*, VIII (1915).

(62) C.L. Ebeling, *Linguistic Units* (La Haye, 1960), p. 39.

(63) « Proposition au 1er Congrès international des linguistes » (1928), *Selected Writings* I, pp. 3 sqq.

(64) « Futurizm », *Iskusstvo* (Moscou, 2 août 1919).

essentiel, de tout système phonologique et sur le caractère systématique des mutations phonologiques. Les discussions internationales des décennies suivantes sur les principes de la phonologie historique et sur leur application à diverses langues, en particulier au matériel slave, requièrent une vue nouvelle, approfondie des mêmes problèmes théoriques et pratiques. Le passage du relevé des phonèmes à une analyse systématique en traits offre un domaine bien plus synthétique des processus phonologiques. Traditionnellement, au niveau des phonèmes, seules les altérations qui dépendent du segment précédent ou suivant de la chaîne étaient considérées comme des changements conditionnés, combinatoires, contextuels, alors que la recherche au niveau des traits réduit radicalement le nombre de changements apparemment « spontanés », parce que la plupart des changements de traits sont limités à des combinaisons avec des traits simultanés spécifiques. Ainsi, la perte de la nasalité vocalique n'affecte pas les consonnes nasales et est donc un exemple typique de changement contextuel.

Le changement phonologique est un recodage : comme toute question de code linguistique et d'économie de codage, il s'agit avant tout d'une question sémiotique ; pourtant, malgré les avertissements vigoureux de Sapir (65), certains linguistes commettent toujours « l'erreur fatale d'envisager le changement phonétique comme un phénomène quasi physiologique » et discutent vainement de notions passe-partout telle que celle de la « facilité d'articulation ».

Le problème des invariants et des variables dans le temps trouve un parallèle dans le problème des invariants et des variables dans l'espace. L' « accroissement du rayon de communication » et le procédé qui consiste à changer de code pour s'adapter à l'interlocuteur permet d'expliquer la grande expansion des traits phonologiques et les nombreuses affinités phonologiques entre langues voisines, qu'elles soient apparentées ou non. Mes premières tentatives de description de certains exemples de ce phénomène, en particulier la description de l'aire « eurasienne » de l'opposition consonantique diésé/non diésé (66), peuvent aujourd'hui être revues et améliorées, car une masse de matériel phonologique bien plus complète et précise concernant les divers dialectes et langues concernés est devenu maintenant accessible. Nous sommes confrontés à la nécessité d'un travail collectif international sur l'atlas phono-

---

(65) E. Sapir, *Language*, chap. VIII.
(66) *Selected Writings* I, pp. 137-201, et « Sur la théorie des affinités phonologiques entre les langues », *ibidem*, pp. 234-246.

logique du monde. Indubitablement, un tel relevé systématique
interlangues des isophones fournira une vue bien plus profonde
sur les voies de l'expansion et du changement phonologiques,
étant donné que l'expansion est une partie intégrante de tout
changement et que la distinction entre « sources » (*foyers
d'innovation* *) et « zones affectées » (*aires de contagion* *)
suivant la terminologie saussurienne se révèle illusoire.

Dans le code total de tout locuteur et de toute communauté
linguistique, l'observateur, pour autant qu'il s'abstienne de faire
un filtrage artificiel, ne peut manquer de détecter la coexistence
permanente de « variantes phonologiques » qui se rapportent
à différents sous-codes d'un seul et même code convertible.
Ainsi, d'une enquête menée en 1916 dans un village au nord
de Moscou, j'ai tout d'abord appris que nous ne pouvons
véritablement parler d'un dialecte uniforme, mais seulement
d' « une multitude de parlers individuels et momentanés, et
qu'au lieu de lois phonétiques, on ne traite ici, dans la plupart
des cas, que de simples inclinations et tendances » (67).

Comme la thermodynamique moderne, la linguistique aussi
traite les aspects réversibles et irréversibles du temps. La fluctuation du parler parisien entre la distinction originale /ã/ -
/õ/ et la fusion facultative des deux voyelles nasales illustre
le premier aspect : il existe toujours un retour virtuel du second
cas — une innovation elliptique — à la distinction phonologique conservative de *blanc* et *blond*. En revanche, la régression
de la perte au maintien de la distinction entre /ẽ/ et /œ̃/ est
désuète dans certaines variétés dialectales du français, et la
fluctuation réversible a fait place au produit d'une mutation
achevée.

Etant donné que dans le cours d'un changement les deux
termes, l'origine et l'aboutissement, coexistent nécessairement
et peuvent être comparés par rapport à la place et à la fonction
qu'ils occupent dans le système, nous sommes à même et nous
sommes en fait contraints de rechercher le but du changement.
Si les mutations forment une part du système linguistique orienté,
alors l'application d'un « critère téléologique » à l'analyse
des changements phonologiques (68) doit être acceptée comme
un corollaire découlant de ces prémisses. Je ne peux partager
cette peur superstitieuse et surannée de la téléologie que pro-
fessent encore certains linguistes. Comme l'a montré clairement
la discussion féconde sur « comportement, but et téléologie »

---

* En français dans le texte.
(67) *Ibidem*, p. 573.
(68) *Ibidem*, pp. 1 sq.

menée durant les dernières décennies en philosophie de la science (69), « l'adoption d'une approche téléologique du comportement orienté simplifie et élargit le domaine de cette analyse. » L'éclaircissement théorique de notions telles que « réussite », « échec », et « *feedback* négatif » ouvre de nouvelles possibilités pour leur emploi dans les opérations linguistiques.

Bien que « les explications téléologiques concentrent l'attention sur les points culminants et les résultats de processus spécifiques et sur les contributions de parties du système à son maintien » (70), ici et là nous voyons réapparaître le mythe de changements « aveugles » qui résistent à tout essai d'explication phonologique. Cette attitude est étroitement liée à une indifférence dogmatique à l'égard de la différence spécifique qui distingue tout trait donné par rapport à tous les autres traits distinctifs de la même langue. On peut trouver une parabole pour justifier la croyance en question dans le *Cours de linguistique générale,* où la langue est comparée au jeu d'échecs : si au cours d'une partie un cavalier vient à être détruit ou égaré, on peut certainement le remplacer par une autre pièce équivalente : « Non seulement un autre cavalier, mais même une figure dépourvue de toute ressemblance avec celui-ci sera déclarée identique, pourvu qu'on lui attribue la même valeur (71). »

La confiance dans le caractère arbitraire de tout remplacement dans la structure phonologique d'une langue repose sur « la nature arbitraire du signe linguistique », qui constitue pour Saussure l'une des deux caractéristiques primordiales du langage ; cependant, ni sa « règle de linéarité » citée ci-dessus ni l'affirmation que « le signe linguistique est arbitraire » ne peuvent être retenues. Dans une critique énergique du dernier principe, Emile Benveniste (*Acta Linguistica,* I/1939) réplique : « Arbitraire, oui, mais seulement sous le regard impassible de Sirius. (...) L'arbitraire (...) n'intervient pas dans la constitution propre du signe. (...) Dire que les valeurs sont « relatives » signifie qu'elles sont relatives *les unes aux autres.* Or n'est-ce pas là justement la preuve de leur nécessité ? (...) Si la langue est autre chose qu'un conglomérat fortuit de notions erratiques et de sons émis au hasard, c'est bien qu'une nécessité est immanente à sa structure comme à toute struc-

(69) A. Rosenblueth, N. Wiener, J. Bigelow, « Behavior, Purpose, and Teleology », *Philosophy of Science*, X (1943).
(70) E. Nagel, « Wholes, Sums, and Organic Unities », *Philosophical Studies*, III, 2 (1952).
(71) F. de Saussure, *Cours de linguistique générale*, II, chap. 3.

ture (72). Le principe relationnel de structuration implique nécessairement un ordre hiérarchique. Le fait qu'il existe une structure phonologique est une nécessité inébranlable. Dans notre comportement verbal, cette structure peut être assistée par des « transferts substitutifs » comme le système graphique. L'écriture présente manifestement des propriétés autonomes, mais elle reste cependant toujours une superstructure, parce qu'aucune communauté linguistique et aucun de ses participants ne peut acquérir ou manipuler le système graphique sans posséder de système phonologique. Ainsi, l'affirmation de Sapir que la langue parlée a la préséance n'a pas seulement valeur diachronique, mais conserve sa pleine validité également sur les plans synchronique et panchronique (73). Pour une langue, l'existence d'une structure phonologique est une constante, alors que l'écriture n'est qu'un supplément facultatif : l'alphabétisme n'est qu'une variable et dans de nombreuses langues il n'existe pas d'écriture. Proclamer la simple coexistence des systèmes phonologique et graphique tout en niant la nature primaire, fondamentale, du premier serait une distorsion trompeuse de la stratification linguistique réelle, d'un point de vue à la fois théorique et purement descriptif. La thèse centenaire de Hughlings Jackson est toujours la plus réaliste : « Les symboles écrits ou imprimés sont des *symboles de symboles* » : la lettre *b* symbolise de manière irréversible le phonème /b/ (74). On peut rappeler aux dogmatiques qui, de leur propre aveu, « sont incapables de comprendre » cette affirmation linguistique d'irréversibilité que les enfants sourds-muets sont incapables d'acquérir le langage par le seul intermédiaire de la lecture et de l'écriture.

Les changements dans la structure phonologique, qui sont de même fort loin d'être arbitraires, dépendent non seulement de l'environnement simultané et séquentiel du trait donné dans le répertoire des combinaisons phonologiques mais aussi directement du système existant de traits phonologiques. « Les valeurs sont relatives l'une à l'autre. » Les traits comme leurs combinaisons sont étroitement liés par des lois d'implication qui diminuent la probabilité de certains changements ou les excluent même totalement.

« La typologie des structures linguistes » est apparue comme

---

(72) E. Benveniste, *Problèmes de linguistique générale* (Paris, 1966), pp. 49-55.

(73) E. Sapir, *Selected Writings*, p. 7.

(74) J.H. Jackson, « Notes on the Physiology and Pathology of the Nervous System » (1868-9). *Selected Writings* II (New York, 1958), p. 224.

unc tâche opportune, et, avec J.N. Tynjanov, j'ai soutenu la thèse qu' « une analyse des lois structurales qui sous-tendent le langage et son évolution nous conduisent nécessairement à découvrir un ensemble limité de types structuraux effectivement donnés » (*Novyj Lef,* n. 12/1928 (75). Bien que cette tâche ne puisse encore être considérée comme accomplie, le terrain a été clarifié pour une recherche systématique. La liste expérimentale des traits distinctifs rencontrés jusqu'ici dans les langues du monde n'était conçue que comme une ébauche préliminaire, ouverte à des additions et à des rectifications (76). Une version ultérieure, revue et précisée, apportera indubitablement des définitions plus précises des corrélats des traits distinctifs aux différents stades de l'acte de parole. Quant au nombre de traits existants, les critiques n'en ont pas encore ajouté à notre liste. Lorsqu'on passe de l'aspect intralangue à l'aspect interlangues de l'analyse ultime, on doit encore appliquer systématiquement les mêmes règles de relation terme à terme et d'exclusion mutuelle. Les traits apparemment différents qui, dans une langue, n'apparaissent jamais ensemble dans un même environnement phonologique et qui se distinguent de tous les autres traits par une propriété relationnelle commune doivent être considérés comme deux réalisations différentes d'un seul et même trait distinctif. Ainsi, la question de P.S. Kuznecov — l'opposition entre implosives et explosives qui apparaît dans certaines langues africaines ne doit-elle pas être ajoutée à notre inventaire de traits distinctifs ? (77) — reçoit une réponse négative. Avec l'aide précieuse du spécialiste africaniste J. Greenberg, j'ai pu établir que, dans une langue qui possède l'opposition distinctive implosif/explosif, ou bien il n'y a pas d'opposition glottalisé/non glottalisé, ou bien les occlusives glottalisées voisées paraissent être en variation libre avec les implosives voisées (78), ou bien, finalement, l'opposition glottalisé/non glottalisé est manifestée par les occlusives non voisées et l'opposition implosif/explosif par les occlusives voisées. Chacune de ces deux paires isomorphiques exhibe la même relation d'une portion d'air réduite contre une portion d'air

(75) « Les problèmes des études littéraires et linguistiques », *Théorie de la littérature,* réd. par T. Todorov (Paris, 1965).

(76) R. Jakobson & M. Halle, *Fundamentals of Language* (2° éd., La Haye-Paris, 1971), pp. 31-44. Tr. fr. *Essais de linguistique générale,* I, Minuit. 1963.

(77) P.S. Kuznecov, « O differencial'nyx priznakax fonem », *Voprosy jazykoznanija,* VII, n° 1 (1958), p. 58.

(78) Cf. D. Westermann and Ida C. Ward, *Practical Phonetics for Students of African Languages* (Londres, 1933), chap. XVIII ; R. Jakobson, « Extrapulmonic Consonants : Ejectives, Implosives, Clicks », *Selected Writings* I, pp. 720-727.

non réduite, et toutes les deux présentent essentiellement la même différence acoustique.

La classification des traits doit être suivie par une étude très attentive de leurs relations mutuelles. La symétrie qui existe entre la tripartition naturelle des traits prosodiques et celle des traits inhérents (ton-quantité-force, et tonalité-tension-sonorité) semble fournir une clé pour une classification plus détaillée, plus systématique, de la totalité des traits distinctifs.

Un examen plus profond de la typologie des langues révèle non seulement des lois d'implication universelles ou quasi universelles qui sous-tendent la structure phonologique des langues, mais également de nombreux traits communs à toutes ou presque toutes les langues du monde, comme les oppositions vocalique/non vocalique, consonantique/non consonantique, compact/diffus (manifestée universellement dans le vocalisme au moins), grave/aigu (dans le consonantisme et/ou dans le vocalisme, presque universel dans le premier cas), et nasal/non nasal (presque universel dans le consonantisme) ; finalement, l'analyse comparative révèle des modèles universels de combinaisons phonologiques, comme les syllabes formées d'une voyelle précédée d'une consonne.

De plus, les bases strictement relativistes de l'analyse phonologique sous-tendent et supportent tout à la fois les études typologiques et l'extraction des universaux phonologiques. Une telle recherche ne peut se faire qu'à partir du principe d'équivalence.

Benveniste a incontestablement raison lorsqu'il conclut l'essai cité ci-dessus par la provocante affirmation que voici : « En restaurant la véritable nature du signe dans le conditionnement interne du système, on affermit, par-delà Saussure, la rigueur de la pensée saussurienne. » La pensée saussurienne, qui a montré sa vigueur dans l'attribution perspicace d' « une valeur purement oppositive, relative et négative » aux éléments phonologiques, gagne en fermeté et en consistance dès que « par-delà Saussure », ses deux « principes de base » — l'arbitraire du signe et la linéarité du *signans* — sont mis en question. L'attribution par Saussure d'une valeur oppositive aux éléments phonologiques est suivie d'une référence à la fonction de cette structure oppositionnelle : « L'opposition se trouve être porteuse d'une différence de sens. » Cette définition est à son tour corroborée par l'argument de Benveniste contre la nature prétendûment arbitraire du signe : « Le signe, élément primordial du système linguistique, enferme un signifiant et un signifié dont la liaison doit être reconnue comme nécessaire, ces deux composantes étant consubstantielles l'une à l'autre. » Toute entité linguistique, de la plus large à la plus petite, est la conjonction nécessaire d'un *signans* et d'un *signatum*. Ainsi, le trait distinctif ne peut se définir que par son *signans,* une propriété phonique oppositive, lié à son *signatum,* la fonction distinctive du trait, sa capacité de différencier des sens. Dans n'importe quelle langue on peut trouver des cas où deux mots sont synonymes, c'est-à-dire que sémantiquement ils coïncident ou plutôt coïncident presque, alors qu'ils diffèrent dans leur constitution phonologique (bien que les cas de coïncidence sémantique totale et de permutabilité sans restriction dans le même code soient très rares, et que souvent l'on prenne par erreur une approximation sémantique étroite pour une complète identité). Il est évident qu'en règle générale, dans n'importe quelle langue, un trait distinctif sert à différencier des mots (ou leurs constituants grammaticaux) sémantiquement distincts ; et, de plus, le langage n'a pas d'autre moyen pour transmettre une différence sémantique que les traits distinctifs. Lorsque deux mots sont homonymes, comme dans l'exemple heureux de Chomsky, *bank* (berge d'une rivière) et *bank* (banque), ou bien leur différence sémantique est transmise par les traits distinctifs du contexte (comme, par exemple, *sand bank,* « banc de sable » et *land bank,* « caisse agricole ») ou bien, si le contexte ne donne à l'auditeur aucun indice permettant de faire le bon choix entre les homonymes — le canal verbal véhiculant donc une information insuffisante —, la signification voulue par le locuteur doit être déduite de la situation non verbale ; sinon, l'auditeur est confronté à une ambiguïté : dans l'énoncé *I saw him by the bank,* les deux solutions — *bank of a river* et *bank for savings* — sont en elles-mêmes également possibles (79).

Evidemment, dans le discours, la charge sémantique virtuelle des traits distinctifs (et il en est de même pour les morphèmes, les mots, les propositions, etc.) est généralement loin d'être complètement utilisée, étant donné le pourcentage élevé de redondance qui existe dans la communication verbale. Il existe non seulement un type elliptique de discours, mais également un type elliptique de perception du discours, que l'auditeur utilise même lorsque les énoncés du locuteur visent à être explicites. La définition des entités phonologiques fondées sur la sémantique n'est pas affectée par les faits pertinents de synonymie, d'homonymie, ou d'ellipse, et elle reste non seulement valide mais irremplaçable.

Les difficultés que rencontrent le phonologue lorsqu'il pose à ses informateurs la question « Identité ou différence de sens ? » peuvent être évitées par une technique prudente et

---

(79) N. Chomsky, *Syntactic Structures* (La Haye, 1957), pp. 94 sqq. Tr. fr. *Structures synthaxiques,* Seuil, 1969.

solide ; cependant, la question « identique ou différent ? » (privée de tout recours au sens), posée directement ou avec une plus grande élaboration, complique fortement la décision binaire, parce que rien n'indique à quel point de vue les énoncés comparés sont supposés être identiques ou distincts. Comme l'observe avec acuité le *Vocabulaire de la philosophie* de Lalande lorsqu'il discute le concept d'identité, « les 'deux gouttes d'eau' de la locution populaire ne sont identiques que si on ne leur demande pas autre chose que d'être des gouttes d'eau » (80). Si nous éliminons le mot « sens » du test « identique ou différent ? », le locuteur assumera de façon latente que « identique » signifie « sens identique » ou (comme cela s'est si souvent produit avec mes informateurs russes) il peut sérieusement être dans l'embarras quand il s'agit de savoir si, par exemple, il doit prendre la forme expressive [tæk] pour la même que la forme neutre [ták] « ainsi », ou pour une autre, et il ne saura pas s'il doit attribuer l'identité aux diverses variantes stylistiques de /skar,éj/ « plus rapide », qui apparaît avec [ə] ou [ʌ] ou [a :] en position prétonique, et ensuite [r] ou [r :] et [e] ou [e :] ou [ie] sous l'accent ; cf. l'orthographe emphatique « Skore-e-e-e-e-e-e-e ! » dans « *150 000 000* » (ligne 141) de Majakovskij. Dans certains dialectes à la frontière entre le russe central et le russe du sud, le [g] du nord et le [ɣ] du sud coexistent comme deux variantes optionnelles du phonème vélaire voisé, et les locuteurs de l'endroit reconnaissent parfaitement comme différents l'un de l'autre des doublets tels que [gəvar,it,] - [ɣəvar,it,] « il dit ». En polonais courant, la latérale labialisée [lw] est progressivement supplantée par la bilabiale [w] : *leb* « tête » [lwep] se transforme en [wep], et il arrive souvent qu'on emploie alternativement les deux variantes, la dernière dans un parler plus négligé, plus familier, la première dans un langage plus surveillé, plus conventionnel, avec une conscience étonnante de la différence entre les deux variantes d'un seul et même phonème.

L'intuition à propos d'une similitude ou d'une dissemblance non spécifiée devient particulièrement vague et ambiguë dès que l'on remplace la quête phonologique par « un test opérationnel pour la rime », acceptant la suggestion de Chomsky que « l'identité phonologique est essentiellement la rime complète ». Par rapport à n'importe quelle structure phonologique donnée, la norme de rime est une superstructure autonome qui peut ne pas tenir compte de certaines des oppositions

---

(80) Cf. C.S. Peirce, *Collected Papers* I, 458 : « Deux gouttes d'eau conservent chacune leur identité et leur opposition vis-à-vis de l'autre, qu'importe sous quels et par combien de côtés elles sont semblables. »

phonologiques présentes. Ainsi, par exemple, dans la poésie ser-
bo-croate, la rime ne tient pas compte des oppositions phonologiques du ton descendant et montant d'une part et des longues
et des brèves posttoniques de l'autre. Des rimes comme
/r`asu:/ - /str`a:ne/ - ʃ´asu/ - /gr´a:ne/, de Jovan Dučić, sont
considérées comme parfaites, et la rime de J. Jovanoić-Zmaj
/t'u:zi:m/ - /t'u:zi:m/ est acceptée comme une « rime complète »
malgré la différence d'intonation dans les voyelles accentuées.
Des époques différentes réagissent différemment à la relation
entre rime et sémantique. Ainsi, certaines rimes phonologiquement impeccables introduites dans la poésie russe depuis les
années 1830, omme *minúlo* /m,inúa/ « passé » (neutre) -
obmanúla /abmanúla/ « trompée » (fem.) étaient évitées dans
la poésie plus ancienne à cause de la divergence purement
morphophonologique entre leurs voyelles posttoniques (81).

En rapport avec notre distinction entre deux stades de l'enquête phonologique, les procédés préliminaires, « cryptanaly-
tiques », et le point de vue du « décodeur » comme niveau
supérieur (82), je dois constater que seul le premier stade,
— l'approche externe et non l'interne — est visé par la critique
de Chomsky ; cependant, étant donné qu'à plusieurs reprises
on a pris par erreur cette critique comme une tentative pour
retirer le *signatum* du domaine de l'analyse phonologique, j'affirme qu'un tel retrait serait un abandon injustifiable de la
position efficace excellemment saisie par Henry Sweet lorsqu'en
1877, « traitant les relations des sons » et les principes de la
« notation phonétique », il remarqua les « distinctions phoniques qui correspondent effectivement à des distinctions de
sens dans la langue » et qu'il sépara délibérément les différences « indépendamment significatives auxquelles correspondent des différence de sens » des différences phonétiques aux
« nuances Infinies » qui n'altèrent pas le sens des mots dans
lesquels elles apparaissent » (83).

Quel que soit le niveau de langue que nous examinons
aujourd'hui, nous ne pouvons qu'être d'accord avec Benjamin
Lee Whorf (1936) sur le fait que « l'essence même de la
linguistique, c'est la recherche du sens » (84). Cette conception
d'un lien indissoluble entre *son* et *sens* considérés comme les

---

(81) Cf. R. Jakobson, *Studies in Russian Philology* (Ann Arbor, 1962),
pp. 1 sqq.
(82) Cf. *Selected Writings*, pp. 475 sq.
(83) H. Sweet, *A. Handbook of Phonetics* (Oxford, 1877), pp. 103 sq.,
pp. 182 sq.
(84) B.L. Whorf, *Language, Thought, and Reality* (M.I.T. Press,
1956), p. 79. Tr. fr. *Linguistique et anthropologie. Les origines de la
sémiologie*, Denoël-Gonthier, 1969.

deux parties intégrales du langage doit être développée et approfondie.

Pendant plusieurs décennies, l'examen des multiples relations existant entre les deux côtés conjugués de toute unité sémiotique a été la principale préoccupation de mes recherches en phonologie, quoique l'approche de diverses questions de théorie et de pratique phonologiques ait naturellement subi des modifications progressives, comme le révèle une confrontation des travaux que j'ai publiée tout au long de ces cinquante années. Cet essai-ci est toutefois centré sur les constantes qui unifient le chemin parcouru. Ainsi, le même principe d'invariance signalé dans cet exposé général constitue la clé de nos constants efforts.

Chapitre VIII

TROISIEME ESSAI (1966)
LE ROLE DES ELEMENTS PHONIQUES
DANS LA PERCEPTION DE LA PAROLE *

Soit un auditeur russe, confronté à un énoncé elliptique inattendu : quatre combinaisons successives de la forme « phonème non syllabique plus phonème syllabique ». S'il identifie les deux premières syllabes comme /ján'i/ et les deux voyelles suivantes comme /a/ et /ú/, il devinera très probablement que la phrase commence par le pronom /já/'je' et la particule négative /n'i/, et que les deux syllabes suivantes appartiennent à un verbe comportant la désinence /ú/ de la 1ᵉ pers. sg. prés. (Nous avons recours à la « notation large » habituelle.) Pour les racines verbales correspondant à ce type, la voyelle /a/ peut être précédée par quelque treize phonèmes non syllabiques différents et suivie par quelque dix-huit phonèmes non syllabiques différents. Le décodeur, essayant de composer des mots à partir de cette séquence initiale, va se heurter à la nécessité d'un choix entre les quarante-deux verbes existants, phonologiquement distincts et correspondant effectivement au modèle. Le choix n'est possible que si l'on découvre les phonèmes en question : en effet, les verbes en /ar'ú/, par exemple, commencent par huit consonnes différentes, et, pour cinq verbes, la syllabe initiale /pa/ peut être suivie d'un phonème différent : /pajú, par'ú, pal'ú, pasú, pašú/.

_____

(*) Rapport présenté au 18ᵉ Congrès international de psychologie (Moscou, 8 août 1966), publié en anglais dans *Zeitschrift für Phonetik, Sprachwissenschaft und Kommunikationsforschung*, XI (1968) et dans *Selected Writings*, I, 705-718. Traduit par Charles Alexandre.

Même si le prédicat est accompagné d'un objet, par exemple /kós/, et que l'auditeur, anticipant sur le contenu probable du message, décode correctement le monosyllabe comme le gén. ou acc. pl. de /kazá/ « chèvre », tant que les phonèmes non syllabiques de la racine verbale n'ont pas été dûment identifiés, il reste à choisir entre vingt-six verbes sémantiquement et syntaxiquement adéquats : /pajú/ « j'abreuve », /dajú/ « je donne » ou « je trais », /tajú/ « je cache », /dar'ú/ « j'offre », /par'ú/ « je fouette », /var'ú/ « je fais cuire », /mar'ú/ « j'affame », /kar'ú/ « je gronde », /pal'ú/ « je brûle », /val'ú/ « je renverse », /sal'ú/ « je sale », /kal'ú/ « je fends », /man'ú/ « je fais signe de venir », /gan'ú/ « je conduis », /ran'ú/ « je laisse échapper », /zavú/ « j'appelle », /pasú/ « je fais paître », /važú/ « je mène » ou « je transporte », /našú/ « je porte », /mačú/ « je trempe », etc. Une proposition supplémentaire peut bien être ajoutée au message, par exemple /um'in'á iták xlapót pólan rót/ « j'ai des affaires par-dessus la tête », mais l'identification des deux phonèmes en cause reste indispensable aussi longtemps que ni le contexte ni la situation (contexte non verbal) ne fournissent au récepteur l'indice nécessaire.

A partir du moment où les phonèmes sont reconnus et où le verbe est identifié comme /dajú/, le décodeur a toujours le choix entre deux homonymes — « je trais » et « je donne » —, puisque les voyelles des deux racines, distinctes en position accentuée (cf. /dójka/ « traite » et l'impératif /dáj/ « donne »), se confondent en position non accentuée. A son tour, le monosyllabe /kós/ peut être le gén. pl. soit de /kazá/ « chèvre », soit de /kasá/ « faux » (outil), du fait que l'opposition sourde/sonore se neutralise en finale pour les bruyantes. C'est pourquoi, aussi longtemps que le contexte n'assure pas une solution univoque, la proposition, unique phonétiquement, admet au moins trois interprétations : « Je ne trais pas les chèvres », « je ne donne pas les chèvres », « je ne donne pas les faux ». Une fois de plus, nous devons insister sur l'attitude « probabiliste » du récepteur à l'égard du donné verbal ; il ne peut faire l'économie de la détermination des phonèmes, et, pour briser l'homonymie, il lui faut chercher des indices dans le contexte hétéronyme et univoque. Pour l'encodeur, l'homonymie est évidemment dépourvue de toute ambiguïté, alors que le décodeur, lui, peut ne trouver aucun indice pour déchiffrer un homonyme même dans le contexte verbal. En anglais, des questions comme *Would you like hot food ?* « Voulez-vous de la nourriture chaude/épicée ? » et *Do you want a light dress ?* « Voulez-vous un vêtement léger/de couleur claire ? » donnent facilement lieu à des malentendus. Quand le jeune Majakovskij

fit écho au *Vojná i mír*, (*Guerre et Paix*) de Tolstoï par le
titre en clin d'œil de son poème *Vojná i mír* (*La Guerre et le
Monde*) (1916), mettant ainsi l'accent sur la portée plus internationale et universelle de cette œuvre, la différence arbitraire
et purement graphique entre les homonymes *mír* « paix » et
mír « monde » fut supprimée par la réforme de l'orthographe
russe qui suivit (1917) ; de telle sorte que, si l'on observe que
tant la guerre que la paix sont traitées à une échelle mondiale
par Majakovskij, le contexte du poème ne permet pas de
lever l'ambiguïté de son titre.

Il est évident que les indices d'ordre phonologique permettent à l'auditeur de saisir certains contours de mot et de
phrase avant une complète identification du donné verbal. De la
même façon, il est clair que, grâce au grand nombre de redondances, le récepteur d'un message donné peut se permettre de
sauter l'un ou l'autre de ses composants tant phonologiques
que morphologiques et lexicaux. Tout autant que la production
de la parole, sa perception peut être elliptique à un degré considérable, et, de même que le locuteur traduit aisément tout
sous-code elliptique dans le code optimal, explicite, de sa
langue, l'auditeur, lui aussi, convertit sans difficulté un perçu
« elliptique » en un texte explicite.

Dans la perception de la parole, les différents niveaux de
contrainte contextuelle exercée sur les phonèmes, le mot et la
structure syntaxique aboutissent à restreindre sensiblement le
champ des possibles. La connaissance d'une séquence verbale
implique non seulement une reconnaissance instantanée et
directe, mais aussi une extrapolation anticipatrice et, à l'inverse,
une puissance rétroactive de la mémoire immédiate. En dépit
de l'étroite imbrication des phonèmes dans l'environnement
formel et sémantique, il subsiste une quantité non négligeable
de décisions strictement autonomes nécessaires pour l'identification des phonèmes dans un énoncé, et qui ne peuvent être
prises sur la base d'aucune règle grammaticale. Ce fait, illustré
par la phrase russe citée plus haut, peut être confirmé par
quantité d'autres exemples.

La différence essentielle entre les opérations d'encodage et
de décodage dans le comportement verbal est clairement attes-
tée par la typologie des troubles aphasiques, et notamment par
la différence frappante entre les dégradations dites de la motricité, affectant surtout l'encodage, et les dégradations dites
sensorielles, touchant avant tout le décodage. Il est particulièrement significatif que le second type d'aphasie, à l'inverse
du premier, se caractérise par la perte de ces éléments syntaxiques, morphologiques, lexicaux et phonologiques qui ne
sont pas déterminés par le contexte. En particulier, moins cer-

tains composants d'un phonème sont dépendants de leur environnement au même point et aux autres points de la chaîne,
plus tôt ils sont sujets à la destruction (cf. Jakobson, c). Les
troubles du repérage des phonèmes révèlent l'opération strictement distinctive et sélective en tant que premier objectif du
processus de décodage.

La capacité universelle des locuteurs à discerner dans leur
langue maternelle la constitution phonologique d'énoncés différents, même produits à très grande vitesse, pose un problème
ardu aux chercheurs. Si l'on a reconnu à maintes reprises
qu'une successsion aussi rapide de discernements exige une
conversion latente du flux verbal continu en une série d'éléments
linguistiques ultimes et discrets, certains obstacles semblaient
par ailleurs rendre cette affirmation difficile. Toutefois, il faut
bien voir qu'en fait ces controverses ne doivent leur existence
qu'à une habitude tenace consistant à traiter le phonème comme
une unité linguistique indivisible, alors que, si l'on dissout le
phonème en ses composants ultimes que sont les traits distinctifs, toutes les difficultés temporaires sont aplanies à partir
du moment où les traits distinctifs occupent une position cardinale dans nos modèles de perception de la parole.

La recherche contemporaine sur les fondements neurophysio-
logiques de la perception souligne tout particulièrement « le
rôle des facteurs centraux dans la perception » et « la polarisation centrale du contrôle des données sensibles », pour
reprendre les formulations de Bruner. L'étude particulièrement
éclairante de ce dernier sur les mécanismes nerveux dans la
perception invoque « la nature catégoriale de l'identification
perceptive » et relève que « l'équivalence des stimuli est fonction de certaines invariances en relation ». Dans notre faculté
perceptive, « nous arrivons à identifier des constantes, traitant
comme *équivalents* des objets profondément altérés à tous
égards, dès lors que restent saufs leurs attributs distinctifs ».

Selon la formulation d'Adrian, « à un niveau donné, toute
l'information émanant des organes des sens doit faire l'objet
d'une sélection qui accentue les détails importants et laisse les
autres de côté ». Une méthode de polarisation à l'œuvre dans
le système nerveux transforme les percepts en concepts.

L'apport d'une telle recherche est lourd d'implications
importantes pour une étude du rôle que jouent les traits
distinctifs dans la perception de la parole. Au plan de la réalité
psychologique, ces traits fonctionnent comme des percepts qui
convertissent le continu de leur substratum physique en attributs discrets polarisés. Tant que sont présents ces attributs
spécifiques, les traits distinctifs gardent leur identité, indépendamment des changements contextuels profonds qui peuvent

intervenir dans les stimuli physiques. Sapir (*b*) a comparé les unités élémentaires du langage aux « notes, qui, dans le monde physique, se succèdent dans un continuum indéfini » mais qui, en termes d'échelle musicale et de composition, constituent des entités distinctes et tangibles, « séparées l'une de l'autre de façon précise. »

Vers 1870, les réflexions de Sweet sur « les différences signifiant par elles-mêmes » révélaient déjà comme le procédé fondamental du langage et de la perception de la parole la transformation des items physiques en un ensemble de signaux purement discriminatifs ; à la même époque, Baudouin de Courtenay (*a*) relevait le caractère strictement relationnel de ces différences conçues comme des oppositions binaires. Ce dernier concept fut ultérieurement éclairci par Saussure et, tout naturellement, amena ces trois linguistes à pressentir pour la première fois que les traits distinctifs étaient bien les éléments différentiels ultimes, revêtus d'une « valeur purement oppositive, relative et négative » (selon Saussure ; cf. Godel). D'une manière analogue, Baudouin (*b, c*) finit par interpréter le phonème comme un complexe de composants élémentaires et indivisibles, semblable à un accord musical : il désigna ces composants du nom de *kinakousmata,* du fait qu'ils étaient discernables à la fois aux deux niveaux moteur et acoustique.

Les trente dernières années ont vu ces idées se développer de manière approfondie pour être appliquées à l'analyse linguistique concrète. L'étude a révélé un répertoire très restreint de traits distinctifs à l'œuvre dans les langues du monde et une sélection plus étroite encore de ces traits pour l'usage particulier d'un système de langue donné. La coexistence de certains traits a permis de mettre en lumière des règles de structuration hiérarchique qui, ou bien sont universelles, ou bien caractérisent phonologiquement un certain type de langues ou une langue donnée, de manière spécifique. Les données nouvelles en matière de structure phonique obtenues à partir d'un champ linguistique plus étendu sont d'une grande valeur, encore que très fragmentaires et attendant encore une véritable analyse linguistique (cf. en particulier Ladefoged) ; en dépit des affirmations de ceux qui les ont rassemblées, elles ne remettent pas en question la description à partir des catégories proposées, mais suggèrent simplement que l'on redéfinisse certaines de ces dernières de manière à la fois plus exacte et plus extensive.

Dans toute langue, le nombre de traits est un sous-multiple restreint de celui des phonèmes de la langue, et le nombre de traits à l'intérieur de chaque phonème est inférieur au nombre total des traits manifestés dans la langue donnée. A son tour, l'inventaire des phonèmes, on l'a souvent répété, est un sous-multiple plus restreint encore du nombre des unités significatives minimales. C'est grâce au petit nombre de traits distinctifs — signaux dépourvus de signification propre et servant avant tout à distinguer des unités significatives — que l'auditeur est à même de reconnaître et de mémoriser ces composants ultimes de la séquence de parole. L'échelle dichotomique que ces traits projettent sur la matière phonique fournit un outil précieux tant pour la perception de la parole que pour l'acquisition du langage : la coprésence à l'esprit de deux termes polaires donne à l'opposition binaire plus de force que n'en aurait une dualité contingente où aucun des deux termes ne permet d'inférer quoi que ce soit quant au second (cf. Pos). Les fondements mathématiques de tels systèmes binaires opératoires ont fait l'objet d'une analyse éclairante (cf. Ungeheuer). On a montré que des signaux sonores à six variables simultanées ne pouvaient être identifiés avec précision par l'auditeur que si celui-ci savait à l'avance sur quelles dimensions il avait à porter son attention et qu'en outre dans chacune de ces dimensions, un choix binaire lui était proposé (cf. Pollack et Ficks). Il est apparu ensuite que ces conditions et conséquences étaient analogues pour la perception des phonèmes comme faisceaux de traits distinctifs simultanés, puisque aussi bien « toute distinction minimale dans un message verbal place l'auditeur dans une situation de choix binaire » (cf. Miller). En bref, « les distinctions binaires constituent un moyen de simplifier les structures sous-jacentes au mécanisme d'identification » (Licklider ; cf. Wason). Observons au passage que l'on suppose généralement dans les activités de discrimination exercées par le système nerveux central un processus digital, plus particulièrement binaire, spécialement lorsqu'il s'agit d'identifier des stimuli purement discriminatoires (cf. Žinkin).

Plus un message apparaît comme créateur, inattendu, surprenant, moins il comporte de redondances et de prévisibilité, et, par conséquent, plus le décodeur doit être attentif aux composants minimaux de l'énoncé. Et lorsque, voulant tracer le schéma des universaux linguistiques ou faire la description d'une langue donnée, nous commençons par examiner le canevas du langage, nous traitons d'abord et avant tout les premiers éléments sémiotiques, à savoir les traits distinctifs et leurs lois intrinsèques de combinaison en faisceaux et séquences, nous référant par conséquent au traitement et à la conversion des données physiques en éléments « différenciateurs de sens » (*smyslorazličitel'nye,* selon l'heureuse appellation russe en usage chez Čistovič *et al.*). A ce stade, les unités morphologiques significatives sont simplement distinguées, sans être ni définies ni classées. C'est au niveau immédiatement supérieur de fonctions sémiotiques que l'on s'attachera à différencier et à spécifier les différentes classes grammaticales de morphèmes, ainsi que leurs combinaisons. Sapir (a) appelle « procédés grammaticaux » et « concepts grammaticaux » les deux aspects de la grammaire et, en particulier, de la morphologie. La partie de la morphologie traitant des procédés doit étudier la composition phonologique des morphèmes, ainsi que les différences formelles entre les classes grammaticales de morphèmes et de mots, à savoir les différences dans le nombre, l'ordre, et l'ensemble sélectif de traits et de phonèmes. A mesure que s'affine l'analyse linguistique, les paradigmes, de simples catalogues, deviennent des systèmes cohérents de convergences et divergences structurées. Phénomène allant de pair avec un tel développement, la différence s'estompe entre la morphologie traditionnelle (*Formenlehre*) et ce que l'on a appelé « morphophonologie », la première virant en fait à la seconde. On pouvait d'ailleurs s'attendre à un tel regroupement dès que la morphophonologie, cessant de se préoccuper exclusivement des variantes phonologiques d'un même morphème, se mit en outre à observer les syncrétismes et dissemblances phonologiques entre les classes entières de morphèmes.

On a donc clairement marqué la différence entre deux fonctions exercées par les ensembles de traits distinctifs ; à leur capacité fondamentale de différencier les sens s'ajoute celle de déterminer les sens : les traits distinctifs et leurs combinaisons ont pour fonction de marquer l'identité et les différences mutuelles des diverses classes morphologiques. A ces deux fonctions correspondent deux niveaux d'analyse linguistique à la fois autonomes et étroitement reliés. C'est la fonction de détermination du sens qui apparaît en second dans l'acquisition progressive du langage par l'enfant : au niveau primitif holophrastique, l'enfant met d'abord en jeu la variété et la combinabilité des traits distinctifs ainsi que leur pouvoir de discrimination avant d'accéder au stade suivant : l'apparition et le développement de la morphologie et de la syntaxe.

Dans notre étude de la perception de la parole, il nous faut soigneusement tenir compte de cette différence d'une grande portée entre les deux procédés originaires, celui de la différenciation du sens et celui de sa détermination. Aussi longtemps que les traits distinctifs sont utilisés dans un but purement discriminatoire (cf. la constitution phonologique des racines verbales russes évoquée plus haut), la possibilité de recourir à des indices grammaticaux pour leur identification sera réduite au minimum pour le récepteur de la parole.

« Seule la notation en termes de traits présente un intérêt linguistique » (Chomsky et Halle) ; il faut souligner particulièrement qu'à l'inverse de l'habituelle transcription en phonèmes non analysés, la notation analytique en traits indique quelles distinctions la suite de phonèmes impose en fait au récepteur.

Dans les années trente, le développement technique de la phonétique articulatoire et l'utilisation d'enregistrements aux rayons X pour l'étude de la production sonore révélèrent les effets très variés de la coarticulation ; celle-ci réduit à néant les efforts pour diviser le flux verbal en segments distincts, aux frontières articulatoires bien nettes (cf. Menzerath et Lacerda). Les progrès ultérieurs des études et expériences en matière de phonétique acoustique ont permis de tirer des conclusions tout à fait similaires au plan de la qualité physique des sons de la parole : les résultats montrent l'impossibilité d'assigner des limites acoustiques observables aux segments phonématiques. Parmi d'autres, Liberman affirme : « Il est impossible de couper le signal acoustique selon la dimension temporelle d'une manière qui permettrait de retrouver les segments perçus comme phonèmes distincts ; les représentations acoustiques des phonèmes chevauchent et s'entremêlent. » Les critiques acerbes émises par Chomsky à propos des insuffisances et contradictions graves présentées par certaines théories phonologiques récentes dénoncent avec vigueur l'attitude qui consiste à traiter les phonèmes comme des unités ultimes indivisibles ; ces critiques perdent toutefois de leur acuité dès qu'on les fait porter sur l'analyse des traits distinctifs définis rigoureusement en termes relationnels.

Les efforts pour trouver une coïncidence entre les frontières de deux traits sont dus à une croyance désuète en la suprématie des phonèmes, croyance allant de pair avec une sous-estimation de l'autonomie relative des traits. Chaque trait comporte ses propres limites et l'ensemble des traits consécutifs révèle un ordre immuable. Au niveau des traits, la segmentation de la chaîne ne présente plus de difficultés. Comme l'a observé Čistovič (b), l'enchaînement acoustique des traits distinctifs peut être lu par le récepteur comme une succession linéaire de ces traits.

Dans les expériences particulièrement intéressantes réalisées par Čistovič et al., des phrases russes soumises à des distorsions acoustiques ont provoqué chez les auditeurs des erreurs d'identification très instructives. Par exemple /fs'ófpróšlam/ « toutes choses dans le passé » fut perçu comme /fxótplátnaj/ « entrée payante ». La donnée de départ et celle d'arrivée comportent également onze phonèmes ; les voyelles, deux accentuées et une non-accentuée, gardent exactement la même position dans les deux séquences ; de même, les trois sonantes de chaque

séquence (*r, l, m* et *l, n, j,*) occupent une position identique.
L'auditeur a retenu le caractère sourd des cinq bruyantes ;
dans la suite de départ, trois d'entre elles partagent au moins
un deuxième trait distinctif avec leur contrepartie dans la
suite d'arrivée (/s'/ et /x/ sont continus, /f/ et /t/ diffus,
/š/ et /t/ aigus). Parmi les huit non syllabiques, deux seulement
ne sont pas au contact de voyelles ; ce sont les deux seuls à
coïncider complètement à l'arrivée et au départ : /fs'ó/ -
/fxó/ et /ófpró/ - /ótplá/. Il semble que le décodeur ait
accordé un effort spécial d'attention et de discrimination aux
consonnes privées de ces transitions de formant qui favorisent
une identification par rétrospection ou anticipation. En bref,
même s'il n'a pas complètement identifié toutes les consonnes
entendues, le récepteur découvre et se rappelle néanmoins certains de leurs traits qui lui permettent d'assigner chaque
consonne à l'une ou l'autre des classes de phonèmes (Čistovič, *a*).

Les différents cas de chevauchement rassemblés par Bloch
ne concernent que la détermination des phonèmes et n'offrent
pas d'équivalents en ce qui concerne les traits distinctifs. Chaque
trait témoigne d'une opposition binaire spécifique, distincte des
oppositions révélées par les autres traits existants, à moins que,
dans certains contextes, un trait se change en un autre (chevauchement diachronique) ou que les deux traits se confondent
dans certains sous-codes elliptiques de la langue en question
(chevauchement stylistique).

Les disjonctions binaires simultanées ou successives réalisées
dans un énoncé sont en relation terme à terme avec les
traits distinctifs pour autant que le locuteur ait utilisé le code
phonologique non elliptique et explicite de sa langue (comparer
avec les études de Halle et Stevens !). Sans doute tout trait
distinctif est-il soumis à des altérations multiples dépendant
à la fois de l'environnement phonologique au même point,
d'une part, et avant ou après dans la chaîne d'autre part ;
toutefois, sous toutes ces variations, tout trait donné reste
représenté par son invariant relationnel, polarisé et topologique, aussi longtemps qu'il n'est pas oblitéré dans l'énoncé
et que le code phonologique est commun à l'encodeur et au
décodeur ; de cette manière, ce dernier peut rapidement adapter
ce qu'il perçoit au modèle qui lui est familier, celui-ci exerçant
une influence normalisante à l'intérieur du donné perçu (cf.
Bruner).

Bondarko et Zinder présentent un exemple instructif de
l'invariance relationnelle d'un trait soumis à des variations
contextuelles : le déplacement vers le haut de la hauteur mélo-
dique constitue la marque invariante, inaltérée, de l'opposition
consonantale russe diésé/non diésé, quelles que soient les

variations de réalisation dues à la combinaison avec différents traits simultanés et/ou successifs (niveau du spectre relevé au moins dans une des phases consonantiques ou transition à la voyelle suivante par un formant de type *i*). D'autres observations dues aux mêmes auteurs montrent une fois de plus la nécessité impérieuse de n'apparier les termes opposés qu'à l'intérieur de contextes phonologiques identiques (*ceteris paribus*), par exemple les continues graves/aiguës dans les séquences *afa-asa, ufu-usu*. Sans doute, dans le discours normal, « l'opposition grave/aigu est conservée sur une base relationnelle » (Fant, *a*), mais isoler artificiellement le *f* et le *s* prévocaliques de leur environnement vocalique revient à fausser leur relation phonologique véritable. De la même manière, si l'on arrache le *l* lâche interconsonantique de l'anglais à la contrainte de son environnement consonantique, on compromet fatalement la perception différenciatrice (Stevens).

Les exemples régulièrement invoqués contre le principe d'invariance sont peu convaincants. Dans le mot *sólnce* en russe moscovite, le /l/ se réduit à la présence dans le /ó/ précédent d'une transition du type abaissement de formant (cf. Ščerba, sur la structure polyphtongale aisément adoptée par les voyelles russes accentuées). Mais, cette transition du type *w* avec le groupe /nc/ qui suit trouve sa contrepartie dans le groupe intervocalique du gén./gárnca/ « mesure à grain » où la vibrante discontinue /r/ conserve toute son opposition au /l/ résiduel. Toutefois, en « style intégral », le phonème liquide de /sólnca/ est restauré, alors qu'une autre variété de russe moscovite élimine toute trace de /l/, fait donc apparaître l'alternance automatique /sónca/ - dimin./sólniška/ et fait rimer /sónca/ avec /akónca/ « petite fenêtre ». Un autre exemple a été tiré de l'article de Malécot sur la prononciation en anglais américain de formes comme *camp, can't, hint,* et *bunk* avec une prénasalisation de la voyelle et une atténuation de la consonne nasale. Mais, généralement, la « consonne nasale résiduelle » est présente, et de ce fait, il n'est porté atteinte ni à la constitution de la séquence ni à l'invariance du trait de nasalité consonantique. Ce qu'il faut dire, c'est que la réduction de la consonne nasale dépend de la « rapidité d'énonciation » et que le code optimal explicite qui sous-tend tous les sous-codes elliptiques dérivés renforce cette même consonne. Le troisième cas souvent discuté en relation avec ce qui précède est la distinction du *t* et du *d* intervocaliques en anglais américain. Des paires comme *latter-ladder* ou *writer-rider* sont à la limite de ce qu'il est possible de distinguer et font l'objet de confusions multiples (voir les expériences d'Oswald) spécialement dans le parler négligé (Sapir, *b*). Plus explicite est le code utilisé, plus forte

est la tendance à garder distinctes les catégories de tension et
laxité. L'indice le plus constant pour distinguer les phonèmes
tendus et lâches demeure la durée plus longue des premiers.
Des formes comme *latter* et *writer* témoignent d'une relative
longueur de la consonne tendue et d'une relative brièveté de
la voyelle antécédente, en opposition avec la brièveté relative de
la consonne et la longueur relative de la voyelle antécédente
dans *ladder* et *rider* (cf. Jakobson, *b,* chap. VII). Dans le sous-
code plus rapide, cette différence de quantité relative entre
V et C peut s'exprimer principalement ou uniquement par la
variation de durée de V, mais, une fois de plus, il faut prendre
garde aux analyses basées sur des transformations elliptiques
du code optimal !

Il est évident que la production et la perception de la parole
constituent deux mécanismes couplés, chacun affectant l'autre.
Le processus articulatoire implique un *feedback* auditif et
s'avère être perturbé quand ce dernier est retardé (cf. Huggins) ;
d'une manière analogue, à la perception de la parole s'ajoute
normalement un *feedback* articulatoire (cf. Liberman *et al.*).
Toutefois, le caractère indiscutable de cette coordination sensori-
motrice (cf. MacKay et Haggard) ne peut guère justifier une
spéculation sur la primauté de la représentation articulatoire
dans la reconnaissance de la parole. On ne peut que souscrire
à l'affirmation de Gunnar Fant (*b*) selon laquelle « la théorie
motrice de la perception de la parole a peut-être jusqu'ici reçu
plus d'attention qu'elle n'en mérite ». La participation d'un
feedback articulatoire n'est aucunement une condition nécessaire
pour l'identification et le discernement des messages verbaux.
Une acquisition passive des langues étrangères précède en général une maîtrise active, contingente, de ces langues. Les Russes
du Caucase apprennent souvent à comprendre une des langues
locales et à en discerner à l'oreille les soixante ou soixante-dix
consonnes sans être capables de les reproduire ou même de
saisir le modèle articulatoire de phonèmes aussi fréquents dans
le Caucase que les occlusives glottalisées. Beaucoup de **Russes**
et de **Polonais**, écoutant un énoncé en Tchèque, seront parfaitement capables, dans le système phonologique de cette langue,
de faire la distinction entre, d'une part, la sibilante vibrante
/ř/ et, d'autre part, les sibilantes non vibrantes /ž,š/ et le
/r/ non sibilant ; ils ne seront toutefois capables ni de reproduire le premier son, ni d'en percevoir la technique de production. Beaucoup d'étrangers de langues diverses, tout en distinguant et en identifiant correctement les interdentales de
l'anglais, ne peuvent les reproduire et remplacent l'interdentale
sourde par leur propre /s/ ou /t/ et la sonore par /z/ ou
/d/. Pour reproduire au mieux ces continues non stridentes

absentes en polonais, les Polonais recourent souvent à leurs
propres phonèmes stridents non continus, les affriquées /c/
et /z/ : de cette manière, les plosives stridentes polonaises, qui,
en atténuant la réduction d'énergie, s'éloignent de l'optimum
consonantique (représenté par les plosives mates), servent à
reproduire les constrictives mates anglaises qui atténuent l'optimum *non vocalique* (c'est-à-dire le caractère bruyant maximal
des fricatives stridentes ; cf. Jakobson, *b,* chap. 6). Les cas
inverses de phonèmes étrangers reproduits au niveau articulatoire mais confondus au niveau perceptif sont tout à fait
exceptionnels.

De nombreuses études du langage enfantin ont révélé que
des mots clairement distingués dans l'expérience perceptive et
dans la mémoire demeurent homonymes au niveau de leur
production aussi longtemps que les distinctions phonologiques
étaient acquises par l'enfant au plan sensoriel et pas encore à
celui de la motricité. Un des nombreux exemples est l'anecdote
rapportée par Passy de la fillette française qui, n'utilisant
encore que les consonnes diffuses et remplaçant donc par *toton*
à la fois *garçon* et *cochon,* protestait toutefois énergiquement
lorsque, par jeu, les adultes appelaient le garçon *cochon* et le
cochon *garçon* ou bien utilisaient eux-mêmes le parler enfantin
et appelaient *toton* le cochon et le garçon. « Ce n'est pas
toton mais *toton* », répondait la fillette agacée. Voici un autre
exemple tiré de mes propres dossiers : Bambo Sliwowski, un
garçonnet de Varsovie âgé de trois ans, continuait à remplacer
le /o/ polonais par /a/. Quand un ami de la famille répétait à
sa suite [dapaćáŋgu] à la place du correct [dopoćóŋgu] « au
train », l'enfant, outré, rétorquait : « On ne dit pas [dapaćáŋgu],
il faut dire [dapaćáŋgu] ! » Les étrangers et les enfants cités
ont mémorisé le tableau correct des phonèmes et leurs actua-
lisations sensorielles, mais ils n'ont pas saisi les configurations
correspondantes de l'appareil vocal.

Les débuts de la motricité dans le développement de la
parole chez l'enfant peuvent même être précédés d'une audition
et d'une compréhension complètement muettes (*Hörstummheit,*
en pédologie allemande). L'enfant discerne et saisit sans difficulté les énoncés de son entourage, mais n'est pas encore
équipé pour une production personnelle de parole. Enfin, on
rencontre les cas tout à fait probants d'enfants ayant acquis la
compréhension de la langue et la maîtrise de sa grammaire
malgré une privation congénitale de la parole (cf. Lenneberg).
Si bien que l'idée d'une perception verbale fondée sur la production apparaît comme une exagération unilatérale. L'accent
mis par Van Ginneken sur les deux types psychologiques polaires
de locuteurs — l'un à prédominance motrice, l'autre à prédo-

minance sensorielle — laisse entendre que ces deux plans sont hiérarchiquement de niveaux très différents.

Dans tous les cas, tout trait distinctif est clairement repérable au niveau moteur comme au niveau sensoriel et témoigne de la même polarité et de la même invariance quand on le considère en termes strictement relationnels. Par exemple, le trait *grave/aigu*, défini d'un point de vue acoustique comme une concentration d'énergie respectivement dans les basses et hautes fréquences du spectre, trouve son corrélat exact sur le plan moteur dans l'opposition entre les localisations périphérique et médiane de la constriction. En général, ainsi que Fant (*a*) l'a affirmé et montré, « les ondes articulatoires et sonores ne divergent jamais ». Toutefois, puisque le niveau moteur de tout fait de parole se rapporte au niveau acoustique comme le moyen au résultat, quand il s'agit de déceler les invariances constitutives de la relation, les relations au niveau acoustique fournissent, semble-t-il, un meilleur instrument que les relations au niveau moteur. Pour tout trait, les termes sont donc opposés de manière beaucoup plus marquante au niveau acoustique qu'au niveau articulatoire, si bien que toute liste de traits distinctifs dressée à partir de leurs corrélats articulatoires sans correspondance acoustique demeure fatalement une ébauche imprécise et peu concluante. Malmberg, dont on sait la grande expérience tant en linguistique que dans les différents aspects de la phonétique instrumentale, conclut avec prudence que « généralement, il est plus aisé de trouver des corrélats directs pour les unités linguistiques structurales dans la substance acoustique que dans la substance physiologique ». En bref, tous les faits s'opposent à l'affirmation conjecturale selon laquelle les mouvements articulatoires constitueraient la médiation entre les stimuli acoustiques et la perception (cf. Liberman).

Je tiens à réaffirmer (cf. Jakobson, *a*) que la façon dont G.v. Békésy décrit les réponses du tympan aux diverses voyelles du hongrois et de l'allemand confirme la polarité invariante des traits distinctifs à un niveau ultérieur des faits de parole. D'autre part, les essais prometteurs pour cerner ces traits directement en termes de données perçues (cf. Hanson) suggèrent une étroite corrélation entre les stimuli physiques et les dimensions perceptives. « L'accent nouveau mis sur le rôle des facteurs centraux dans la perception » conduira certainement à une étude intensive des stades neurologiques du fait de parole.

Deux principes méthodologiques peuvent guider la recherche à venir en ce qui concerne la perception de la parole. On pourrait les appeler AUTONOMIE et INTÉGRATION. Chaque niveau du langage, depuis ses composants discrets ultimes jusqu'à la totalité du discours, chaque niveau tant de la production que de la perception de la parole doit faire l'objet d'un traitement qui tienne compte à la fois de lois intrinsèques autonomes, des interférences constantes entre les divers niveaux et aussi de la structure complète du code et des messages verbaux (alias LANGUE et PAROLE) dans leur interaction continuelle. La nécessité d'un tel lien entre les deux principes fondamentaux met le chercheur en garde contre deux maladresses traditionnelles, à savoir, d'une part, l' « isolationnisme », qui ignore délibérément les connections mutuelles entre parties et leur solidarité avec le tout, et d'autre part, l' « hétéronomie » (ou « colonialisme », pour user d'une métaphore) qui fait violence à un niveau en le soumettant aux règles d'un autre niveau, niant ainsi sa structure propre et l'autogenèse de son développement. Le même double principe peut et doit être étendu aux relations entre linguistique et psychologie. Les fondements linguistiques de la structure verbale et les problèmes psychologiques que posent l'intention et la perception de la parole exigent non seulement une analyse strictement intrinsèque de part et d'autre, mais également une synthèse interdisciplinaire.

OUVRAGES CITÉS

Adrian, E.D., « The Physiological Basis of Perception », *Brain Mechanisms and Consciousness* (1954).
Baudouin de Courtenay, J., *a) Otčety o zanjatijax po jazykovedeniju v tečenie 1872 i 1873 gg.* (1877.)
— *b)* « Les lois phonétiques », *Rocznik Slawistyczny*, III (1910).
— *c) Vvedenie v jazykoznanie* (1917, 5ᵉ éd.), ch. 11. Voir ses *Izbrannye trudy po obščemu jazykoznaniju*, II (1963).
Bloch, B., « Phonemic Overlapping », *American Speech*, XVI (1941).
Bondarko, L.V. et L.R. Zinder, « O nekotoryx differencial'nyx priznakax russkix soglasnyx fonem », *Voprosy jazykoznanija*, XV (1966).
Bruner, J.S., « Neural Mechanisms in Perception », H.C. Solomon *et al.* (ed). *The Brain and Human Behavior* = Associations for Research in Nervous and Mental Diseases, *Research Publications* XXXVI (1958).
Chomsky, N., *Current Issues in Linguistic Theory*, ch. 4 (1964).
— et M. Halle, « Some Controversial Questions in Phonological Theory », *Journal of Linguistics*, I (1965).
Čistovič, L.A., *a)* « Vlijanie častotnyx ograničenij na razborčivost' russkix soglasnyx zvukov », *Telefonnaja akustika,* I-II (1955).
— *b)* « Tekuščee raspoznavanie reči čelovekom », *Mašinnyj perevod i prikladnaja lingvistika,* VI (1961) - VII (1962).
— V.A. Koževnikov, et al., *Reč', artikuljacija i vosprijatie,* ch. 6 (1965).
Fant, G., *a) Acoustic Theory of Speech Production* (1960).
— *b)* « Chairman's Introduction », *XVIII Int. Congress of Psychology, Symposium 23* (1966).
Ginneken, J. van, *Principes de linguistique psychologique* (1907).
Godel, R., *Les Sources manuscrites du Cours de linguistique générale de F. de Saussure* (1957).

Haggard, M.P., « Stimulus and Response Processes in Speech Perception », *XVIII Int. Congress of Psychol.*, *Symposium 23* (1966).
Halle, M. et K.N. Stevens, « Speech Recognition : A Model and a Program for Research », Fodor et Katz (éd.), *The Structure of Language* (1964).
Hanson, G., « Distinctive Features and Response Dimensions of Vowel Perception », *XVIII Int. Congr. of Psychol.*, *Symposium 23* (1966).
Huggins, A.W.F., « Delayed Auditory Feedback and the Temporal Properties of Speech Material », *XVIII Int Congr. of Psychol.*, *Symposium 23* (1966).
Ivanov, V.V., « Teorija fonologičeskix različitel'nyx priznakov », V.A. Zvegincev (éd.), *Novoe v lingvistike*, II (1962).
Jakobson, R., *a*) « Concluding Remarks », *Proceedings of the Fourth International Congress of Phonetic Sciences* (1962).
— *b*) *Essais de linguistique générale*, I (1963).
— *c*) *Langage enfantin et aphasie* (1969).
Ladefoged, P., *A Phonetic Study of West African Languages* (1964).
Lenneberg, E.H., « Understanding Language without Ability to Speak », *Journal of Abnormal and Social Psychology*, LXV (1962).
Liberman, A.M., « Some Results of Research on Speech Perception », *Journal of the Acoustical Society of America*, XXIX (1957).
— F.S. Cooper et al., « Some Observations on the Efficiency of Speech Sounds », Haskins Laboratories, *Speech Research*, IV (1965).
Licklider, J.C.R., « On the Process of Speech Perception », *Journal of the Acoustical Society of America*, XXIV (1952).
Mackay, D.M., « The 'Active/Passive' Controversy », *XVIII Int. Congr. of Psychol.*, *Symposium 23* (1966).
Malécot, A., « Vowel Nasality as a Distinctive Feature in American English », *Language*, XXXVI (1960).
Malmberg, B., « Questions de méthode en phonétique synchronique », *Studia Linguistica*, X (1956).
Menzerath, P. et A. Lacerda, *Koartikulation, Steuerung und Lautabgrenzung* (1933).
Miller, G.A., « The Perception of Speech », *For Roman Jakobson* (1956).
Oswald, V.A. « 'Voiced t' - a Misnomer », *American Speech*, XVIII (1943).
Passy, P., *Etude sur les changements phonétiques et leurs caractères généraux* (1891).
Pollak, I. et L. Ficks, « Information of Elementary Multidimensional Auditory Displays », *Journal of the Acoustical Society of America*, XXVI (1954).
Pos, H.J., « La Notion d'opposition en linguistique », Congrès international de psychologie (1938).
Sapir, E., *a*) *Language* (1921). Tr. fr. S.M. Guillemin, *Le Langage*, Payot, 1953.
— *b*) « Language », *Encyclopedia of the Social Sciences*, IX (1933). Tr. fr. dans E. Sapir, *Linguistique*, pres. par J.E. Boltanski, Minuit, 1968.
Saussure, F. de, *Cours de linguistique générale* (1916).
Stevens, K.N., « On the Relations between Speech Movements and Speech Perception », *XVIII Int Congr. of Psychol.*, *Symposium 23* (1966).
Sweet, H., *Handbook of Phonetics* (1877).
Ščerba, L.V., *Russkie glasnye v kačestvennom i količestvennom otnošenii* (1912).
Ungeheuer, G., « Das logistische Fundament binärer Phonemklassifikationen », *Studia linguistica* (1959).
Wason, P.C., « Response to Affirmative and Negative Binary Statements », *British Journal of Psychology*, LII (1961).
Žinkin N.I. *The Mechanisms of Speech* (1967).

TROISIÈME PARTIE

PRÉCURSEURS DE LA LINGUISTIQUE D'AUJOURD'HUI

CHAPITRE IX

LES COMBATS LINGUISTIQUES
DU GÉNÉRAL MROZIŃSKI *

Aide-mémoire et rappel

Dans la science polonaise de la fin du dix-neuvième siècle et du début du vingtième il y a un trait caractéristique, c'est l'analyse extrêmement personnelle, multilatérale et pénétrante des différents problèmes de la théorie de la langue dans les travaux linguistiques de Baudouin de Courtenay, Nicolas Kruszewski, et, à leur suite, Jean Rozwadowski, ainsi que dans les expériences de Stanislas Leśniewski, de Jean Łukasiewicz et des logiciens plus jeunes de l'école lvovo-varsovienne, enfin dans les approches ethnologiques du langage des tribus primitives chez Bronislav Malinowski. Quelle était l'appréciation portée par le plus ancien des chercheurs nommés sur le stade des travaux antérieurs de son pays concernant la science de la langue, voilà ce qui nous est rapporté avec éloquence dans *Le Compte rendu par Baudouin de Courtenay de la mission qui lui a été confiée par le ministère de l'instruction publique à l'étranger avec un but scientifique au sujet des travaux de linguistique dans le courant de 1872 ;* ce texte a été publié par l'université de Kazan en 1876. Le jeune savant partit pour Cracovie pour y connaître l'état de la linguistique, mais bientôt il en vint à la conclusion, peut-être excessivement sévère, qu' « il n'y a rien là-bas à étudier, car il n'est pas possible d'étudier ce qui n'existe pas ». Il constatait

* Dédié à Stefan Żółkiewski et publié en polonais dans *Kultura i społeczeństwo,* XIII (Varsovie, 1969) et en russe dans *Selected Writings* II (La Haye-Paris, 1971). Traduit du russe par Jean-Claude Marcadé.

avec amertume « l'indifférence générale des étudiants de Cracovie non seulement pour la linguistique, mais aussi pour toute
théorie en général ». Au début des années soixante-dix, selon le
verdict sévère de Baudouin, « il n'y a pas, peut-on dire, de nouvelle linguistique strictement scientifique chez les Polonais en
général ; il y a seulement des essais isolés, très rares, d'assimiler
cette science, mais même ceux-ci, pour la plus grande part,
sont déformés par le désir de satisfaire des nécessités nationales,
purement locales, et par la recherche à tout prix d'une originalité
nationale. »

L'hostilité à l'égard des questions « provinciáles, étriquées »
sur lesquelles était concentrée exclusivement l'attention des
philologues de Cracovie, devient particulièrement compréhensible
à la lumière du *Programme des lectures de linguistique générale,*
joint par Baudouin à ses comptes rendus de mission à l'étranger,
qui étonne aujourd'hui encore le lecteur par la sphère extraordi-
nairement large des intérêts scientifiques et la façon scrutatrice
de poser des questions nouvelles, cardinales, comme « le mécanisme des sons, les correspondances entre eux, et leurs rapports
dynamiques, fondés sur la liaison entre la signification et le son »,
en particulier « la relativité des catégories de sons dans tout
ce que contient la langue d'un homme ou d'un peuple » ; et
avec cela ces catégories sont définies comme « des parallèles
des sons qui se fondent sur leurs propriétés physiologiques
distinctives » et font naître « certaines oppositions », par exemple
« la différence entre les sons mous et durs, sonores et sourds,
longs et courts, toniques et atones » ; une discipline particulière,
« la phonétique morphologique », est appelée à étudier ces
oppositions « en liaison étroite avec la signification des mots et
de leurs parties ».

Le *Programme détaillé des cours* pour l'année universitaire
1877-1878 fut complété par Baudouin avant sa parution en
1881 ; en particulier, la bibliographie des manuels recommandés
aux étudiants, qui était jointe au programme, était menée jusqu'en
1881. Dans cette liste de travaux apparaissent tous les annonciateurs de la linguistique la plus moderne — J. Winteler,
H. Sweet, F. de Saussure et le collaborateur de Baudouin,
Kruszewski, présenté dans cette énumération d'études scientifiques par quatre travaux de 1879-1881. Dans cette même liste
(p. 70) on découvre d'une manière inattendue la référence instructive, et pas du tout fortuite, d'un ancien petit livre au titre
insolite : Józef Mroziński, *Réponse au compte rendu paru dans
la « Gazette littéraire » sur l'ouvrage « Premiers fondements
de la grammaire de la langue polonaise »*, Varsovie, 1824.
Comme le rapportent ses biographes (K.W. Wojcicki « Con-

naissance de la vie et des écrits de Józef Mroziński », *Cmenterz powazkowski pod Warszawa*, II, n° 11 ; K. Appel, *Grande Encyclopédie générale illustrée*, XLVII-XLVIII (1912), 570-571 ; G. Korbut, *Littérature polonaise*, II (1929), 249, l'auteur de cette riposte est né le 19 mars 1784 dans le village de Koninchy, près de Brżezany ; « saisi par l'état d'esprit de l'époque napoléonienne », il entra en 1807 dans l'armée polonaise, se battit en 1808 et 1809 en Espagne, en 1812 et 1813 en Russie et en Allemagne. Dans l'armée de la Pologne du Congrès, il était en 1815 lieutenant-colonel, à partir de 1820 colonel, de 1829 général ; en 1830, il fut nommé chef de l'état-major général, prit naturellement sa retraite à la fin de 1831, s'occupa avec passion pendant les dernières années de sa vie de botanique et mourut à Varsovie le 16 janvier 1839.

Participant valeureux de la prise de Saragosse, Mroziński a écrit un essai historique coloré, *Le Siège et la défense de Saragosse dans les années 1808 et 1809 avec une considération toute particulière de l'activité du corps polonais*. Son manuscrit, transmis au *Pamiɛtnik Warszawski* (*Revue de Varsovie*), provoqua les critiques du rédacteur F. Bentkowski concernant les défauts de la langue et du style. C'est alors que l'auteur, selon ses propres dires, « décida d'étudier les règles de sa langue maternelle ». Le biographe fait remarquer que Mroziński, qui avait reçu son éducation dans les écoles autrichiennes, n'avait pas appris du tout la langue polonaise et qu'ensuite, lorsqu'il fut entré dans l'armée et qu'il se trouva constamment à l'étranger, il n'eut pas la possibilité de la manier à la perfection, utilisant sans cesse le français.

Le *Pamiɛtnik Warszawski*, V^e année (1819), tome XIII, a publié le texte, corrigé par l'auteur, de l'ouvrage cité (réimpression par la *Bibliothèque polonaise*, Section historique, I/1858, avec la reproduction de l'article cité plus haut de K.W. Wojcicki). Cependant même ce remaniement ne satisfait pas les exigences linguistiques de la critique tracassière. Les années vingt furent relativement une époque de loisirs dans la vie de Mroziński et il avait l'intention d'examiner à fond la structure de sa langue maternelle, mais l'étude zélée des écrits grammaticaux polonais conduisit ce lecteur plein de bon sens à cette conclusion inattendue : « Rien dans ma vie ne m'a paru encore aussi difficile que la grammaire polonaise. Je me suis efforcé d'alléger pour moi cette science par différents moyens. Il m'est venu à l'esprit de demander l'aide de la grammaire générale : je pris connaissance des œuvres de quelques grammairiens célèbres et aussitôt le dégoût se transforma en entraînement ; depuis lors, la grammaire générale devint ma passion ». Le résultat de ces réflexions et de ces investigations fut le livre de Mroziński, *Premiers fonde-ments de la langue polonaise* (Varsovie, 1822 ; réimpression : Lvov, 1850). La *Gazette littéraire*, nᵒˢ 26-32 (1822), a publié une analyse extrêmement négative de ce livre, sous la plume de deux philologues, A. Krzyżanowski et A. Kucharski ; ces attaques provoquèrent la réponse citée plus haut de Mroziński courroucé, fruit d'une préparation d'un an, volume de trois cents bonnes pages, où avec un art stratégique éprouvé et une ardeur très combative, il pare les attaques et démolit les arguments du contradicteur, et surtout, avec un esprit de suite logique et solide, développe, perfectionne et raffermit ses propres positions de principe.

Le juge exigeant de la littérature grammaticale locale repro-chait à celle-ci son pédantisme étriqué, le mélange des sons et des lettres, l'absence d'une approche scientifique et l'incapacité absolue de faire l'analyse de « structure de la langue polonaise ». Dans la quête des modèles méthodologiques, Mroziński se mit à l'étude des travaux étrangers sur la grammaire générale et, dans ses réflexions linguistiques, il se réfère à toute une série de savants occidentaux ; ce sont quelquefois des Anglais (Mon-boddo) et des Allemands (L.H. Jakob), mais il se réfère en premier lieu à la magnifique production linguistique française de l'époque des Lumières et de ses rejetons (D. Thiebault, *Gram-maire philosophique* ; Estarac, *Grammaire générale* ; Court de Gébelin, *Grammaire universelle,* etc.). Lié étroitement à la France, à sa langue, à sa culture et à sa vie sociale, Josef Mro-ziński, qui reçut par deux fois des décorations françaises, ne tomba pas par hasard justement sur la littérature philosophico-grammaticale française qui était passée peu de temps auparavant par un moment de somptueux épanouissement. Les penchants français du combattant de Saragosse sont illustrés dans sa lettre publiée par Wójcicki. Elle est écrite à Sedlcy le 15 mars 1823, quand Mroziński, alors colonel, interrompit son travail, concen-tré sur la « riposte au compte rendu », pour participer à la revue générale de l'armée polonaise près de Brest-Litovsk : « Voici que moi aussi — pour la première fois de ma vie — je marche avec mon armée sur ma terre natale fertile. Epuisé, j'erre dans le sable. (...) Dans chaque région, devant les yeux de l'homme qui pérégrine pendant plusieurs jours, les paysages changent, mais ici nous ne voyons que la voûte céleste, tracée à l'horizon par le paysage des sapins tantôt proches, tantôt éloignés. Après le service du matin au camp et le défilé dans la ville, nous avons marché sur une bonne route, tracée à la manière des routes françaises, mais il aurait fallu aussi lui adjoindre une bordure à la manière des bordures françaises ».

Il faut rendre justice au capitaine polonais : dans le paysage irrégulier, complexe, de la grammaire philosophique française, il a su découvrir et assimiler de façon créatrice précisément les points culminants. Les liens de ce novateur avec la pensée linguistique française exigent une enquête minutieuse, mais il ne fait aucun doute que ce sont précisément les problèmes et les résultats de celle-ci qui ont servi d'impulsion fructueuse à la formulation audacieuse des exigences fondamentales de programme par ce génial débutant dans la science de la langue.

« Nous ne pouvons connaître la grammaire polonaise tant que ne sera pas connue la partie philosophique de notre langue, autrement dit, sa structure intérieure(*wewnɛtrzna budowa*) », voilà ce que prouvait Mroziński. « J'expose les principes de la structure grammaticale de la langue », ainsi explique-t-il le titre de son premier livre, et deux de ses thèses angulaires proclament sans ambiguïté : « Les règles de la langue ne peuvent être déduites que du mécanisme de cette même langue », et ailleurs : « L'analyse des sons et l'analyse de la variation des mots dans mon livre servent uniquement à éclairer et à fonder ma théorie des principes généraux de la structure linguistique ». Ces deux mots d'ordre trouvent une suite immédiate dans l'activité scientifique de Baudouin de Courtenay et de Kruszewski. L'un et l'autre considéraient la description des langues particulières uniquement comme un moyen pour mettre à jour les lois linguistiques, et c'est précisément l'union du travail consacré à la pratique d'une langue particulière avec la théorie de la langue en général qui ne manqua pas d'enthousiasmer Saussure dans les œuvres des deux fondateurs polonais de ce que l'on appelle l'Ecole linguistique de Kazan.

Les idées de Mroziński sur les principes de la structure linguistique étaient de toute évidence connues directement par Baudouin et selon toute vraisemblance également par son élève et compagnon de lutte, Nicolas Kruszewski. Ce que dit ce dernier de la possibilité de trouver dans la langue elle-même les bases solides d'une nouvelle science, authentiquement immanente, de la langue est conforme à la conviction de Mroziński sur la nécessité de déduire les lois de la langue « uniquement du mécanisme de cette même langue », et l'appel constant que l'auteur des *Premiers Fondements* fait au « mécanisme de la langue », conformément à la nomenclature scientifique française du dix-huitième siècle, fut saisi par le jeune Baudouin, qui rappelait inlassablement depuis son cours inaugural de 1870 la non-coïncidence fréquente de la nature physique des sons avec leur signification dans le mécanisme de la langue. Ces paroles touchent de près à ce qu'enseigne Mroziński : « Celui qui étudie une langue

en examinant sa structure doit dépister par quels traits se définissent les rapports entre les sons du langage et, sur la base
de ces traits eux-mêmes, il doit faire une classification des sons,
car le but de chaque subdivision des sons est caché dans le mécanisme de la langue. La classification qui n'a pas été produite
dans ce but, s'avère un travail sans la moindre utilité ».

Le contact avec la tradition des Encyclopédistes français, de
leurs précurseurs et de leurs continuateurs, fut pour la science
polonaise du dix-huitième et du dix-neuvième siècle un levain
bénéfique d'où sont sorties des découvertes et des hypothèses
extrêmement originales qui n'ont fini par être confirmées et utilisées largement dans le mouvement scientifique international
que bien plus tard, et surtout de nos jours. Je me référerai, par
exemple, aux liens étroits des vues biologiques de Jɛdrzej
Śniadecki (1768-1838) avec la pensée scientifique avancée de la
France d'alors (cf. L. Szyfman, *Jɛdrzej Śniadecki naturaliste-
philosophe*, Varsovie, 1960) ; le rôle dirigeant de l'héritage s'unit
harmonieusement dans son ouvrage le plus important, *Théorie
des êtres organiques* (1804-1838), à la nouveauté étonnante des
conclusions et généralisations de l'auteur qui sont entrées dans
la science mondiale de l'époque contemporaine et ont poussé une
de ses personnalités les plus importantes, V.I. Vernadskij (*La
Structure chimique de la biosphère de la terre et de son environnement*, Moscou, 1965), à porter une haute appréciation, tout
en l'utilisant d'une manière nouvelle, sur cette « œuvre remarquable par la profondeur de la pensée et sa logique ».

C'est à la même période féconde de l'histoire spirituelle polonaise qu'appartient par ses études linguistiques Josef Mroziński,
contemporain plus jeune des frères Jan et Jedrzej Sniadecki et
de St. Staszyc. Il est significatif et, au premier abord, paradoxal
de voir que c'est précisément dans le résultat de la rupture avec
l'enseignement local, précisément à travers le prisme des expériences étrangères de la grammaire universelle philosophique,
précisément à cause de l'horizon linguistique véritablement international qui s'était largement développé, qu'il a compris la
différence notable des principes structuraux qui sont à la base
des différentes langues et la nécessité d'un refus radical logique
de l'esprit d'imitation mécanique des poncifs latins, esprit qui
régnait dans tous les manuels de grammaire polonaise. Selon
son avis accablant, c'est un tel esprit qui s'établit immanquable-
ment à la mode étrangère (« sur les établis étrangers »), et c'est
pourquoi il mutile inévitablement la langue.

Les sorties héroïques de Mroziński dans la théorie de la langue
n'ont malheureusement pas eu de suite dans son activité ultérieure, bien que, selon ses propres dires, il rêvât « de livrer plus

tard au jugement du public ses pensées sur la structure intérieure de la langue polonaise ». Les idées ébauchées par l'auteur ne rencontrèrent pas d'écho vivant et actif chez ses contemporains. Les premiers réalisateurs des aspirations et des anticipations de Mroziński furent dans la science polonaise les jeunes linguistes de Kazan pendant les années soixante-dix et le début des années quatre-vingts. Le contenu de ses deux livres fut étudié par un disciple de Baudouin, Tytus Benni, « Le général Mroziński comme psychophonéticien » (Communication) *Comptes rendus des séances de la Société scientifique de Varsovie, Section de linguistique et de littérature*, VI, n° 9 (1913), pp. 77-93. Dans son étude nourrie, écrite de façon vivante et jusqu'ici unique, consacrée directement au linguiste Mroziński, Benni utilisa la terminologie peu heureuse des derniers travaux de Baudouin — « physiophonétique » et « psychophonétique » ; la première, selon la définition de Benni, trace « seulement les traits physiologiques du son », la seconde ses « fonctions morphologiques ». La « Communication » caractérise Mroziński comme un psychophonéticien qui cependant « n'a pas su séparer ces deux points de vue », de sorte qu'entre eux naissent parfois des contradictions mutuelles. En réalité, dans le premier livre, et encore bien plus dans le second, on est frappé justement par la différenciation nette et par la délimitation des divers plans de la réalité étudiée, c'est-à-dire par le même trait qui remplit d'enthousiasme le savant d'aujourd'hui dans l'œuvre de Jedrzej Sniadecki avec sa définition pénétrante de la différence et de la communauté qui existe entre la substance vivante et figée. Si la *Théorie des êtres organiques* atteste que l'auteur se rendait pleinement compte de l'importance de ses découvertes pour la science de la vie, Mroziński, lui aussi, avait conscience de la nouveauté, de la signification cruciale de ses observations, de ses entreprises méthodologiques et de ses déductions pour la science de la langue en général, et de la langue polonaise en particulier, et il le faisait comprendre au lecteur.

Dans sa campagne contre l'enseignement de la langue dans sa patrie, Mroziński lui reprochait surtout « de n'accorder aucune attention aux principes grammaticaux », « de ne pas se préoccuper de l'ensemble », « de ne pas voir le lien qu'il y a entre les points isolés » et de traiter les faits épars, accessibles à l'observation immédiate, « en dehors de toute correspondance avec le mécanisme de la langue ». Dans l'examen de la structure sonore, Mroziński croit du devoir du systématisateur de définir les rapports entre les sons et de les subdiviser sur la base des caractères qui jouent un rôle dans le mécanisme de la langue, alors que « la classification qui n'est pas effectuée avec cette intention » appelle, nous le répétons, une condamnation absolue du chercheur, comme étant « un travail sans la moindre utilité ».

La première tâche que s'est fixé Mroziński était la définition et la description des sons de la langue polonaise, selon l'appréciation exacte de Benni, mais le rapporteur n'a pas pris en considération que l'objet de cette description était les caractères physiologiques du son, non pas en soi, mais en liaison avec leur signifiance dans le tout linguistique (w całoksztaltu jȩzyka). Selon un éclaircissement donné par l'auteur, son but était « d'étudier toute affinité (powinowactwo) des sons du langage » (il est caractéristique qu'il parle ici, non de la parenté génétique, mais de l' « affinité » acquise dans le système et grâce au système), et pour cela il fallait « tout d'abord étudier toute la partie étymologique de la grammaire », c'est-à-dire établir un répertoire des moyens pour distinguer les mots dans le complexe sonore d'une langue donnée. Il convient de remarquer que c'est précisément de « la partie étymologique de la science des sons », c'est-à-dire de l'étude des sons « en liaison avec la signification des mots », que parlait Baudouin dans les programmes de ses cours de Kazan.

Un exemple significatif du traitement des sons à la lumière de leur fonction de distinction verbale est la brillante découverte de Mroziński, à savoir que la répartition des voyelles polonaises i et y dépend entièrement de la distinction des consonnes qui les précèdent immédiatement en molles et en dures. « Dans la structure de la langue polonaise, la distinction générale de la consonne dure et molle est obligatoire, et dans des paires comme byl et bil nous concentrons l'attention uniquement sur le timbre dur ou mou de la consonne », parce que cette distinction dans la langue parlée polonaise ne se trouve pas dans une dépendance absolue de la voyelle suivante et, en particulier, apparaît de façon autonome à la fin du mot, alors que « la distinction du timbre des voyelles i et y ne fait pas naître de formes grammaticales distinctes dans notre langue ». C'est pourquoi, de même que la distinction entre les mots ťadne, ťadnie est fondée uniquement sur le timbre dur ou mou du son n, de la même façon la distinction entre les mots ťadny, ťadni est fondée sur le timbre dur ou mou de la même consonne. Cette affirmation de l'absence d'une voyelle polonaise y (et de la voyelle correspondante en russe) comme moyen autonome de distinction verbale fut répété et développé par Baudouin, arguments à l'appui.

Les mêmes arguments contre cette découverte, faite par Mroziński, puis par Baudouin de Courtenay, ne cessent d'émerger dans la presse de différents pays, dénonçant la dépendance

John Hughlings Jackson
(1835-1911)

Charles Sanders Peirce
(1839-1914)

Henry Sweet
(1845-1912)

Jan Baudouin de Courtenay
(1845-1929)

Jost Winteler
(1846-1929)

Mikolaj Kruszewski
(1851-1887)

Ferdinand de Saussure
(1857-1913)

Nikolaj Sergeevič Trubetzkoy
(1890-1938)

servile des critiques à l'égard d'un cliché orthographique et l'incompréhension des principes fondamentaux de l'appréciation fonctionnelle des sons du langage. En particulier, la tentative de Benni pour réfuter la thèse citée de Mroziński et de Baudouin est inconsistante. Car dans la langue polonaise la variante combinatoire de *y* existe seulement après les dures et celle de *i* seulement après les molles, à l'initiale des mots ainsi que de leurs racines (dans la langue russe, après les molles et à l'initiale *absolue* du mot). A l'encontre des inventions non fondées de Benni qui prétend que *i* dans la combinaison *profesor informuje* ou dans des mots composés du point de vue de la phonologie slave, comme *bezimenny* (= *bez - imenny*), témoigne en faveur de deux phonèmes indépendants, effectifs, — en réalité dans les deux voyelles non labialisées, fermées, de la langue russe et polonaise, il n'est pas possible de ne pas reconnaître les variantes, extérieurement conditionnées, d'une seule et même unité distinctive.

Une fois de plus, la déclaration de Mroziński que les liquides polonaises n'appartiennent ni aux consonnes « faibles » ni aux consonnes « fortes », c'est-à-dire ni aux sonores ni aux sourdes, déclaration contestée dans la « Communication » de Benni avec référence aux liquides sourdes dans les mots *krwi* et *plwac,* reste juste, étant donné la distribution purement combinatoire des variantes sonores et sourdes.

Dans ces problèmes comme en général dans l'analyse des correspondances entre le rôle des sons dans leur application au mécanisme de la langue et leurs propriétés physiologiques, Mroziński a devancé sensiblement le phonéticien Benni qui ne cessait de s'effrayer des suppositions intrépides du vétéran : « Bien entendu, nous ne serons pas d'accord en tout, et tout ne s'avérera pas pour nous clair et compréhensible. (...) Ici, notre auteur a dépassé la mesure (...) ». Les exemples cités par Benni des prétendus ratages, défaillances, bévues de « notre auteur » prouvent au contraire la force de sa clairvoyance qui apparente sa pensée linguistique « à nos idées d'aujourd'hui » auxquelles le rapporteur est enclin de les opposer.

En opposition au postulat de Tytus Benni qui croit que la parenté psychophonétique dans son essence même n'a rien de commun avec la question de la classification articulatoire, « notre auteur », il y a plus de cent cinquante ans, a eu une conscience subtile non seulement de la différence entre les deux « systèmes de division », mais aussi de la nécessité de rechercher les correspondances entre l'aspect fonctionnel et organogénétique des sons du langage. Si pour Benni les affriquées, « simples du point de vue psychophonétique » se divisent, d'après leur articulation, en deux parties différentes, Mroziński (et à sa suite Baudouin et Maria Dłuska, qui a développé sa conception dans l'excellente monographie *Les Affriquées polonaises*) les évaluait comme une variété fricative des consonnes occlusives ; en particulier, à la base de la définition de l'affriquée *c*, il posa de manière infaillible le caractère de sibilante momentanée, c'est-à-dire occlusive (*son sifflant instantané ou interrompu*). En d'autres termes, il a saisi la différence entre ces deux oppositions qu'aujourd'hui nous définissons (voir *Essais de linguistique*, I, p. 129) comme discontinues-continues (*abrupt/continuous*) et stridentes/mates (*strident/mellow*), mais les mates apparaissent chez lui sous l'appellation confuse « *głosowe* » (« *voisées* ») qui a plongé Benni dans une totale perplexité.

A son tour, le lien et la différence entre *s* et *sz,* et par conséquent entre *c* et *cz,* ont été parfaitement clairement caractérisés par Mroziński, qui cependant, selon l'affirmation de Benni, « se sent peu certain dans ce problème ». Insistant sur deux signes de classification — « selon les organes de la parole » et « selon le caractère du son » *podług materyj brzmienia),* Mroziński rejeta la subdivision (qu'il connaissait par les travaux français) des sibilantes (qu'il appelle *syczece*) en sifflantes et chuintantes, parce que ces deux termes suggèrent l'idée d'un « caractère du son » différent dans les consonnes *s* et *sz,* alors qu'en fait le caractère sibilant (*syczenie*) apparaît comme le signe commun des deux consonnes, et que la différence entre eux est fondée sur la position différente de la langue. Plaçant sous un dénominateur commun « la matière du son *s* et du son *sz* (d'une manière semblable *c* et *cz),* le chercheur utilise un autre critère que les deux nommés, c'est-à-dire qu'il utilise la position des organes de la parole pour délimiter les consonnes *sz, cz, ż* de *s, c, z, dz* et faire entrer le premier groupe, en même temps que les postpalatales, dans la catégorie des consonnes, appelées purement par convention « gutturales », c'est-à-dire dans la catégorie « des sons produits au fond de la bouche ». La classe nommée coïncide tout à fait avec notre catégorie de consonnes compactes, caractérisées dans leur aspect organogénétique comme centrifuges (*forward-flanged*). De la sorte, les traits (*cechy*) généraux et distinctifs des consonnes *sz* et *s* (*cz* et *c* ; *ż* et *z*) ont été définis avec netteté par Mroziński.

Enfin, l'éclaircissement de tous les rapports signifiants entre les sons de la parole met à l'ordre du jour la tâche ultime et principale à ses yeux : « Alors seulement il devient possible d'établir quelle subdivision est la plus propre à la grammaire de la langue polonaise ». Précisément dans son travail sur les alternances grammaticales, surtout sur « le mécanisme de substitutions des consonnes polonaises » et sur son rôle dans la

déclinaison et la conjugaison, Mroziński voyait la nouveauté
essentielle de son approche des sons et des formes grammaticaux.
Le problème des alternances qu'il a mis en avant en liant
étroitement l'analyse phonique et morphologique fut un demi-
siècle plus tard repris et développé de manière circonstanciée
par Baudouin de Courtenay et peu de temps après par Kruszewski ; il occupait une place centrale dans la création des
deux linguistes. Les différents types de coexistence simultanée
d'alternants exigeaient une analyse synchronique, et, justement
en liaison avec la théorie des alternances, fut soulevée avec une
insistance particulière, aussi bien par Baudouin de Courtenay
que par Kruszewski, la question de la « compréhension requise
de la statique de la langue ». En son temps, Mroziński avait
construit son analyse « sur les faits, donnés immédiatement dans
la langue parlée », écartant, selon le juste commentaire de
Benni, « sans hésitations et sans doutes, d'une manière solda-
tesque », tout matériau extrinsèque, appartenant à une langue
étrangère, soit dans le temps, soit dans l'espace ; justement par
la force d'une approche rigoureusement synchronique, il a
réussi à comprendre et à dessiner les contours du rôle morphologique des alternances de la consonne finale du thème et en
général à frayer la voie à une analyse scientifique des alternances des sons.
Son étude a jeté la lumière sur la structure interne de l'alternance et en particulier a montré la nécessité d'établir une
différence rigoureuse entre l'alternant « de première classe »,
soumis au remplacement, et l'alternant « de deuxième classe »
qui sert de substitut et n'est pas soumis lui-même au remplacement. Autrement dit, le traitement synchronique des alternances
a découvert le fait, essentiel et fécond pour la science, d'une
direction interne dans les limites de chaque alternance.
S'est dressé inévitablement le problème ultérieur auquel dans
ses travaux des années soixante-dix Baudouin de Courtenay a
donné une formulation aiguisée, à savoir le problème de l'étude
des unités phoniques « concernant leurs propriétés connues,
c'est-à-dire dans quelle mesure elles jouent un rôle, par exemple de molles ou de dures, (...) bien que, d'un point de vue
strictement physiologique, les équivalents phonétiques puissent
être des éléments consonantiques durs (...) ». Il est fort vraisem-
blable que ces lignes ont été directement inspirées par l'exemple
de Mroziński qui a mis pour la première fois en discussion justement cette sorte de « non-coïncidence ». Selon ses vues, dans
« le mécanisme grammatical », tous les membres des consonnes
alternantes de la « deuxième classe » mentionnée plus haut fonctionnent comme des consonnes molles et, dans leur majorité,

sont effectivement pourvus d'un timbre mou (*brzmieniem miekkim*), alors que les autres membres, peu nombreux, de cette classe (produits historiques de ce qu'on appelle l' « amollissement mutatif ») sont privés de ce caractère et n'entrent pas dans le nombre des consonnes formant des paires selon leur mollesse ou leur dureté. Mroziński les défini comme des sons « appartenant à la catégorie des molles du point de vue de la classification grammaticale » ; cependant, il ne se limite pas à la reconnaissance de la non-coïncidence, mais se pose la question du dénominateur commun physiologique de toutes les consonnes de la classe donnée. Selon l'hypothèse de l'entreprenant chercheur, ce dénominateur commun est un plus grand « rétrécissement du canal », propre à l'articulation non seulement des molles proprement dites (diésées, *sharp*), mais aussi des sibilantes (stridentes de haute tonalité, aiguës, selon notre systématisation). Si l'on traduisait la supposition de Mroziński à propos d'une langue de l'acoustique, les indications de laboratoire les plus récentes témoignent réellement du spectre élevé de ces consonnes par comparaison avec les sons correspondants sans bruit sibilant (c'est-à-dire avec les consonnes non-stridentes, *mellow*). D'ailleurs, l'auteur se rend compte du rôle accessoire et du caractère purement expérimental de l'explication proposée : « Mes considérations physiologiques peuvent être erronées, mais ma classification des consonnes reste irréprochable ».

Un autre plan linguistique a été soumis par Mroziński à une fine analyse. Ses travaux sont pleins de déclarations intéressantes sur la transmission écrite du langage parlé, qui ont trouvé une suite directe dans les études de Baudouin sur le même sujet, surtout dans son célèbre livre *Du rapport de l'écriture russe à la langue russe* (1912). On trouve là la question des non-correspondances entre les sons isolés et les lettres doubles, par exemple le digraphe polonais *sz,* désignation d'une spirante sourde chuintante, ainsi que le projet d'un « système strictement grammatical d'écriture » qui aurait en partie généralisé le moyen de représenter le caractère mou des consonnes au moyen du « signe amollissant » qui suit ; ainsi, Mroziński avait changé la lettre ambiguë *i* des digraphes polonais traditionnels par une introduction nouvelle spéciale — *ı*. Il stipule qu'il n'est pas possible de considérer un tel graphisme comme une nouvelle lettre, étant donné que « cette figure ne désigne isolément aucun son », de même que les signes durs et mous russes auxquels se réfère l'auteur du projet. Baudouin introduit en conséquence le terme de « graphème analytique ». Les modèles du procédé graphique nommé — *koнı* ; *ťadnıe, buıt* (*kon', ťadnie, biť*) : la différence entre *y* et *i*, « nous l'expliquerons seulement dans la consonne elle-même », c'est-à-dire que nous changerons le graphisme traditionnel *by* par la reproduction simple de la consonne dure par *b,* et le graphisme *bi* cédera la place à la reproduction de la consonne molle par *bı,* « en revanche le *i* voyelle, aussi bien le dodu (y) que le mince (i), nous le représenterons toujours par la même figure *i : bit* lisez *byt, bitt* lisez *bit* ».

Les problèmes du rapport entre la langue parlée polonaise et l'écriture furent plus tard développés dans les articles écrits par Mroziński quand la *Société des amis des sciences* de Varsovie, qui développait une activité hautement productive, le choisit comme membre et le délégua à la commission de réforme de l'orthographe polonaise. Benni ne mentionne pas ses articles, qui sont entrés dans la publication collective de la Société — *Discussions et propositions pour l'orthographe polonaise* (Varsovie, 1830) — mais Karol Appel, proche lui aussi de Baudouin, les rangea à bon droit « parmi les plus remarquables œuvres dont pouvait en ce temps s'enorgueillir non seulement la philologie polonaise, mais la philologie slave en général ».

L'absence d'une édition polonaise des travaux de Baudouin de Courtenay reste une lacune sensible qui a été comblée seulement en partie par les deux petits tomes russes de ses œuvres choisies, lesquels sont loin de couvrir les idées les plus précieuses et les plus exaltantes de cet illustre pionnier (voir *A Baudouin de Courtenay Anthology,* traduction en anglais, éditée par E. Stankiewicz, Blocmington, Ind., Londres). Les travaux linguistiques de Mroziński, surtout sa *Réponse,* qui a paru il y a cent cinquante ans en deux cent cinquante exemplaires seulement, exigent expressément une réédition critique, sans aucun doute indispensable pour l'histoire de la linguistique et de la pensée scientifique polonaise internationale. Une autre tâche également urgente est l'analyse attentive de ses études sur le fond de leur entourage polonais et européen.

Prophète et annonciateur de l'attitude phonologique moderne à l'égard de la structure sonore et grammaticale du langage, ayant visiblement suggéré à Baudouin l'accès à un traitement inébranlablement synchronique des phonèmes, de leurs alternances et de leurs rapports avec les graphèmes, et ayant lié les rudiments de la linguistique structurale aux préceptes du rationalisme et du classicisme français, il mérite sans conteste un examen méticuleux et une interprétation attentive.

En examinant l'apport linguistique de Mroziński, nous nous posons inévitablement la question curieuse des liens qui unissent les transfigurateurs de la linguistique mondiale, Baudouin et Kruszewski, à la fermentation scientifique polonaise du premier quart du siècle passé. Ayant noté que Baudouin connaissait de

près l'héritage littéraire de Mroziński, nous pouvons, il me semble, saisir en allant plus loin les échos des découvertes de Jedrzej
Śniadecki dans les écrits de Kruszewski. Ce n'est pas par hasard
que ce dernier, dans son cours de grammaire française, s'est
lui-même référé aux analogies biologiques avec l'évolution de
la langue, et Baudouin, dans son compte rendu de l'*Esquisse
d'une science de la langue* de Kruszewski, a souligné que « la
supposition d'un processus universel de réintégration dans tous
les aspects de la vie de la langue » a été transposée pour la
première fois par l'auteur de la biologie à la linguistique. Dans
la première moitié des années soixante-dix, quand Kruszewski
était étudiant à l'université de Varsovie, *La Théorie des êtres
organiques* s'avéra être l'objet d'une longue et ardente discussion
des naturalistes et des philosophes dans la presse polonaise
(H. Struwe, Z. Kramsztyk, H. Kułakowski, B. Rejchman,
T. Żuliński), et il est douteux que Kruszewski, lecteur passionné,
attiré par la philosophie et réfléchissant à « la nature méthodologique » des sciences naturelles, n'ait pas connu ces discussions varsoviennes. L'enseignement qui se lit en filigrane dans
tous les travaux de Kruszewski, de la réintégration et de sa
manifestation fondamentale universelle, du processus universel
d'assimilation (conformément à la compréhension et à l'utilisation de ce terme par l'auteur), coïncide de façon frappante avec
les conceptions de Sniadecki sur « la variabilité constante de
la forme » et avec la thèse directrice de sa *Théorie* : « Toute
la vie se présente comme un processus organique constant et
ininterrompu, c'est-à-dire comme une assimilation qui ne cesse
jamais. Voilà la vérité la plus importante à laquelle il a été
possible de parvenir dans la science de la vie et qui deviendra
le principe de base de la science contemporaine ». Dans son
désir inlassable de rapprocher la linguistique des sciences naturelles et de trouver « une loi générale, applicable également à
tous les phénomènes » dans la vie de la langue, Kruszewski n'a
pas pu ne pas se souvenir de « la loi de la vie » universelle
qui avait été fièrement avancée au seuil du siècle par Śniadecki
comme un principe valable pour toute la science.

CHAPITRE X

L'ECOLE DE LINGUISTIQUE POLONAISE DE KAZAN ET SA PLACE DANS LE DEVELOPPEMENT INTERNATIONAL DE LA PHONOLOGIE *

Il ne serait pas exagéré de dire que l'introduction du concept de « phonème » dans la science du langage a constitué un tournant dans le développement de cette branche de la connaissance et a eu une influence décisive non seulement sur la façon de traiter les problèmes phoniques mais aussi sur l'ensemble de la méthodologie de la linguistique. De même que pour beaucoup d'autres principes de la linguistique moderne, l'Antiquité avait déjà esquissé cette découverte, mais on l'oublia ensuite ou on n'en tint pas compte. Comme John Brough le signale dans son étude sur les théories sanskrites du langage, de nombreuses découvertes de la linguistique moderne sont en fait une redécouverte de principes élaborés dans l'Inde ancienne et appliqués là-bas à la description et à l'analyse des langues (1). La remarquable école indienne de linguistique, représentée spécialement par les profonds traités de Patanjali (IIᵉ siècle a.c.) et de Bhartṛhari (VIᵉ siècle p.c.), créa le concept de *sphoṭa*. Ce terme désigne la forme phonique du point de vue de sa valeur sémiotique, laquelle « découle de cette forme ». Chaque niveau linguistique comporte son type propre de *sphoṭa* : les grammairiens sanskrits distinguaient

---

* Paru en polonais dans le *Bulletin de la Société linguistique polonaise,* XIX (1960) et en anglais dans *Selected Writings,* II (1971). Cette étude a son origine dans un rapport présenté par R. Jakobson à l'Académie des sciences polonaises, à Varsovie, le 12 janvier 1958. Traduit de l'anglais par Paul Hirschbühler.
(1) J. Brough, « Theories of General Linguistics in the Sanskrit Grammarians », *Transactions of the Philological Society* (1931), pp. 21-46.

en conséquence le *sphoṭa* qui correspond aux constructions syntaxiques et aux phrases entières, aux combinaisons de morphèmes et aux mots entiers. Finalement, à l'époque de Patanjali, on définissait une « lettre-son » discrète (*varṇa-sphoṭa*) comme le niveau le plus bas de *sphota*. Ce concept, rigoureusement distingué de « sons du langage » (*dhvani*) et naturellement de toutes les autres sortes de sons ou de bruits (*Śabda*) correspond essentiellement au phonème moderne. Les grammairiens sanskrits décrivaient les *varṇa-sphoṭa* comme vides de sens mais néanmoins dotés d'une certaine signification, puisque le remplacement d'une telle unité est susceptible de produire un mot totalement différent ; un auditeur qui ne perçoit pas ce changement peut se méprendre sur le sens. Dans la tradition linguistique sanskrite, le *sphoṭa* représente le substrat constant, invariable, des variations linguistiques. Ainsi, la rapidité d'un énoncé peut varier sans perturber la relation entre la longueur et la brièveté des voyelles, puisque en sanskrit cette relation appartient au *sphoṭa*. Dans la terminologie moderne, il s'agit d'une relation phonologique.

Les grammairiens sanskrits furent les précurseurs de la curiosité et des discussions fondamentales actuelles quant à la définition du phonème. Pendant longtemps, l'Europe ne put revendiquer de théorie linguistique pareillement élaborée et développée. La philosophie grecque apporta cependant une contribution substantielle au développement de la pensée linguistique : nous y trouvons en particulier les rudiments de la conception selon laquelle le langage est composé en dernière analyse d'unités phoniques indivisibles capables de former des suites signifiantes. Une telle unité était appelée στοιχεῖον « élément primaire » (2). La *Poétique* d'Aristote définit le στοιχεῖον comme un son indivisible (φωνὴ ἀδιαίρετος), vide de sens propre (ἄσημος), qui fait partie d'une syllabe, c'est-à-dire d'un son complexe qui est lui-même vide de sens (φωνὴ ἄσημος συνθετή) et qui sert à former des unités supérieures comme les noms et les verbes, c'est-à-dire des sons complexes doté d'un sens (φωνὴ συνθετὴ σημαντική), et indécomposables en parties constituantes significatives. C'est à partir de ces unités que sont construites les phrases, sons complexes pourvus d'un sens et divisibles en unités significatives. Selon Platon, on ne peut comprendre le langage humain sans distinguer un certain nombre de *stoicheia* (éléments) dans le flux sonore divisible à l'infini que produit la voix humaine. Parallèlement, on ne peut apprendre un seul de ces *stoicheia* sans les avoir

---

(2) H. Diels, *Elementum* (Leipzig, 1899).

appris tous. Dans le langage comme dans la musique, la connaissance des corrélations générales qui organisent les unités élémentaires en un système cohérent est nécessaire. « Le nombre infini de types et le nombre infini d'éléments particuliers présents dans chacun de ces types — aussi longtemps qu'ils ne sont pas classés — laissent chacun d'entre nous dans un état d'infinie ignorance » (*Philèbe*). Ainsi, selon Platon, le langage impose au continuum physique divisible à l'infini de la matière phonique brute un système cohérent qui contient un nombre limité d'unités formelles discrètes avec des interrelations déterminées. Démocrite, et Lucrèce après lui, dans leur recherche d'une analogie qui pourrait confirmer leur théorie de la structure atomique de l'univers physique, citaient les *stoicheia* comme les composants ultimes du langage. Le terme *stoicheion* servait à désigner à la fois les unités élémentaires physiques et linguistiques.

Le problème de la conversion des sons en supports de signes occupa également l'avant-scène dans les théories médiévales du langage. Thomas d'Aquin traitait les sons du langage comme « conçus tout d'abord pour véhiculer des significations » (*principialiter data ad significandum*), mais n'ayant pas de sens par eux-mêmes. Il considérait cet emploi des sons comme un artifice humain (*significantia artificialiter*). Ainsi, la manière dont la matière phonique brute est élaborée et rendue utilisable à des fins sémiotiques constitue le principal sujet d'étude (3).

Toutes ces hypothèses fécondes tombèrent toutefois dans un oubli complet et la doctrine universitaire orthodoxe du siècle dernier traita les sons du langage comme de pures données de sens, sans tenir compte des tâches qu'ils remplissent dans le langage. C'est seulement vers la fin du troisième tiers du XIXᵉ siècle que quelques linguistes virent de nouveau la nécessité d'une approche fonctionnelle des sons du langage. Les grammairiens sanskrits et certaines conceptions des philosophes classiques et scolastiques influencèrent dans une certaine mesure telle ou telle étape des recherches modernes sur le phonème ; mais, au cours des neuf ou dix dernières décennies, des chercheurs de divers pays ont entrepris une recherche immense et neuve, tant sur le plan théorique qu'empirique. Il est remarquable que le terme et le concept de phonème ont en fait émergé presque simultanément mais de manière totalement séparée et qu'ils ne se sont rencontrés que plus tard.

---

(3) Cf. F. Manthey, *Die Sprachphilosophie des hl. Thomas von Aquin und ihre Anwendung auf Probleme der Theologie* (Paderborn, 1937).

A. Dufriche-Desgenettes, modeste phonéticien septuagénaire cofondateur de la Société de linguistique de Paris, fut le seul des membres de la Société à protester contre la décision d'exclure de son programme des questions telles que l'origine du langage et l'invention d'une langue internationale. C'est lui qui proposa à la réunion de la Société du 24 mai 1873 l'emploi d'un seul mot équivalent à l'allemand *Sprachlaut* à la place de l'incommode « son du langage ». Il préconisa le terme « phonème », adaptation du grec φώνημα, « son » (4). Ce terme apparut dans les écrits de Dufriche-Desgenettes lui-même, mais il n'aurait guère pu survivre sans l'appui de l'éminent philologue romaniste Louis Havet qui l'utilisa à partir de 1874, non sans en avoir légitimement reconnu la paternité à celui qui l'avait suggéré (6). Personne n'aurait pu deviner à cette époque que ce mot prendrait plus tard une place essentielle dans la terminologie internationale et qu'il servirait de modèle à des créations innombrables (*). Dufriche-Desgenettes aurait-il pu s'attendre en outre à ce que son substitut de *Sprachlaut* évoluerait sémantiquement et qu'à l'aube de la seconde guerre mondiale des puristes allemands xénophobes tenteraient même de le retraduire par *Sinnlaut*, « son significatif » ?

C'est à partir des études de Havet que le terme phonème entra — avec un important changement de sens — dans le livre marquant de Ferdinand de Saussure (1857-1913), alors âgé de vingt et un ans, *Mémoire sur le système primitif des voyelles dans les langues indo-européennes*, publié à Leipzig à la fin de 1878. Il ne l'utilise cependant pas encore au sens descriptif actuel, mais seulement pour rendre un concept strictement historique. Les études comparatives révélaient que, dans des langues apparentées, des unités morphologiques de même origine manifestaient des correspondances phonétiques régulières et que chacune de ces correspondances reflétait l'exis-

---

(4) Voir *Revue Critique*, I (1873), p. 368.

(5) « Sur la lettre R et ses diverses modifications », *Bulletin de la Société de Linguistique*, N° 14 (1875), pp. LXXI-LXXIV. Cf., par exemple, p. LXXIII : « certains phonèmes mouillés du russe » ; « Sur la consonne L et ses diverses modifications », *ibid.*, pp. LXXIV-LXXVI.

(*) L'auteur relève en anglais : *stroneme, chroneme, tonemé, prosodeme, grapheme, morpheme, syntagmeme, grameme, lexeme, sememe, semanteme, glosseme, cenemateme, tagmeme, taxeme, acteme, behavioreme*, etc. (et, en français, *phrasème, logème, mélème, gustème, délirème*, etc.) ainsi que des composés comme *mor(pho)-phoneme, archiphoneme, hyperphoneme, hyperbehavioreme*, des dérivés comme *phonemic, phonemics, phonemicist, phonemicity, phonemicize, phonemicization, tagmemic, tagmemics*, etc., et finalement, des formations sans radical : *eme, emic, emics, emicness. (N. d. t.)*

tence d'un prototype commun dans la langue-mère. C'est cet hypothétique prototype uniforme et distinct à la source d'une postérité multiforme qui fut appelé « phonème » dans le *Mémoire* de Saussure. Cette entité était conçue comme un élément du système phonologique qui, indépendamment de son articulation précise, était reconnaissable comme différent des autres éléments du système (7). Baudouin de Courtenay et son cercle trouvèrent dans le sens que Saussure attribua à ce terme un stimulant pour une réinterprétation supplémentaire.

Dès les premiers temps de ses activités universitaires, la question de la relation entre son et sens attira Baudouin (1845-1929). La linguistique traditionnelle avait tendance à négliger ce problème. Mais, dès 1869, Baudouin, boursier de vingt-trois ans, dans l'article « Alternance des sifflantes et de [x] », écrit et publié à Berlin, aborda la question de savoir comment la différence entre les consonnes « est utilisée pour distinguer des significations », évoquant également le phénomène troublant du symbolisme consonantique (8). En 1870, chargé du cours de grammaire comparée des langues indo-européennes à l'université de Saint-Pétersbourg, Baudouin fit une leçon inaugurale dans laquelle il discutait d'une manière étonnamment profonde, mûre et originale les tâches immédiates de la linguistique générale. Il terminait par cette déclaration : « L'objet de notre cours sera l'analyse du langage » (9). Il étendit et développa la série de problèmes esquissés dans cette leçon au début des années 1870 dans son rapport sur ses études à l'étranger et encore plus dans les programmes détaillés de ses cours d'université à Kazan, présentés dans la seconde moitié de la même décennie (10). Etant donné les progrès rapides de

---

(6) Voir L. Havet, « Oi et Ui en français », *Romania* (1874), p. 321 : « *Phonème,* terme que j'emprunte à M. Dufriche-Desgenettes, de la Société de linguistique de Paris, désigne un son articulé quelconque ».

(7) *Mémoire sur le système primitif des voyelles dans les langues indo-européennes* (Leipzig, 1879 ; en fait, 1878), p. 120. *Recueil des publications scientifiques de F. de Saussure* (Genève-Heidelberg, 1922), p. 114.

(8) « Wechsel des s (š, ś) mit ch in der polnischen Sprache », *Beiträge zur vergleichenden Sprachforschung*, VI (1870), pp. 221 sq. Cf. J. Baudouin de Courtenay, *Szkice językoznawcze* (Varsovie, 1904), pp. 258 sq.

(9) « Nekotorye obščie zamečanija o jazykovedenii i jazyke », *Žurnal Ministerstva Narodnogo Prosveščenija*, CLIII (février 1871), p. 315.

(10) « Otčety komandirovannogo Ministerstvom Narodnogo Prosveščenija za granicu I. A. Boduèna-de-Kurtenè (J. Baudouin de Courtenay) o zanjatijax po jazykovedeniju v tečenie 1872 i 1873 gg ». (Repris de *Izv. Kazanskogo Universiteta*, 1876, 1877) ; *Programma I = Podrobnaja programma lekcij I. A. Boduèna-de-Kurtenè (J. Baudouin de Courtenay) v 1876-1877 učebnom godu* (repris de *Ivz. Kazanskogo Universiteta*, 1877, 1878, publié en 1878) ; *Programma II = Podrobnaja programma lekcij I.*

ses recherches, Baudouin se plaignait à juste titre de la lenteur de la publication de ses écrits, surtout en ce qui concerne
le programme de ses cours de 1877-1878, qui était en cours
de publication depuis près de quatre ans. « Les découvertes
scientifiques ne peuvent malheureusement attendre et se confor-
mer au rythme des tortues ou de la publication des ouvrages
scientifiques à Kazan » (11). Pour la première fois peut-être
de toute l'histoire de la linguistique, ces travaux, dont le
premier fut la conférence de Saint-Pétersbourg, établissaient
une distinction claire entre deux aspects du langage, en particulier entre sa structure phonique et ses lois linguistiques, surtout phonétiques. Ces dernières sont, d'une part, « des lois
et des forces statiques, c'est-à-dire celles qui agissent dans
l'état synchronique du langage » — en d'autres termes, « des
lois et des conditions sous-tendant la vie des sons d'une langue
à un moment donné » — et, d'autre part, « des lois et des
forces dynamiques, qui conditionnent le développement de la
langue » (12). « Le statisme concerne les lois de l'équilibre
linguistique ; le dynamisme, les lois qui gouvernent le mouvement historique de la langue, sa mobilité dans le temps » (13).
A partir des années 1890, Ferdinand de Saussure accentua et
développa cette dichotomie dans sa discussion de « la dualité
fondamentale de la linguistique » (14). Ce que Baudouin avait
dit à propos du « statisme » et du « dynamisme » correspond
mieux à l'opposition « synchronie » / « diachronie », et, alors
que Saussure confond les deux paires de concepts, on peut
observer chez Baudouin les rudiments d'une judicieuse distinction entre eux. Ainsi, sa thèse selon laquelle « la stabilité
des sons est double, statique et dynamique », peut se traduire
dans la terminologie courante comme les deux aspects du
statisme : l'un synchronique et l'autre diachronique (16). Dans

---

A. Boduèna-de-Kurtenè (J. Baudouin de Courtenay) v 1877-1878 učebnom
godu (repris de Izv. Kazanskogo Universiteta, 1879, 1880, 1881, publié
en 1881).
(11) Programma II, p. 1.
(12) ZMNP, 1871, pp. 301 sq ; Programma I, p. 38, II, p. 85.
(13) Programma II, p. 85.
(14) Cf. R. Godel, Les Sources manuscrites du Cours de linguistique
générale de F. de Saussure (Genève-Paris, 1957), pp. 44 sq., 259, 277.
(15) Programma I, p. 8 ; II, p. 85.
(16) Dans la caractérisation sommaire de cette théorie linguistique
écrite pour S. Vengerov et publiée en 1897 dans son Kritiko-biografičeskij
slovar' russkix pisatelej i učenyx, V, Baudouin souligne qu'égaler la
synchronie linguistique et le statisme est une fiction : « Il s'agit d'un
cas particulier de mouvement accompagné d'un minimum de changement.
Le statisme du langage n'est qu'un cas particulier de son dynamisme,
ou plutôt de son « cinématisme ». Voir Prace Filologiczne, vol. XV,

ses cours d'université des années 1870, Baudouin divisait la
phonétique en deux parties indépendantes : la première, la
partie acoustico-physiologique de la phonétique ou, comme
l'appela Baudouin à partir de la fin des années soixante-dix,
« anthropophonique », « considère tous les *sons* du langage
humain (les unités phoniques et leurs combinaisons) du point
de vue objectif de la physique et de la physiologie (en bref,
du point de vue des sciences naturelles) » et doit fournir une
description exhaustive des propriétés phonatoires et auditives
des sons, sur la base des résultats de la physiologie et de
l'acoustique. L'autre partie, « la phonétique au sens strict du
mot » ou « la partie morphologico-étymologique de la science
générale des sons » s'en occupe en relation avec le sens des
mots » ; elle étudie et analyse les « équivalents des sons »
(des unités phoniques et de leurs combinaisons) pour ce qui
concerne certaines de leurs propriétés, à savoir le rôle qu'ils
jouent dans la langue, par exemple les équivalents des consonnes
et des voyelles molles et dures, simples et complexes, etc.,
bien que du point de vue strictement physiologique les équi-

1re partie, p. XVII. Dans ses premiers ouvrages, Baudouin insistait sur
le caractère inadmissible de l'introduction de facteurs diachroniques dans
la description synchronique d'une langue. Dans le fragment de sa leçon
de 1870 qui fut publié pour la première fois plus de quarante ans
après, Baudouin illustrait la différence fondamentale entre le traitement
descriptif et le traitement historique de la morphologie au moyen de
plusieurs comparaisons frappantes, par exemple : « Les fermiers américains ont produit à partir de la variété ordinaire de bêtes à cornes
une nouvelle race qui n'en possède pas ; néanmoins, un adhérent de
la théorie des radicaux immuables en -a, -i, -u, croira voir de longues
cornes même sur la tête de ces nouveaux bovidés. En un endroit du
monde où il n'y en avait pas apparut une montagne ; en un autre, une
montagne disparut ; en un troisième, la terre ferme remplaça une mer ;
en un quatrième, ce fut l'inverse : une mer prit la place de la terre
ferme. L'œil de l'adhérent de la théorie des radicaux immuables en -a,
-i, -u, voit dans le premier endroit la même plaine qu'auparavant,
dans le second la montagne d'autrefois, dans le troisième la mer, et
dans le quatrième, la terre ferme ». (« Zametka ob izmenjaemosti osnov
sklonenija, v osobennosti že o ix sokraščenii v pol'zu okončanij », *Russkij
Filologičeskij Vestnik*, XLVIII, dédié à F.F. Fortunatov (1902), p. 236).
Voir les mises en garde de Fortunatov contre la confusion ordinaire des
faits de grammaire contemporains et historiques dans sa communication
au Congrès des professeurs de langue de 1903, reprise dans l'ouvrage de
Fortunatov *Izbrannye Trudy*, II (Moscou, 1957), p. 439.
   Baudouin enseignait que « tout fait du langage devrait être considéré
à la lumière de son environnement spatial et temporel approprié.
Expliquer les phénomènes d'une langue donnée à une période déterminée de son développement au moyen des lois d'autres périodes ou
d'autres langues signifie n'avoir aucun sens de la réalité, signifie se
donner à soi-même un certificat incontestable d'incompétence ». (« Neskol'ko slov o sravnitel'noj grammatike indoevropejskix jazykov », *ŽMNP*,
CCXIII (décembre 1881), p. 281.

valents des éléments consonantiques mous peuvent se révéler
durs et vice versa, tout comme des éléments simples peuvent
se révéler complexes et inversement, etc. » (17). A partir de
la conférence de 1870 et de sa thèse de maîtrise de la même
année, Baudouin fit constamment remarquer « la disparité
entre la nature physique des sons et leur rôle dans le mécanisme de la langue, leur signification pour l'intuition linguistique des gens » (18). Comparant la structure phonique du
langage « et les tons musicaux », Baudouin insista sur le fait
que toute langue possède son « échelle phonique particulière »
et que, « dans des langues différentes, des sons identiques au
point de vue physiologique peuvent avoir des valeurs différentes selon la totalité du système phonique, c'est-à-dire selon
les relations qu'ils entretiennent avec les autres sons de la même
langue » (19). Parmi les équivalents phoniques d'un système
donné, « il faut tenir compte du son zéro comme unité phonétique minimale », c'est-à-dire qu'il faut également considérer
« ces relations dynamiques-statiques (correspondances, divergences) entre sons dans lesquelles un membre est un son d'une
certaine amplitude et l'autre un son infiniment petit, à savoir
zéro » (20).

Dans l'esquisse du premier cours de Kazan, que Baudouin
prépara durant ses études à Leipzig en 1873, il prête une
attention particulière « au mécanisme des sons, à leurs correspondances et à leurs relations dynamiques mutuelles fondées
sur l'association de la signification et du son ». Il propose de
considérer particulièrement « l'influence de certains sons sur le
sens et, inversement, l'influence du sens sur la qualité des
sons ». « Dans la totalité de la langue d'une personne ou d'une
nation » il met clairement en lumière le principe de « la relativité des catégories phoniques » et, en particulier « les
groupes parallèles de sons fondés sur leurs propriétés physiologiques distinctives », comme la distinction entre sons mous
et durs, voisés et non voisés, longs et brefs, accentués et inac-
centués, etc. ». « Sur la base de différences aussi diverses, les
langues développent certaines oppositions (*protivopoložnosti*) »
phoniques parallèles qui constituent le principal objet de la
« phonétique morphologique », puisqu'elles sont « intimement

---

(17) *Programma I*, p. 6 ; *II*, pp. 68, 84.
(18) *Programma I*, p. 6 ; cf. *ŽMNP*, pp. 301 sq. ; cf. *O drevnepol'skom
jazyke do XIV stoletija* (Leipzig, 1870), p. 39.
(19) *Programma I*, pp. 5, 8.
(20) *Programma II*, p. 85 ; cf. « Charakterystyka psychologiczna
języka polskiego », *Encyklopedya Polska*, vol. II, section III, 1ʳᵉ partie
(Cracovie, 1915), p. 168 (13 — « Element 'zéro' »).

liées au sens des mots et à celui de leurs parties » (21). Ces premières suggestions contiennent tous les éléments de base nécessaires à l'approche de la structure phonique de la langue telle que la linguistique l'envisage aujourd'hui en relation avec la logique mathématique. Ce n'était pas sans raison que Baudouin déclarait continuellement que la linguistique « se rapprocherait de plus en plus des sciences exactes » et qu'elle introduirait, à l'exemple des mathématiques, « une façon de penser toujours plus quantitative » et, d'autre part, « de nouvelles méthodes de pensée déductive ». De même que « les mathématiques réduisent les quantités infinies à des quantités finies qui peuvent être soumises à une pensée analytique », de même, selon Baudouin, « nous devrions attendre quelque chose de semblable pour la linguistique à partir d'une analyse quantitative parfaite » (22). Ce n'est pas un hasard si le linguiste tchèque J. Zubatý, qui ne voulait voir que les faits, accusait Baudouin de faire de l'algèbre plutôt que de la linguistique (23). Il est intéressant de noter que Ferdinand de Saussure, qui tendait vers la position de Baudouin, rêvait lui aussi d'une expression « algébrique » des concepts et des relations linguistiques (24).

Aussi comprend-t-on que, dans ses recommandations méthodologiques sur la façon de décrire les systèmes linguistiques, Baudouin ait tenu compte dès le début non seulement de l'aspect qualitatif mais aussi de l'aspect quantitatif-statistique des sons et « pourcentages des divers sons dans une langue donnée » et dans son « utilisation quotidienne ». La classification des langues slaves sur la base des oppositions accentué/inaccentué et long/bref que Baudouin donna dans ses cours de 1877-1878 constitue un résultat remarquable de « l'analyse qualitative » des phénomènes phonétiques et de leur fonction (26). Ce classement reste fondamentalement valide malgré les modifications importantes apportées à la délimitation prosodique des groupes individuels. Selon la division de Baudouin, on trouve

---

(21) « Programma čtenij po obščemu kursu jazykovedenija v primenenii k arioevropejskim jazykam voobšče, a k slavjanskim v osobennosti », *Otčety, I*, pp. 128 sq. (cf. note 10).

(22) *Zarys historii jezykoznawsta czyli lingwistyki (glottologii)* = *Poradnik dla samoukow*, Series III, vol. II, N° 2 (Varsovie, 1909), p. 267 sq. Cf. aussi « Ilosciowosc w mysleniu jezykowym », *Symbolae grammaticae in honorem Joannis Rozwadowski, I* (Cracovie, 1927), pp. 3-18.

(23) Cf. R. Jakobson, « Jan Baudouin de Courtenay », *Slawische Rundschau*, I (1929), p. 812.

(24) Voir Godel, *op. cit.*, pp. 44, 49.

(25) *Otčety*, p. 128 ; *Programma I*, p. 5.

(26) *Programma II*, pp. 133 sq. ; 143-145.

les deux oppositions dans les dialectes serbo-croates ; dans les dialectes slovènes, l'opposition long/bref n'a été maintenue que sous l'accent ; dans les dialectes bulgares et slaves de l'Est, l'opposition accentué/inaccentué a été conservée alors que l'autre a été perdue ; l'inverse est vrai dans les dialectes tchèques et slovaques : on n'a conservé que l'opposition long/ bref ; et les deux oppositions ont été perdues dans les dialectes lusacien et polonais. Sans hésiter, Baudouin pose la question et y répond : « Pourquoi, à quelle fin, différents peuples utilisent-ils l'accent ? » Il vit fort bien que la stabilisation de l'accent entraîne l'impossibilité d'exprimer des oppositions morphologiques par l'opposition accentué/inaccentué. Il comprit qu'avec la perte de sa « signification morphologique » l'accent des dialectes slaves de l'Ouest ne subsiste que comme propriété anthropophonique et non comme procédé morphologique. D'autre part, il signale qu'un accent fixe joue le rôle de « ciment phonétique » qui lie les syllabes en mots, tout comme le fait l'harmonie vocalique dans les langues ouralo-altaïques (27). Baudouin s'occupe de la question des relations entre les moyens et la fin non seulement au plan statique mais aussi dans une perspective historique. Il assigne des phénomènes tels que la stabilisation de l'accent à la catégorie des changements phonétiques que l'on peut caractériser comme « la perte de la signification des sons » (*zatrata znamenatel'nosti zvukov*) (28). Il mentionne parmi les facteurs qui entraînent une stabilisation de l'accent des processus purement phonétiques et « l'analogie, c'est-à-dire l'assimilation des mots l'un par l'autre » (29) (qui joue un rôle si important dans les interprétations données par les linguistes polonais contemporains, surtout par Kuryłowicz, aux phénomènes historiques d'accentuation). Finalement, Baudouin tient compte de « l'influence probable des langues étrangères sur la perte de la quantité et de l'accent mobile dans certaines langues slaves », c'est-à-dire la perte de « l'opposition entre voyelles longues et brèves et entre voyelles accentuées et inaccentuées » (30) ; de même, il considère l'influence modificatrice des langues étrangères sur les systèmes grammaticaux, par exemple la restructuration balkanique du bulgare (31). Baudouin tend constamment à interpréter « les lois dynamiques de base » en termes de « mouvement orienté »

---

(27) *Programma I*, p. 7 ; *II*, pp. 87, 149 ; *Glottologičeskie* (*lingvističeskie* zametki (repris de *Filologičeskie Zapiski*. 1877), chap. I.
(28) *Otčety XXX*, p. 136.
(29) *Programma II*, p. 133.
(30) *Programma I*, p. 47 ; *II*, pp. 143-147.
(31) *Programma II*, p. 145.

(*stremlenija*) (32). Il fut amené à rejeter la théorie de l'arbre généalogique de Schleicher et la théorie dite des « ondes » de J. Schmidt : les deux doctrines sous-estimaient en effet le caractère social, systématique et « orienté » de la langue ainsi que l'importance du croisement dans les relations entre les langues. Ces deux théories, malgré leur opposition mutuelle, contenaient un mythe commun sur le langage comme organisme : « simplement, pour Schleicher, le langage était fait de bois, et pour Schmidt, d'eau » (33).

L'étude des équivalents linguistiques de la matière phonique brute a inévitablement conduit Baudouin au problème des « particules phonétiques indivisibles », à la recherche « des atomes phonétiques, composants phonétiques des mots » et à une comparaison de « l'unité phonétique du langage avec l'atome comme unité de la matière et avec 1 comme unité des mathématiques » (34). Ces recherches entrèrent dans une nouvelle phase en 1878 quand, alors âgé de vingt-sept ans, le linguiste polonais Mikołaj Kruszewski (1851-1887) vint à Kazan pour travailler à sa thèse sous la direction de Baudouin de Courtenay. Kruszewski, qui enseigna trois ans à Troick, une ville de district de la province d'Orenbourg, afin d'épargner de l'argent pour étudier sous la direction de Baudouin, confessait en 1876 qu'il ne savait pas ce qui aurait pu « l'attirer d'une manière aussi magnétique vers la linguistique que le caractère inconscient des forces du langage », souligné par Baudouin dans sa leçon inaugurale de 1870. C'est précisément en rapport avec « l'idée d'un processus inconscient » que Kruszewski ressentit une inclination particulière pour les « conceptions logiques du langage », et l'examen de la linguistique à la lumière de la logique l'amena à soulever la question de savoir si « la linguistique possède une loi générale — et si oui, laquelle — qui serait également applicable à tous les phénomènes qu'il étudiait » (35).

Durant plusieurs années, la collaboration entre les deux grands linguistes fut si étroite que, dans de nombreux cas, il n'est guère possible de savoir lequel a le premier introduit telle ou telle nouvelle thèse. Dans les deux cours, partiellement publiés, de Baudouin, pour l'année académique 1880-1881 — Grammaire comparée des langues slaves et Phonétique et

---

(32) *Programma I*, p. 59.
(33) *Programma II*, p. 126 sq.
(34) *Ibidem*, pp. 68, 73.
(35) Voir *Prace Filologiczne, III* (1891), pp. 138 sq. Cf. ŽMNP, 1871, sur le rôle de « la généralisation inconsciente » et de « l'abstraction inconsciente » du langage.

morphologie du russe —, cette symbiose scientifique est
particulièrement frappante (36). Voici ce que Baudouin
déclare lui-même dans une note intitulée *Suum cuique,* en
rapport avec les problèmes linguistiques de ses cours imprimés
sur la grammaire comparée : « Les idées présentées plus haut
sur la façon dont il faudrait considérer les relations entre sons
sont, pour autant que je le sache, entièrement nouvelles en
linguistique. Mais elles ne sont ma propriété personnelle que
jusqu'à un certain point. (...) M. Kruszewski, qui a suivi mes
conférences et pris part à mes cours depuis 1878, a conçu
l'idée de formuler tout ceci avec plus de précision. M. Kruszewski a développé dans l'introduction de sa thèse de maîtrise
ses propres idées à ce sujet plus exactement et plus scientifiquement que je ne l'ai fait dans mes conférences. (...) Le
caractère plus scientifique de la présentation de M. Kruszewski
réside dans son analyse strictement logique de concepts généraux, dans sa façon de séparer ces concepts en leurs parties
constituantes, dans la spécification des traits propres aux
diverses alternances et dans la cohérence logique générale de
l'ensemble de son système. On doit également mettre au crédit
de M. Kruszewski sa tentative de mettre ainsi au jour de
véritables lois phonétiques, c'est-à-dire des lois qui ne présen-
teraient pas d'exceptions. C'est seulement parce que M. Kruszewski a formulé et présenté ses idées d'une manière aussi
précise que leur élaboration et leur développement ultérieur
sont possibles » (37). Ainsi ce fut l'élève qui essaya de persuader
son professeur de ce que, ce qui est indispensable, « à côté de
la science actuelle du langage », « c'est une autre [science],
plus générale, quelque chose comme la phénoménologie », et de
ce que « l'on peut trouver dans le langage lui-même des bases
solides pour une telle science » (Lettre du 3 mai 1882). Il
avait compris que les principes énoncés par les néogrammai-

---

(36) *Nekotorye otdely* « *sravnitel'noj grammatiki* » *slavjanskix jazykov,*
repris de *Russ. Filol. Vestnik,* V (1881) ; *Otryvki iz lekcij po fonetike i
morfologii russkogo jazyka, I,* repris de *Filol. Zapiski* (1881-1882). La
seconde série n'a jamais paru, mais V. Bogorodickij a publié le
programme de cette partie des exposés de Baudouin dans *Prace Filologiczne,* XV, 2ᵉ partie (1931), pp. 476 sq. Cf. également le remarquable
volume des leçons de Baudouin de 1879-1880 : *Iz lekcij po latinskoj
fonetike* (Voronež, 1893), publié tout d'abord dans *Filol. Zapiski* de
1884-1892. Il est intéressant de constater que, durant cette période,
Baudouin passa de la publication de programmes à la publication de
cours.

(37) *Nekotorye otdely,* pp. 74 sq. (ici, chap. XI)). Voir l'aveu ultérieur
de Baudouin : « Nous avons finalement perdu le fil, et il devient difficile
de distinguer ce qui a pris naissance dans nos esprits et ce qui est venu
des autres ».

riens étaient, dans cette perspective, soit inadéquats, soit insuffisants (38).

Malgré leur caractère inégal, dû à la jeunesse de l'auteur, les quelques travaux publiés de Kruszewski, qui, sous leur forme russe ou allemande, parsemée de polonismes, s'efforçaient d'atteindre le maximum de précision dans l'expression, sont en vérité pleins de lumineuses anticipations sur la théorie du langage, d'hypothèses de travail neuves et fécondes et de pénétrantes observations. Même si, à la lumière du développement ultérieur de la science, on peut déceler dans les écrits du jeune Kruszewski certains détails naïfs ou dépassés, on y trouve d'autre part de nombreuses idées qui font partie des perspectives linguistiques actuelles ou même de demain, en particulier dans son audacieux essai de donner un *Profil* général *de la science du langage* (39) et dans l'introduction théorique de sa thèse de maîtrise (40). Il publia lui-même cette introduction à Kazan dans une version allemande revue, parce que les journaux scientifiques d'Allemagne avaient condamné le manuscrit, jugeant que le travail traitait « plus de méthodologie que de linguistique » (41). En fait, ils refusèrent de la publier parce que, comme Baudouin le déclara plus tard, « elle introduisait en phonétique un nouveau principe de recherche, et l'écrasante majorité des chercheurs craignent les nouveaux principes comme le feu » (42).

Développant l'idée de son maître sur la limite entre l' « anthropophonie », qui s'occupe « des conditions physiologiques dans lesquelles les sons sont produits aussi bien que de leurs propriétés acoustiques » (43), et le domaine véritablement linguistique, grammatical, de la phonétique, Kruszewski reconnut que pour ce dernier le terme « son » est inadéquat et trompeur. Dès lors il lança, selon le témoignage de Baudouin, le terme « phonème », « emprunté à Saussure », qui l'utilisait

---

(38) Voir *Prace Filologiczne,* III (1891), p. 139.
(39) *Očerk nauki o jazyke* (Kazan, 1883). Le compte rendu de Baudouin voyait dans ce livre « le fruit d'une pensée originale et habituée à l'analyse logique » ainsi qu'un enrichissement de la littérature linguistique mondiale par de nouvelles idées (Izv. Kazanskogo Universiteta, XIX 51883, p. 233).
(40) *K voprosu o gune. Issledovanie v oblasti staroslavjanskogo vokalizma,* repris de *Russ. Filol. Vestnik* (1881).
(41) *Uber die Lautabwechslung* (Kazan, 1881).
(42) Cf. W. Radloff, « Die Lautalternation und ihre Bedeutung für die Sprachentwicklung, belegt durch Beispiele aus den Türksprachen », *Abhandlungen des 5. Internat. Orientalisten-Congresses gehalten zu Berlin in 1881* (Berlin, 1882).
(43) *Prace Filologiczme, III,* p. 134 ; cf. *Nekotorye otdely,* pp. 75 sq. ; M. Kruszewski, *Lingvističeskie zametki,* repris de *RFV* (1880), p. 4.

toutefois dans un sens différent (44). Kruszewski écrivait :
« Je propose d'appeler « phonème » l'unité phonétique (c'est-à-
dire ce qui est phonétiquement indivisible) par opposition au
« son », l'unité anthropophonique. Le profit et le caractère
indispensable d'un tel terme (et d'un tel concept) sont évidents
a priori » (45).

Dès 1880, Kruszewski publiait un compte rendu enthousiaste
du *Mémoire* de Saussure avec une déclaration d'introduction
disant que dans toutes les branches des sciences naturelles
de tels travaux auraient causé un grand choc et suscité un
certain nombre de nouveaux travaux, alors qu'en linguistique
les merveilleuses découvertes de Saussure étaient passées presque inaperçues et que, dans les journaux russes, le nom de
l'auteur était resté inconnu. C'est apparemment dans ce compte
rendu que le terme « phonème » apparut pour la première
fois dans le vocabulaire slave, avec une note spéciale indiquant
que « ce mot peut être utilisé avec profit comme le terme
désignant l'unité phonétique, alors que le mot « son » pourrait
désigner une unité dans ce qu'on appelle la physiologie des
sons » (46). Comme dans le *Mémoire,* la base d'une telle unité
est la « correspondance » ou, selon ce commentaire polonais
de Baudouin, « une manifestation de lien étymologique, à
travers les langues ». Mais, à côté de la correspondance entre
plusieurs langues, « nous avons aussi la correspondance interne,
le lien étymologique dans une seule langue » (47). Ce sont
précisément de telles alternances « de sons phonétiquement
différents mais étymologiquement apparentés » que Baudouin
étudia dès le début de son travail linguistique. Il amena à ces
problèmes l'esprit strictement analytique de Kruszewski qui,
selon le témoignage de son maître, arriva à présenter la théorie
des alternances sous une forme « bien plus philosophique,
concise et précise » (48). Les alternants coexistant « simultanément dans une seule et même langue » (49), « il est néces-

---

(44) *Nekotorye otdely,* p. 75.
(45) *Über die Lautabwechslung,* p. 14. Cf. *K voprosu o gune,* p. 10.
Notons à propos de cette innovation terminologique et d'autres similaires
introduites par Kruszewski qu'à la soutenance de sa thèse de maîtrise,
après les contradicteurs officiels, N.D. Šestakov, l'inspecteur du district
de Kazan, prit la parole et protesta contre ce qui était, selon lui,
« des innovations inappropriées de la terminologie technique » ; et il
termina ses objections en s'opposant à une publication de la thèse sans
restitution du 'signe dur' dans l'orthographe, *Izv. Kazanskogo Universiteta* (1881), N° 3, *Zametki,* p. 2.
(46) « Novejšie otkrytija v oblasti ario-evropejskogo vokalizma » *Lingvističeskie zametki,* I, pp. 1, 8.
(47) « Próba teorii alternacji fonetycznych », *Rozprawy Wydziału
Filologicznego Polskiej Akademii Umiejętności,* XX (1894), pp. 242 sq.
(48) *Ibid.,* p. 224.
(49) *Ibid.,* p. 242.

saire pour comprendre convenablement le statisme du langage » — comme le soulignait Baudouin dans son compte
rendu louangeur de la thèse de maîtrise de Kruszewski (50) —
« de définir et d'étudier non seulement les sons pris individuellement, mais aussi leurs alternances ». D'autre part, de
tels alternants « peuvent être dérivés historiquement d'une
source commune » (51) ; les alternances font donc l'objet d'un
examen diachronique et fournissent, comme nous dirions aujour-
d'hui, des données importantes pour « une reconstruction
interne ». La double approche de ces deux linguistes dans
l'étude des alternances correspond manifestement à la signification de celles-ci pour la linguistique. Comparant les alternances phoniques du slave avec le *guna* sanskrit, ils découvrirent les méthodes de description de Pāṇini et de son école.
Dans sa critique de l'étude des alternances, Baudouin repro-
chait d'une part aux savants indiens un manque d'interprétation génétique, et trouvait d'autre part que la linguistique
occidentale « n'avait pas prêté l'attention qu'elle mérite au
concept même d'alternance, c'est-à-dire à la coexistence (*das
Nebeneinander*) », et il blâmait les néogrammairiens allemands
et Saussure pour leur approche exclusivement génétique (52).
Bien que cela semble aujourd'hui paradoxal à la lumière des
conceptions ultérieures de Saussure, il faut noter qu'en 1891
encore il enseignait dans ses premiers cours à Genève que
« tout dans la langue est histoire, c'est-à-dire qu'elle est un
objet d'analyse historique, et non d'analyse abstraite, qu'elle
se compose de *faits* et non de *lois,* que tout ce qui semble
organique dans la langue est en réalité contingent et complètement accidentel » (53).

L'essence de l'alternance résidant avant tout dans la coexistence des sons, ou *das Nebeneinander,* comme le soulignait
Baudouin, la classification des types d'alternances devrait se
faire du point de vue synchronique. Baudouin visait déjà une
telle classification dans ses premières conférences à Kazan (54),
et son disciple reprit sa tâche et la mit concrètement en application. Comme le reconnut son maître, « l'analyse des carac-

---

(50) *Učenye Zapiski Kazanskogo Universiteta* (1881), N° 3, pp. 19 sq.
(51) *Próba,* p. 238.
(52) *Ibid.,* pp. 220 sq. Baudouin, à qui les ouvrages de Pāṇini avaient
longtemps été familiers, rappelait souvent la haute considération qu'il
avait pour les réalisations des grammairiens sanskrits dans le domaine
de la linguistique descriptive : « Les grammairiens indiens ont été les
maîtres incomparables de la systématisation et de la classification des
faits qu'ils étudièrent ». (*Zarys XXX,* p. 112).
(53) Voir Godel, *op. cit.,* p. 38.
(54) Cf. *Programma I,* pp. 57-61 ; *II,* p. 85.

téristiques par rapport auxquelles il faut distinguer différentes
catégories d'alternances appartient de manière inaliénable à
M. Kruszewski et constitue une contribution véritablement
importante à la science. (...) M. Kruszewski doit cette méthode
non à l'étude de la linguistique mais à la logique moderne, qu'il
a complètement maîtrisée et qu'il sait appliquer avec succès à
l'examen des problèmes linguistiques donnés » (55). Baudouin
résuma cette systématisation dans sa monographie de 1893
sur la théorie des alternances, mais, dans ce travail, la doctrine
de Kazan perd son ancienne homogénéité logique. Malgré
toutes les incertitudes et tous les changements de la terminologie, qui découragent souvent le lecteur, on discerne clairement
dans la classification de Kruszewski et de Baudouin à la fois
les alternants « légués par la tradition », sans conditionnement
synchronique immédiatement décelable — non prévisibles,
comme dirait la théorie mathématique de la communication —
et, d'autre part, des alternants synchroniquement conditionnés,
et de ce fait, « membres prévisibles d'alternances actives, vivantes ». Ici la condition peut être l'environnement phonétique, la
position dans une unité grammaticale ou l'appartenance à une
catégorie grammaticale spécifique. Finalement, dans les alternances conditionnnées par l'environnement phonétique, que
Kruszewski appelait « alternances divergentes » ou « divergences », l'environnement phonétique soit ne conditionne qu'un
seul des alternants (par exemple, uniquement la consonne non
voisée finale dans l'alternance *lud/ludu* du polonais), soit
conditionne intégralement les deux alternants, c'est-à-dire qu'ils
sont, selon la terminologie actuelle, « en distribution complémentaire ». Baudouin nomme les alternances du dernier type
« divergences purement phonétiques », et il cite des exemples
russes de telles « variantes combinatoires » — c'est ainsi
qu'il les appellera plus tard — ou de tels « allophones »,
comme les baptisa B.L. Whorf : dans les formes *èta/èti,*
cel/cel'nyj, un *e* fermé devant une consonne palatalisée molle
alterne avec un ɛ ouvert dans les autres positions ; dans la
terminaison des mots *baly/koroli,* un *y* postérieur derrière
une consonne dure (non palatalisée) alterne avec un *i* antérieur
dans les autres positions (56).

Kruszewski et, à sa suite, Baudouin, qui accepta ses suggestions, comprirent tout d'abord le « phonème » dans son
aspect génétique comme un prototype commun d'éléments
« homogènes » dans différentes langues apparentées (c'est-à-

---

(55) *Učenye Zapiski,* p. 20.
(56) *Próba,* pp. 276 sq.

dire des sons dérivés d'un seul élément original faisant partie d'un patrimoine commun). Ensuite, ils inclurent naturellement aussi le prototype commun de ces éléments « homogènes » qui alternent à l'intérieur d'une langue (57), et finalement, au plan synchronique, ils considérèrent le « phonème » comme une unité linguistique qui sous-tend une alternance et qui, malgré toutes les différences entre alternants, occupe constamment une seule et même place dans l'ensemble morphologique. Baudouin essaya de trouver une définition commune, suffisamment large, qui recouvrît les diverses applications de ce terme ambigu : « Un phonème est une unité phonétiquement indivisible dès lors qu'on prend comme point de vue la possibilité de comparer les parties phonétiques du mot » (58).

Malgré toute l'ambiguïté du terme « phonème » tel qu'on l'utilisait dans les recherches de l'école de Kazan (59), on peut observer un glissement progressif : partant d'une approche historique et d'essais visant à chercher dans chaque type d'alternance « la somme des propriétés anthropophoniques généralisées d'une partie phonétique déterminée du mot », on en arrive au problème des invariants, en considérant plus particulièrement les alternances synchroniquement conditionnées ou, pour rendre le problème plus étroit et plus précis, en considérant uniquement les « divergences », et, finalement, les seules « divergences purement phonétiques ». Ce sont précisément ces alternances que Baudouin discute dans sa thèse-programme, laquelle, dans le fond, résume et développe l'idée exprimée dans son prologue de Saint-Pétersbourg de 1870 sur l'interaction des forces centrifuges et centripètes à tous les niveaux du langage (61) : « Nous devons mettre de côté les différences contingentes entre sons isolés et les remplacer par les expressions générales des sons variables, expressions qui sont pour ainsi dire les communs dénominateurs de ces variables » (62).

Il s'agissait de chercher, parmi ces alternances vivantes, un invariant objectif qui permette à l'analyste de désigner par un symbole celui des deux termes d'une alternance à partir duquel on peut déduire le second — « le substitut », selon Baudouin. Cette recherche de l'invariant fit l'objet d'une éla-

---

(57) *Nekotorye otdely*, pp. 58-61.
(58) *Ibid.*, p. 69.
(59) Baudouin reconnut lui-même cette ambiguïté. Voir *Nekotorye otdely*, pp. 70 sq.
(60) *Ibid.*, p. 69.
(61) *ŽMNP* (1871), p. 293.
(62) *Nekotorye otdely*, p. 67.
(63) *Próba*, p. 248.

boration nouvelle avec les essais « morphophonologiques » de N. Trubetzkoy et de ses continuateurs actuels dans les études slaves menées en Russie et aux Etats-Unis (64). Quelles que soient, parmi les significations évoquées plus haut, celles qu'on veut considérer en parlant de « phonème », Baudouin a décrit voici déjà longtemps la place de celui-ci dans le système de la langue et, parallèlement, dans l'analyse linguistique. Il tint compte de « la double division du langage humain ». La matière phonique est démembrée d'un point de vue « anthropophonique » : « La totalité du langage *audible* se divise en phrases *anthropophoniques* ; les phrases, en mots *anthropophoniques* ; les mots, en syllabes *anthropophoniques* ; les syllabes, en sons. » D'autre part, « du point de vue phonétique-morphologique, la totalité du discours suivi se divise en phrases, ou touts syntaxiques significatifs ; les phrases, en mots significatifs ; les mots, en syllabes *morphologiques* ou *morphèmes* » (unités indivisibles du point de vue morphologique), le terme « morphème » étant un néologisme de Baudouin sur le modèle de « phonème » (65). Baudouin prétendait plus loin que, si « un morphème peut se diviser en ses parties constituantes, alors ces constituants doivent lui être homogènes » ; Baudouin considérait avec raison que la division d'unités sémiotiques telles que les morphèmes en sons purement physiques constituait « un saut injustifié et illogique dans le processus de division » ; les morphèmes sont divisibles non en sons, mais

---

(64) Voir spécialement N. Trubetzkoy, « Gedanken über Morphonologie », *Travaux du Cercle linguistique de Prague*, IV (1931), pp. 161-163 ; également son *Das morphonologische System der russischen Sprache* (= *Travaux du Cercle linguistique de Prague*, V 2 (1934). Cf. A. Reformatskij, « O sootnošenii fonetiki i grammatiki (morfologii) », dans *Voprosy grammatičeskogo stroja* (Moscou, 1955) ; R. Avanesov, « Kratčajšaja zvukovaja edinica v sostave slova i morfemy », *ibidem* ; son « O trex tipax naučno-lingvističeskix transkripcij », *Slavia*, XXV (1956) ; M. Halle, *The Sound Pattern of Russian* (La Haye, 1960). Tous ces travaux reposent sur le vieux slogan de Baudouin : « Les contrastes morphologiques constituent probablement le point de départ des contrastes phonétiques » (*Nekotorye otdely*, p. 59).

(65) Comme le reconnaît Meillet lui-même, il emprunta le « joli mot » de Baudouin afin de rendre le terme sémantiquement plus étroit *formans* dans la version française de l'*Abrégé de grammaire comparée* de K. Brugmann publié en 1905 sous la direction de Meillet et de R. Gauthiot : voir A.A. Leont'ev dans *Izvestija AN SSSR, Serija literatury i*, XXV (1966), p. 331. Bien que le *Programma* de Baudouin de 1877-1878, dans lequel il n'utilise pas encore le terme « phonème », introduise le mot « morphème » (II, pp. 149, 155 = *Izv. Kazanskogo Universiteta*, novembre-décembre 1880, pp. 437, 443), il s'agit clairement d'une des dernières insertions (1880) dans la version originale ; elles furent, selon les propos de l'auteur, le résultat de l'intolérable lenteur de la publication (p. 1).

en unités sémiotiques minimales, c'est-à-dire en phonèmes (66).

Baudouin et Kruszewski bâtirent leur analyse concrète du langage en ses particules ultimes et indivisibles sur la comparaison — en partie consciente, en partie inconsciente — des unités morphologiques apparentées. Si, selon les conclusions de son critique de Kazan, Saussure « fit en fait de la morphologie la clé de la recherche phonétique » (67), on doit dire que la primauté de la morphologie fut plus renforcée encore dans l'analyse phonétique des deux linguistes polonais. Ainsi, comme nous l'avons vu, Baudouin fit sa magnifique découverte (qui même aujourd'hui n'est pas comprise par tous les linguistes) — la fusion des variantes combinatoires *y* et *i* du russe et du polonais en un phonème appelé *i mutabile* (68) — en comparant deux formes d'un seul et même morphème, à savoir les terminaisons nominales plurielles qui apparaissent derrière des consonnes dures et douces terminant le radical (69). La mise à jour « de la somme des propriétés anthropophoniques généralisées », comme dit Baudouin, la découverte des traits inva-

---

(66) Cf. *Programma II*, p. 68 ; *Nekotorye otdely*, p. 69 ; *Próba*, pp. 149-51.

(67) *Lingvističeskie zametki*, p. 5 ; de même Baudouin : « Le grand mérite de Saussure réside dans ce qu'il a insisté plus qu'on ne l'avait jamais fait sur *le lien entre les relations phonétiques et la structure morphologique des mots* » (Zarys, p. 220).

(68) Voir *Ob otnošenii pis'ma k russkomu jazyku* (Saint-Pétersbourg, 1912), pp. .5 sq. ; *Charakterystyka*, p. 171 : « [i, y] ont fusionné en un phonème que je symboliserai par le signe *im* (*i mutabile*) ». Dans son analyse du *i mutabile*, Baudouin examine le problème très étroitement, établissant le fait que « les facteurs conditionnants ici sont les représentations des consonnes, y compris zéro, alors que les représentations des voyelles sont les objets conditionnés » ; toutefois, « nous observons dans l'orthographe la relation opposée ». Il essaya de surcroît de déterminer le commun dénominateur des deux variantes de ce phonème : « La représentation des voyelles [non arrondies] accompagnées d'un rétrécissement maximum entre la langue et le palais » (*Ob otnošenii*, pp. 51, 126). Baudouin examine dans ses cours de 1880-1881 la question de savoir « quelles propriétés anthropophoniques d'une voyelle russe sont une fonction des consonnes et de sa position dans le mot ». Il signale qu'il utilisait « *fonction* dans son sens mathématique » : fonction = variable dépendante (*Otryvki*, pp. 83, 85). Kruszewski formula très clairement dans son seul article écrit en polonais le principe des variantes combinatoires des différents niveaux linguistiques : « Toute unité linguistique (...) apparaît dans le langage dans des environnements différents. (..) Toute unité de ce type change de forme selon l'environnement » (« Przyczynek do historii pierwotnych samogłosek długich », *Prace Filologiczne*, I, 1885, p. 91).

(69) Baudouin reçut probablement l'impulsion nécessaire en vue d'une telle découverte de la réponse de J. Mroziński à un compte rendu de son ouvrage *Pierwsze zasady gramatyki języka polskiego* (Varsovie, 1824) publié dans *Gazeta Literacka*. C'est à peu près la seule étude polonaise antérieure à laquelle Baudouin se réfère.

riants dans le *i mutabile* et dans les phonèmes en général, en
un mot, la libération de l'analyse phonologique de la « tutelle »
morphologique, n'est devenue possible qu'aujourd'hui, grâce au
perfectionnement des méthodes d'analyse distributionnelle et
à la décomposition des phonèmes en traits distinctifs.

C'est surtout Baudouin qui souleva le problème de la mise
à jour des phonèmes à partir de la diversité des variantes
combinatoires (autrement dit, contextuelles), alors que c'est
Kruszewski qui a reconnu et opposé l'un à l'autre d'un point
de vue théorique, dans *Očerk* et dans d'autres travaux, les
« faits de succession » dans une chaîne d'éléments et les « faits
de coexistence » à l'intérieur du système (70). La réalisation
de ce programme revenait cependant à l'avenir.

La linguistique historique également doit l'ouverture de nouvelles perspectives à la bicéphale école de Kazan, et surtout à
Kruszewski. Avec sa grande perspicacité, Baudouin vit l'immense portée du problème des alternances synchroniques, que
reprit Kruszewski, en introduisant « la coexistence des éléments homogènes à la place des 'transitions' ou des 'changements' de sons en autres sons » (71). A peu près un siècle
plus tard, la phonologie historique s'est précisément vue confrontée à la tâche de traiter les changements phonétiques en termes
d'alternance simultanée de variantes libres, facultatives, stylistiques, dans le système total de la langue (72).

Essayant de définir les phonèmes comme des « abstractions » ou « les résultats d'une généralisation, dépourvus des
propriétés positives inhérentes à la réalisation effective ou à
l'existence », Baudouin soulignait la légitimité d'une telle généralisation abstractive malgré les nombreuses objections soulevées un peu partout, à cette époque et plus tard.

Cette attitude devient compréhensible lorsqu'on observe
que, dès la leçon inaugurale de 1870, Baudouin avait déjà
prêté une attention particulière à l'importance qu'il y a à distinguer les deux aspects du langage qui sont liés et qui s'impliquent l'un l'autre. Il appela « langue » le premier aspect, à

---

(70) Alors que Kruszewski construisait son principe des deux axes
par rapport aux unités grammaticales, Baudouin signala justement que
la même distinction s'applique aux phonèmes et à leurs combinaisons :
« Nous trouvons ces deux systèmes dans chacun de ces domaines :
des séries, fondées sur l'association par similarité, et des séquences,
fondées sur l'association par contiguïté (*Prace Filologiczne*, III, p. 153).

(71) *Učenye Zapiski*, p. 19. « L'un existe à côté de l'autre ». (*Charakterystyka*, p. 187).

(72) On trouve quelques allusions suggestives à ce problème dans l'un
des derniers articles de Baudouin, « Fakultative Sprachlaute », *Donum
Natalicium Schrijnen* (Nimègue-Utrecht, 1929).

(73) *Nekotorye otdely*, p. 71.

savoir « le langage en tant que complexe rigoureux de constituants et de catégories données, complexe n'existant qu'*en
puissance* ». Le second aspect, « le langage en tant que susceptible d'être répété à l'infini », reçut le nom de « parole »
(reč'). Ce couple terminologique et conceptuel réapparut dans
les travaux de linguistique de ce siècle, en particulier, ceux
de Ferdinand de Saussure. Il n'adopta qu'à l'époque de ses
cours de linguistique générale (1906-1911) la distinction entre
la « langue », qui « existe en puissance chez chacun », et la
« parole », l'usage concret de ce système par un individu
donné. Les termes anglais correspondants introduits par Alan
Gardiner sont *language* et *speech* (74). Les concepts correspondants en théorie de la communication sont « code » et
« messages ».

Pour le jeune Baudouin, le phonème, comme n'importe
quelle autre catégorie linguistique, appartient à la « langue ».
Ce code n'est en aucune façon une pure invention de chercheurs ; il constitue la base de tout message parlé. « Les catégories linguistiques comme son, syllabe, radical, thème, désinence, mot, phrase, différentes catégories de mots, ont une
existence » réelle « dans la langue ». « La connaissance que
les gens ont de leur langue », c'est-à-dire tout ce que nous
appellerions aujourd'hui les opérations métalinguistiques ·de la
communauté linguistique, « n'est pas une fiction, une illusion
subjective, mais », comme l'observa Baudouin en 1870, « une
fonction véritable et positive que l'on peut définir par ses propriétés et ses actes, confirmée objectivement et prouvée dans
les faits » (75), puisque aussi bien, d'une façon générale, pour
ce réaliste qu'est Baudouin, « toutes les sciences constituent
fondamentalement une seule science dont l'objet est la réalité » (76).

Baudouin vit dans la règle de la rime du russe et du polonais
l'une des preuves décisives du fait que la communauté linguistique reconnaît l'unité du phonème : malgré le grand raffine-
ment technique des deux traditions poétiques, jamais aucun
poète ou critique n'a rejeté ou blâmé la rime entre la voyelle
postérieure *y* et la voyelle antérieure *i*, bien que l'orthographe
russe et polonaise rendent ces deux voyelles par deux lettres
différentes. Des rimes russes comme *pyl-il, pokryt'-ljubit'*,

---

(74) *ŽMNP*, pp. 314 sq. ; F. de Saussure, *Cours de linguistique
générale*, éd. par Ch. Bally et A. Sèchehaye (Lausanne-Paris, 1916),
Introduction, chap. III ; A.H. Gardiner, *The Theory of Speech and Language* (Oxford, 1932).
(75) *ŽMNP*, p. 295.
(76) *Ibid.*, p. 296.

koryto-razbito, ou polonaises comme *tyje-zmije, pychy-cichy, ty-šni, biłly-miły,* ont toujours été considérées comme irréprochables (77). Le problème de la réalité des phonèmes et de leurs composants devait occuper une place importante dans les discussions linguistiques à partir des années 1930 (78).

Avec S.S. Stevens, qui a mis en lumière de façon convaincante le rôle instrumental de l'invariance dans la pensée moderne, on a démontré le rôle important de cette catégorie en algèbre, en géométrie, en physique théorique et finalement aussi dans certains nouveaux courants de la psychologie (79). Mais c'est peut-être en linguistique que l'on peut trouver la contrepartie la plus frappante de ce concept et de son développement dans les sciences exactes. Durant les années 1870 et 1880, le concept d'invariance devint le principe dominant des mathématiques ; à la même époque apparurent les premières traces de la théorie des invariants linguistiques. Dans les mêmes Bulletins de l'université de Kazan — *Izvestija Kazanskogo Universiteta* — où presque un demi-siècle auparavant Lobačevskij avait publié son esquisse de la géométrie non euclidienne ou, comme il l'appelait, « la géométrie imaginaire », paraissaient alors les essais de Baudouin de Courtenay. Ce sont peut-être les plus audacieux qu'il ait jamais écrits : il y discutait ses premiers efforts pour faire apparaître les invariants phonologiques sous-tendant cette surface mouvante de la parole, riche d'un nombre incalculable de variations phonétiques combinatoires et facultatives. Dans cette ville provinciale de la vieille Russie, à la lumière d'une ancienne lampe à huile ou peut-être même d'une bougie, le jeune linguiste énonçait ses audacieuses prédictions selon lesquelles une description précise des équivalents physiques de ses invariants linguistiques ne serait possible qu'à partir du moment où l'analyse du langage passerait d' « observations et d'introspections grossières et macroscopiques » à des méthodes plus précises, expérimentales et microscopiques : « Il ne fait aucun doute que des inventions récentes comme le téléphone, le microphone ou le phonographe peuvent rendre de très importants services à l'anthropophonie ». Dès 1882, il était déjà

---

(77) *Ob otnošenii,* p. 127 ; *Charakterystyka,* p. 171.

(78) Cf. par exemple, E. Sapir, « La Réalité psychologique des phonèmes », *Journal de psychologie normale et pathologique,* XXX, pp. 247-265 ; W.F. Twaddell, *On Definig the Phoneme - Supplement to Language,* XVI (1935) ; R. Jakobson, M. Halle, « Phonology and Phonetics », *Fundamentals of Language* (La Haye, 1956) ou *Selected Writings,* I, pp. 464 sq.

(79) S.S. Stevens, « The concept of invariance », *Handbook of Experimental Psychology* (New York-Londres, 1951), pp. 19-21.

évident à Baudouin qu' « il serait hautement désirable d'inventer des instruments qui nous permettraient de contrôler les observations subjectives faites uniquement à l'aide de l'oreille », afin d'arriver à connaître « le côté le moins étudié, l'acoustique des sons du langage », ainsi que « les relations existant entre l'activité physiologique — ou le mode d'articulation — et le résultat physique comme fonction de cette activité. Au moyen de tels instruments, on transférera les sensations auditives (acoustiques) dans le domaine optique, qui est plus objectif : on traduira les sons par les formes visibles de mouvements déterminés » (80). Bloomfield répétera cette prédiction en 1934 : « On peut s'attendre à voir élaborer par des techniques de laboratoire au cours des prochaines décennies une définition physique (acoustique) de chaque phonème de n'importe quel dialecte. » Cela ne rencontra que scepticisme chez les linguistes et les phonéticiens, alors même que ces prophéties devaient se réaliser peu après en laboratoire (81).

Les critiques condamnaient Lobačevskij et Baudouin de Courtenay pour leurs « idées absurdes qui ne méritent pas l'attention ». A la même époque que Lobačevskij, le mathématicien allemand K.F. Gauss aboutit à des conclusions similaires, mais sa peur de la « furie béotienne » — comme il l'admit lui-même — l'empêcha de les publier. De même, certaines des idées de Baudouin étaient dans l'air, mais le radicalisme de ces innovations, le côté nettement hérétique de leur déviation par rapport au dogme linguistique dominant, horrifièrent les chercheurs qui étaient aux prises avec les mêmes problèmes compliqués. En fait, ce n'est pas un hasard si la lointaine Kazan, « perdue au fin fond de l'Est » (82), selon l'expression du premier étudiant de Baudouin, devint le berceau de ces deux doctrines audacieuses et révolutionnaires. Les

---

(80) *Otryvki,* pp. 4 sq., 61 sq. Baudouin se plaint de ce que les physiciens ne témoignent toujours « d'aucun intérêt pour de telles questions et que les linguistes soient dans une certaine mesure non préparés, qu'ils n'aient en partie ni le temps ni l'occasion, et qu'ils ne comprennent pas l'importance des expériences » menées dans cette section de leur discipline (p. 65).

(81) Voir W.F. Twaddell, p. 23. En général, on peut trouver dans les travaux de Baudouin de nombreux avant-goûts prophétiques de l'analyse actuelle de la parole. La question du phonème comme « généralisation de propriétés anthropophoniques », soulevée dans les cours de Kazan (*Nekotorye otdely,* p. 70), conduisit plus tard Baudouin à l'idée de la divisibilité du phonème « en plusieurs éléments que l'on ne peut plus diviser davantage ». Il proposa d'appeler ces éléments derniers les plus simples des « kinakèmes » (*Charakterystyka,* pp. 164 sq.). Le problème de la décomposition du phonème en ses composants ultimes discrets a été soulevé d'une manière concrète dans les recherches contemporaines sur les traits distinctifs.

endroits à l'écart constituent parfois un cadre idéal pour la création. Si ces idées furent publiées tout d'abord, selon l'expression de Kruszewski, « loin des centres de recherche de l'Europe occidentale, dans l'université la plus à l'est de la Russie » (83), c'est dans une large mesure dû au fait que les jurys académiques en étaient très éloignés et qu'on y craignait moins les critiques ; de cette façon, l'avant-garde audacieuse se voyait offertes de plus grandes possibilités.

Un proverbe dit qu'il ne sert à rien de découvrir l'Amérique trop tard, après Colomb, mais une découverte trop précoce peut se révéler non moins gênante, lorsque les moyens permettant de coloniser et d'exploiter les nouveaux territoires n'existent pas encore. Tel fut le sort des Vikings, qui, croit-on, ont péri au cours d'une expédition courageuse mais prématurée. Si les vagues de l'Atlantique n'ont pas englouti les précurseurs de la linguistique moderne du XIXᵉ siècle, leur existence porte néanmoins, elle aussi, la marque de la tragédie.

Le seul linguiste occidental qui ait entrepris des recherches systématiques sur des problèmes phonologiques à la même époque que celle des premiers essais du cercle de Kazan fut Jost Winteler (1846-1929), savant suisse de la même génération que les deux Polonais, qui publia en 1876 à Leipzig une monographie sur son dialecte natal intitulée *Die Kerenzer Mundart des Kantons Glarus in ihren Grundzügen dargelegt*. Cet ouvrage, longtemps oublié, ouvrait de nouveaux horizons aux recherches dialectologiques ainsi qu'à l'analyse phonétique et à la classification des sons du langage ; en outre, il fournissait la première description phonologique concrète dans l'histoire de la linguistique. L'auteur distinguait rigoureusement et systématiquement les « traits accidentels » (les variations) des « propriétés essentielles » (les invariants) au niveau phonique du langage. Pour découvrir et identifier ces invariants, il recourut à une technique appelée plus tard le « test de commutation », en observant si deux sons pouvaient, « dans les mêmes conditions » (*unter denselben Bedingungen*), différencier des mots de sens différent ; il montra par exemple le caractère phonologique des deux voyelles arrondies dans la paire d'opposés /štud/ « brindilles »-/štʏd/ « pilier ». Peu après l'apparition du livre du jeune savant suisse, l'actif phonéticien Henry Sweet, alors président de la Société philologique de Londre, le qualifia de « défi absolu » à la vieille école philologique allemande. A la même époque, Baudouin de Cour-

---

(82) N. Kukuranov, dans le journal *Kamsko-Volžskaja Reč'* (1914), n° 67 (Voir *Prace Filologiczne*, XV, 2ᵉ partie, p. 467).
(83) *Očerk*, p. 8.

tenay plaça ce livre sur la liste de lectures de ses étudiants
et il y trouva un nouveau stimulant pour sa propre recherche
d'une interprétation strictement linguistique des sons du langage. Ce travail précoce et immensément prometteur de Winteler se révéla toutefois son seul résultat positif. Dans ses
Mémoires désabusés, écrits en 1917 pour un journal suisse à
l'occasion de son soixante-dizième anniversaire, il dit s'être
senti persécuté toute sa vie par un destin cruel : « Bien que,
pendant des années, je me sois attaché avec obstination à mes
projets, quelque chose m'empêchait toujours de les mener à
terme. Les générations futures auront donc quelque chose à
faire. » Il était convaincu que, s'il avait commencé sans avoir
trop l'ambition de découvrir de nouvelles voies dans la recherche, il aurait terminé sa carrière comme professeur d'université
plutôt que comme obscur instituteur de province.

Baudouin de Courtenay, il est vrai, enseigna tour à tour aux
universités de Kazan, Dorpat, Cracovie, Saint-Pétersbourg,
Varsovie, et Prague, et rencontra la notoriété, mais aussi des
obstacles constants et désagréables qui le poussèrent partout
à chercher un nouvel emploi, comme l'atteste sa correspondance. Il ne réussit jamais à réaliser les études structurales
systématiques de langues particulières et du langage en général
qu'il avait projetées avec tant de passion durant sa jeunesse,
et, vers la fin de sa vie, il évoquait ce fait avec regret et
amertume. « Tous les désappointements que j'ai connus pendant tant d'années m'ont rendu pessimiste et m'ont enlevé
tout désir de vivre. Je me considère comme un homme superflu
et inutile » (85). Plus que les obstacles extérieurs et l'incompréhension dont faisaient montre les contemporains pour leurs
théories, ce qui provoquait chez ces grands pionniers un
sentiment lancinant de constante déception était la fatale impossibilité d'appliquer et de développer leurs idées nouvelles,
l'absence également, parmi les dogmes épistémologiques du
temps, d'une base théorique adéquate pour leurs inventions.

---

(84) « Erinnerungen aus meinem Leben », *Wissen und Leben* (1917),
pp. 525-547, 617-647.
(85) Voir *Sborník slavistických prací věnovaných IV mezinár. sjezdu
slavistů v Moskvě*, Prague, 1958, p. 121. Un quart de siècle auparavant,
Baudouin, ayant décidé de publier son essai de jeunesse de 1870 dans
Sborník pour F.F. Fortunatov (*Russ. Filol. Vestnik*, 1902), écrivait dans
la préface : « Nous étions alors jeunes et attendions beaucoup du futur ;
maintenant nous nous tournons vers le passé. Cette revue du passé
fait surgir en moi des sentiments amers. Du fait d'une incapacité à
travailler et à me concentrer, et à cause des circonstances de ma vie,
j'ai perdu mon temps sur des vétilles et, au lieu de réaliser quelque chose
de solide et qui mérite l'attention, je n'ai écrit que des fragments et
des ébauches ».

Aussi longtemps que l'approche génétique constituait le seul
principe reconnu par le monde de la science, une structure
finalisée comme le langage devait défier tout essai de description.
Comme le déclarait l'éminent penseur tchèque T.G. Masaryk,
la censure philosophique de l'époque « interdisait toute discussion ou question concernant la *fin* », bien que « le recours
abusif à la téléologie, surtout chez les théologiens, constituât
un argument contre les excès, mais aucunement contre la
téléologie » (86). En fait, la confusion entre téléologie et
théologie était une erreur typographique fréquente à cette
époque. Dans la conférence de 1870 où, pour la première
fois dans l'histoire de la linguistique moderne, Baudouin présentait les problèmes fondamentaux de la phonologie, il se
sentit obligé d'identifier « orientation véritablement scientifique » et « orientation historique, génétique » et de refuser
tout intérêt à la téléologie : « Le développement de la science
procède par des questions comme 'pourquoi ?' » (et non : 'à
quelle fin ?') et par des réponses comme 'parce que' (et non :
'dans le but de') » (87). Le phonème et les autres catégories
linguistiques introduites par Baudouin et Kruszewski étaient
des concepts nettement fonctionnels, et ce ne fut pas chose
aisée de les intégrer au schéma génétique. Kruszewski ressentit
de façon particulièrement aiguë que le but dernier de la linguistique résidait dans la découverte de lois gouvernant les phénomènes linguistiques, et que les travaux des linguistes, depuis
Bopp jusqu'aux temps modernes, n'avaient fourni qu'un fondement insuffisant pour une telle définition. En effet, « l'orientation archéologique en linguistique » ne peut remplacer la
recherche en linguistique générale ; tout au plus peut-elle être
une simple superstructure pour la science du langage encore
à construire (88).

Kruszewski persévéra dans sa recherche d'une solution
mais la courte période de collaboration féconde entre les deux
linguistes arrivait à sa fin. Le voyage de Baudouin à l'étranger
durant l'année académique 1881-1882 et son départ définitif
de Kazan en 1883, la maladie chronique et incurable de Kru-

---

(86) *Naše doba*, VIII, pp. 823 sq. Cf. R. Jakobson, « Jazykové pro-
blémy v Masarykově díle », *Vůdce generací* (Prague, 1931), p. 104.
(87) *ŽMNP* (1870), pp. 279, 294. La finalité des phénomènes linguistiques attira néanmoins plus d'une fois l'attention du jeune Baudouin
Voir ses conclusions sur le « sens interne » et le « but organique » de
phénomènes tels que l'harmonie vocalique dans les langues touraniennes
et dans les dialectes réziens de Slovénie : « Glottologičeskie (lingvističeskie)
zametki », I, *Filol. Zapiski* (1876), p. 11. « A quelle fin, dans quel but,
utilisaient-ils l'accent ? » se demande Baudouin à propos de l'évolution
prosodique qu'ont subie les peuples germaniques (*Programma II*, p. 133).
(88) *Uber die Lautabwechslung*, p. 3.

szewski, qui le frappa l'année suivante, et sa mort prématurée
en 1887, tous ces faits privèrent Baudouin de ce collaborateur
irremplaçable et hors du commun. Une note profondément
tragique pour l'homme et le savant résonnait dans les paroles de
Kruszewski après la première crise de la maladie qui devait l'em-
porter : « Oh ! comme j'ai traversé rapidement la scène » (89).
La peur causée par la mort de son compagnon de lutte amena
Baudouin à déprécier, dans le souvenir qu'il gardait de Kruszewski, l'importance de sa perte pour le monde scientifique et pour
lui-même, et, fatigué, il abandonna ce à quoi ils étaient parvenus tous deux (90). Cette longue notice nécrologique avec
le jugement sévère porté sur son collaborateur défunt constitue un document humain douloureux, qui évoque étrangement
la littérature du type « accusateur » en vogue chez les nihilistes
russes dans les années 1860. Plus tard, Baudouin essaya de
tempérer la certitude passionnée dont étaient pénétrés leurs
premiers travaux, comme si l'importance des progrès réalisés
ensemble l'avait effrayée et qu'il enterrait toute la période créative de Kazan en même temps que Kruszewski. Il est caractéristique de constater que, dans un recueil rassemblant ses premiers travaux et publié en 1904 sous le titre *Szkice jezykoz-
nawcze*, l'un des premiers articles était sa longue nécrologie
de Kruszewski. Il y introduisit également ses articles d'étudiant
et ses notices de Berlin, de même que des travaux de la
fin des années 1880 et 1890, mais ne reprit ni son manifeste de 1870 ni l'ensemble de l'œuvre linguistique de Kazan,
mis à part quelques comptes rendus de slavistique. On
relève une différence frappante entre les années de Kazan et
la période d'activité scientifique qui suivit. Baudouin cessa de
publier les programmes et des extraits de ses cours, ce qu'il avait
fait régulièrement à Kazan, et, à la fin du siècle, aucun nouvel
adhérent ne vint grossir les rangs de ce cercle de Kazan (*ling-
vističeskij kružok*, comme l'appelaient Baudouin et ses étudiants (91)), qui remplissait les revues du temps de déclarations sur les problèmes généraux du langage. Dès juin 1886,
dans une lettre à W. Radloff, Baudouin évoque « la déception
amère » qu'il éprouva durant la première période de son activité scientifique et va jusqu'à déclarer « que la prétendue école
de Kazan n'a été que du vent ».

« La linguistique doit être reconnue comme une discipline

---

(89) *Prace Filologiczne, II* (1888), p. 847.
(90) « Mikolaj Kruszewski, jego życie i prace naukowe », *Prace Filologiczne*, II (1888), pp. 837-849 ; III (1891), pp. 116-175.
(91) V. Bogorodickij, « Kazankij period professorskoj dejatel'nosti I.
A. Boduèn-de-Kurtenè » *Prace Filologiczne*, XV, 2ᵉ partie, p. 466.

autonome à ne pas confondre avec la physiologie ou la psychologie. » Cette déclaration d'indépendance que, dès le départ, Baudouin proclamait dans sa leçon inaugurale de Saint-Pétersbourg (17-29 décembre 1870) était entièrement justifiée par les besoins de la discipline ; plus tard, toutefois, il sacrifia à l'esprit du temps et n'obéit pas lui-même à son propre cri de guerre. La place des recherches fonctionnelles en matière de sons, recherches sur lesquelles le jeune Baudouin avait si fortement mis l'accent, fut occupée dans ses cours ultérieurs par ce qu'il appelait la « psychophonétique ». Son principal objet d'intérêt n'était plus constitué par les relations entre son et sens, mais bien uniquement par l'aspect mental des sons. Alors que, dans ses premiers travaux, Baudouin comprenait ce qu'on appelle la « phonétique proprement dite » comme un pont entre l'étude des sons et la grammaire, maintenant il concevait la « psychophonétique » (si nous acceptons son programme littéralement) comme un pont entre la phonétique et la psychologie. Lorsque, en 1873, il avait proposé une division de la phonétique en une partie « acoustico-physiologique » et une partie « morphologique », il était déjà enclin à identifier la sphère morphologique et la sphère psychologique (92). Ce n'est pas un hasard si cette identification apparaît pour la première fois dans le programme tracé à Leipzig par le jeune savant, au moment où dans cette ville se développait l'école des néogrammairiens. Ceux-ci décrivaient les phénomènes d'analogie comme « psychologiques » par opposition à la nature prétendument « physique » des changements purement phoniques. Baudouin suivit les cours d'August Leskien, eut de fréquentes conversations avec l'éminent cofondateur de l'école de Leipzig, et c'est peut-être à lui qu'il dut sa dichotomie psycho-physique (93).

Ce qui, chez le jeune Baudouin, n'avait été qu'une imprécision terminologique créa plus tard une dangereuse confusion de concepts et de méthodes. En dépit de son audace et de son originalité dans le traitement des données linguistiques, ses conceptions philosophiques et psychologiques ne dépassèrent jamais les doctrines apprises d'une façon scolaire ni les idées dominantes du temps. Puisqu'à la fin du XIXᵉ siècle on consi-

---

(92) *Otčety*, p. 129.
(93) Cf. *Otčety*, p. 124. Karol Appel, l'autre collaborateur polonais de Baudouin, fit remarquer dans son article « Neskol'ko slov o novejšem psixologičeskom napravlenii jazykoznanija », *Russkij Filol. Vestnik*, **VI** (1881), pp. 100, 102, l'existence d'une certaine influence des cours de Leskien sur le développement du courant psychologique en linguistique ainsi que la nette distinction établie par l'école de Leipzig entre les aspects psychologiques et physiologiques du langage.

dérait comme hérétiques les tentatives pour définir les unités linguistiques du point de vue de leur fonction, du caractère et de la quantité d'information qu'elles véhiculent, Baudouin tenta une définition génétique du phonème. S'efforçant de légitimer ce concept essentiellement, fonctionnel, il rencontra le difficile problème du statut épistémologique du phonème : quelle est la modalité d'existence propre à cette entité, et à quel domaine de la réalité convient-il de l'assigner ?

Plus tard, Baudouin eut la certitude qu'il avait trouvé la solution du problème en faisant passer le concept de phonème dans le champ de représentation linguistique consciente de l'individu. De cette manière, le phonème, unité intrinsèquement linguistique, composant fondamental de la communication verbale en société, fut enfoui dans la jungle de l'introspection individuelle. En outre, dans le développement ultérieur de sa doctrine, le langage lui-même connut un destin analogue : le langage, le plus important instrument de communication interpersonnelle (ou, comme le définissait Sapir, « grande force de socialisation, probablement la plus grande qui soit »), fut relégué dans le domaine de la psychologie individuelle. Dans ses derniers ouvrages, Baudouin considère « les processus individuels » comme la seule réalité du langage, alors que son aspect social est flétri comme une pure fiction, dépourvue d'existence objective, ou comme une construction artificielle.

On se trouve ici en présence d'un des nombreux paradoxes frappants de cette fin de siècle : Baudouin de Courtenay, le père d'un des concepts centraux de la linguistique moderne, était convaincu qu'il avait fourni une définition théorique satisfaisante du phonème en le caractérisant comme « l'équivalent psychique d'un son » (94) ou, d'une manière plus précise, comme « la fusion en un ensemble monolithique de représentations groupant les images motrices de la parole et celles des nuances acoustiques correspondantes — ces deux séries d'images étant unies en un tout par l'image d'une *simultanéité* entre effectuation de l'action et perception des impressions acoustiques » (95). Il édifia de cette façon une conception quasi génétique du phonème en opposant celui-ci, en tant qu'image psychique (ou intention), au son, sa réalisation physique.

Sans considérer l'inconvénient qu'il y a à transférer les problèmes phonologiques de la terre ferme de l'analyse linguistique dans la zone nébuleuse de l'introspection en les rendant dépendants d'inconnues telles que les impulsions psychiques du locu-

---

(94) *Próba*, p. 234.
(95) *Charakterystyka*, p. 163.

teur, nous trouvons ici deux prémisses injustifiées. Tout d'abord n'apparaît pas clairement la raison pour laquelle les images articulatoires et auditives seraient reliées uniquement aux phonèmes, alors qu'en fait la parole interne met en jeu non seulement des invariants mais aussi des variantes. Par exemple, la différence entre [y] et [i] dans les mots polonais et russes *byl* et *bil* peut exister dans l'introspection en dépit du fait que ces voyelles ne sont pas des phonèmes, mais des variantes combinatoires (96). Le choix entre les variantes d'arrière et d'avant précède la réalisation effective. Les variables phonétiques et les invariants phonologiques sont tous deux présents dans la parole interne, par exemple le phonème vocalique étroit non arrondi et ses réalisations d'avant et d'arrière dans les deux exemples polonais et russes cités plus haut. Il n'y a donc aucune raison d'opposer un phonème psychique et un son physique.

Assurément, le psychologisme dépassé de Baudouin n'était au fond qu'un camouflage destiné à justifier ses découvertes aux yeux de ses contemporains et à ses propres yeux : lui aussi était fils de son époque. Ce camouflage, toutefois, empêcha l'auteur de trouver sa voie parmi ses propres découvertes et de tirer les conclusions qui s'imposaient. Le concept de phonème, dans sa nouvelle définition, perdit beaucoup de sa valeur opératoire et ne put trouver d'application concrète dans la recherche linguistique du temps, non plus que la tentative pour donner à « morphème » le sens de « partie d'un mot dotée d'une vie psychique autonome ». Dans les ouvrages linguistiques ultérieurs de Baudouin, le concept de phonème perd sa signification originale et fondamentale, et, ici et là, on peut découvrir l'équation « phonèmes, ou sons », qui nous ramène au temps de Dufriche-Desgenettes.

Des traits isolés d'une pénétration étonnante se trouvaient néanmoins disséminés dans ses derniers écrits, et le noyau central de ses découvertes restait enfoui dans ses travaux et dans ses cours. Ses meilleurs étudiants de la période de Saint-Pétersbourg, comme L.V. Ščerba et E.D. Polivanov, inspirés par les nouveaux courants culturels du début de siècle, réussirent à extraire ce noyau de tout le superflu qui l'entou-

---

(96) *Próba*, p. 234.

(97) *Próba*, p. 238. Il est caractéristique que dans les vingt-deux « thèses générales » par lesquelles Baudouin résuma son autobiographie scientifique pour le *Kritiko-biografičeskij slovar*, V (1897) de S.A. Vengerov, aucune place n'était attribuée à ses recherches phonologiques, tout comme il n'abordait pas ces problèmes dans son *Zarys historii jezykoznawstwa* (1909).

rait et à trouver une application empirique aux pressentiments de leur maître en matière de phonologie (98).

D'autre part, Ferdinand de Saussure, qui, au cours de la dernière décennie du XIXᵉ siècle, et surtout au début du XXᵉ, s'est attaqué avec résolution aux problèmes fondamentaux de la linguistique générale, assimila le contenu essentiel de la théorie élaborée par Kruszewski et le jeune Baudouin. Ses premières notes sur le sujet mentionnaient les deux savants polonais dans la liste des quelques noms « qui devraient être cités » lorsqu'on discute les contributions essentielles à la théorie du langage (99). En 1908, alors qu'il travaillait à son cours de linguistique générale, Saussure esquissa un compte rendu du premier exposé systématique de la doctrine de Genève, que son étudiant A. Sechehaye venait de publier (100). Saussure commençait par l'observation que les essais antérieurs dans le domaine de la linguistique théorique — depuis Humboldt jusqu'à H. Paul et Wundt — n'avaient rien apporté, sinon des matériaux bruts, alors que « Baudouin de Courtenay et Kruszewski étaient plus près que personne d'une vue théorique de la langue, cela sans sortir des considérations linguistiques pures ; ils sont d'ailleurs ignorés de la généralité des savants occidentaux » (101). De fait, à l'époque où le linguiste genevois attribuait une importance internationale à Kruszewski, le nom de ce chercheur mort vingt ans auparavant était totalement oublié aussi bien par le monde universitaire slave comme par celui d'Occident ; quant aux idées de Baudouin, elles demeuraient ignorées du corps scientifique international. Saussure étudia avec soin la théorie du langage élaborée par les deux linguistes, que l'histoire a unis pour toujours, et dans ses cours, édité en un livre posthume par Bally et Sechehaye, l'enseignement de Baudouin et de Kruszewski lui fournit l'occasion de discuter des dichotomies fondamentales comme la statique et la dynamique linguistiques (ou, selon la formulation favorite de Baudouin et de Saussure, la « cinématique ») ; « immuta-

---

(98) L. Ščerba déclarait : « Baudouin lui-même soulignait qu'il avait recours à des étiquettes psychologiques parce que l'état contemporain de la science rendait impossible l'utilisation de toute autre terminologie (..) Il me semble que les théories linguistiques de Baudouin peuvent être débarrassées facilement de leur psychologisme et que tout restera en place ». (*Izvestija po russkomu jazyku i slovesnosti AN SSSR*, III, p. 315).

(99) Voir « Notes inédites de F. de Saussure », *Cahiers Ferdinand de Saussure*, XII (1954), p. 66.

(100) *Programme et méthodes de la linguistique théorique* (Paris-Leipzig-Genève, 1908).

(101) Voir Godel, *op. cit.*, p. 51.

bilité » (*) et « mutabilité » (*) et, parallèlement, « l'éternel antagonisme entre une force conservatrice, fondée sur des associations par contiguïté, et une force progressive fondée sur des associations par similarité » (« solidarité avec le passé » (*) et «ᐸinfidélité au passé » (*)) (103) ; « langue » (*) et « parole » (*) ; forces centrifuges et centripètes dans le langage (« force particulatrice » (*) et « force unifiante » (*)) ; le tout cohérent du système et ses parties ; association par similarité, par exemple, « les liens de parenté » (« solidarité associative » (*) ou « groupement par familles » (*)), par opposition aux « liens de contiguïté avec des éléments concomitants » (solidarité syntagmatique » (*)) ; enfin, la « paire inséparable » du *signans* et du *signatum — oboznačajuščee* et *oboznačaemoe* (« signifiant » (*) et « signifié » (*)) (104). Les déclarations générales sur le raccourcissement des radicaux au profit de la terminaison (ou « le processus de l'absorption morphologique », pour utiliser l'expression de Kruszewski) lancées par Baudouin et longuement développées par son disciple dès ses années d'étudiant, entrèrent telles quelles dans les cours de linguistique générale de Saussure de 1906-1907 (105).

Manifestement, Saussure fit également sienne la tendance de Kruszewski et de Baudouin dans l'approche de l'aspect phonétique du langage. Quand, à la fin des années 1890, Saussure affirme que, dans les formes *srutos, sreumen, srewo,* « le phonème *u* nous apparaît sous deux formes acoustiques » (106), il essaie d' « entrevoir l'unité dans la diversité » (107), tout comme Baudouin lorsque celui-ci découvrit le *i mutabile*. Il est intéressant de noter que les formulations ultérieures de Baudouin sont étroitement analogues aux cours de linguistique générale de Saussure, où le phonème est défini comme une unité psychique complexe qui unit les images de l'acte articulatoire et celles de l'effet acoustique (108). Saussure semblait toutefois hésiter devant l'ambiguïté du terme « phonème », lequel était encore utilisé par les linguistes français au sens donné par son inventeur, Dufriche-Desgenettes. Dans son troisième et dernier cours, il suggère qu'il serait plus prudent

---

(*) En français dans le texte
(102) *Cours de linguistique générale.*
(103) *Očerk,* pp. 124 sq. ; *Prace Filologiczne,* III, pp. 152 sq.
(104) *Očerk,* pp. 65 sq.
(105) Voir Godel, *op. cit.,* p. 61 Cf. Baudouin, *Szkice językoznawcze,* pp. 176-248 ; *RFV* (1902), pp. 234-248 ; *Prace Filologiczne,* III, pp. 121-124.
(106) *Cahiers Ferdinand de Saussure,* XII (1954), pp. 52 sq.
(107) Godel, *op. cit.,* p. 64.
(108) *Ibid.,* pp. 161, 272.

d'omettre de l'analyse du signe linguistique ᴜes termes tels que « phonème » (*), « qui contient l'idée d'action vocale, de parole » (109). Cependant, en rejetant le terme que Kruszewski et Baudouin lui avaient emprunté auparavant et qu'ils avaient utilisé d'une façon nouvelle, Saussure n'enterrait en aucune façon l'idée d'invariants linguistiques élémentaires qu'il avait originellement exprimée par ce terme et à laquelle les deux linguistes polonais ouvraient de larges perspectives par leurs recherches. Saussure insistait dans ses cours sur la nécessité de dresser avant toute chose « le système phonologique de l'idiome qu'on aborde (*) (110). Les composants de ce système, « les unités phonologiques irréductibles, ᴏu éléments phoniques de la langue », constituent un ensemble fini à l'intérieur de tout système donné.

Dans ses cours de 1906-1907, le linguiste genevois caractérise la structure de ces composants linguistique d'une manière très claire : « La véritable manière de se représenter les éléments phoniques d'une langue, ce n'est pas de les considérer comme des sons ayant une valeur absolue, mais avec une valeur purement oppositive, relative, négative » (111). Le cours de 1908-1909 donne plus de précision à ce sujet : « Les unités phonologiques (...) sont investies d'une valeur. » Cette valeur est, « d'une part, le corollaire de leur opposition interne à tout élément du même ordre à l'intérieur d'un système fermé », et, d'autre part, le résultat de leur « groupement syntagmatique » (112).

Tous les détails de cette conception, y compris la terminologie, trouvent leur source dans les discussions de Kazan. Si l'intérêt de Saussure pour les éléments phonologiques se révèle lié avant tout aux problèmes de la méthode de reconstitution,

---

(*) En français dans le texte
(109) *Ibid.*, p. 162.
(110) *Ibid.*, p. 164.
(111) Voir *ibid.*, pp. 65, 165, 272. Comme l'a montré R. Godel, Saussure évite d'appeler ces unités des phonèmes, bien que les éditeurs de l'édition posthume de son Cours de linguistique générale aient introduit ce terme en plusieurs endroits « sans raison » et de manière trompeuse.
(112) Voir *Cahiers Ferdinand de Saussure*, XV (1957), pp. 58 sq., 83 sq. Il faut remarquer que Saussure ne se limite pas à un examen des « chaînons irréductibles » de la chaîne sonore (Godel, *op. cit.*, pp. 80, 256), mais qu'il considère ᴜ.alement les « éléments différentiels » (« de différenciation ») dont ces cʜ... ᴎ᎐ᴜ se composent (*ibid.*, pp. 54, 163 ; *Cours*, p. 70), en dépit du ꜰait que cette phase de l'analyse phonologique entre en conflit direct avec son « principe de linéarité » (cf. Godel, *op. cit.*, p. 203 sq.). L'allusion de Saussure, tout comme la discussion de Baudouin des « kinakèmes », constitue un préliminaire à « l'analyse componentielle » de la phonologie contemporaine.

cela est en accord avec le rôle du terme « phonème » dans son *Mémoire* sur le système vocalique indo-européen et les préoccupations comparatives et historiques de Baudouin et de Kruszewski. L'édification d'un pont entre les problèmes diachroniques et synchroniques dans le système phonologique était cependant tout aussi inévitable pour Saussure qu'elle l'avait été pour ses précurseurs polonais. Dans ses cours de 1907-1908, il se sent obligé de fournir une réponse affirmative à la question de savoir si l'on peut assigner aux « unités irréductibles » une certaine valeur dans le plan synchronique de la langue, même si, selon une note d'un étudiant, « M. de Saussure ne veut pas trancher la question » (113). De même, sa première attitude à l'égard de la question des alternances, qui lient le niveau phonique au niveau grammatical, correspond entièrement à la « tradition de Kazan ». Au milieu des années 1890, peu après la parution de la monographie de Baudouin sur les alternances, Saussure nota que « la morphologie aura à s'occuper des sons dans la mesure où le son est porteur d'idée (alternance) » (114), et il soulève sans cesse dans ses cours de linguistique générale le problème des divers degrés de « significativité » (*) des unités phonologiques en alternance (115). Dans des cours sur la grammaire comparée du grec et du latin (1909-1910), Saussure, en accord avec les conceptions de Baudouin, envisage « l'étage inférieur de la morphologie » — à savoir, le niveau phonique de la langue dans sa relation au niveau grammatical, et spécialement à la structure du mot (116). L'examen par Saussure des unités élémentaires « contribuant à constituer des unités significatives » (117) donne lieu à une des thèses centrales de son livre posthume : « Ce qui importe dans le mot, ce n'est pas le son lui-même, mais les différences phoniques qui permettent de distinguer ce mot de tous les autres, car ce sont elles qui portent la signification » (118).

(*) En français dans le texte
(113) *Cahiers*, XV, p. 58.
(114) Godel, *op. cit.*, p. 41.
(115) Cf., par exemple, *Cahiers*, XV, pp. 62-64.
(116) Godel, *op. cit.*, p. 166.
(117) *Cahiers*, XV, p. 58.
(118) *Cours*, p. 169. Il n'est pas surprenant que beaucoup de choses du *Cours* de Saussure paraissaient très familières aux étudiants de Baudouin. Ščerba écrivait en 1945 : « Ainsi, beaucoup de ce que Saussure disait dans l'exposé profond et élégant qui fut livré en 1916 au public et suscita un enthousiasme universel, nous était déjà connu depuis longtemps par les écrits de Baudouin. Certains d'entre nous sont néanmoins prêts à attribuer à Saussure, dans une certaine mesure, la doctrine même du phonème » - *Izbrannye raboty po jazykoznaniju i fonetike* (Leningrad,

C'est l'Anglais Henry Sweet (1845-1912) et le Français
Paul Passy (1859-1939), collaborant étroitement et de façon
remarquable en linguistique appliquée, qui fournirent le modèle
de cette affirmation de poids. Dans le courant des années 1870,
Sweet élabora deux systèmes de transcription phonétique : la
transcription dite « romaine large » (*Broad Romic*), qui ne
montre que les distinctions les plus importantes entre sons
(c'est-à-dire les différences qui permettent de distinguer les
significations dans la langue donnée) et la notation dite « romaine
étroite » (*Narrow Romic*), susceptible de montrer tous les
types de distinctions avec une grande précision (119). Dans
son idée d'un double système de transcription, Sweet se servit
de l'expérience de son prédécesseur, le phonéticien Alexandre
John Ellis (1814-1890), qui avait mis au point deux types
d'alphabets phonétiques : le « glossique », qui ne reflète que
les distinctions essentielles pour la langue donnée, et le « glo-
sique universel », qui montre toutes les distinctions phonétiques indépendamment des langues particulières. Il est intéressant de noter que Baudouin, dans ses efforts pour distinguer
systématiquement les sons des phonèmes, proposait dans ses
cours de Kazan l'introduction de deux systèmes différents de
transcription phonétique : l'un pour les sons et l'autre pour
les phonèmes sans considérer les variantes. « Il serait souhaitable », écrivait-il, « de distinguer nettement les signes réservés
aux phonèmes de ceux réservés aux sons, pour faire apparaître
d'un seul coup d'œil ce dont on parle » (120). Pendant la
période de Kazan, Baudouin ne connaissait apparemment pas
les travaux de Sweet sur ce sujet, mais sa bibliographie destinée
aux étudiants de Kazan mentionne l'un des ouvrages
d'Ellis (121).

Au cours de leurs tentatives pour réformer l'orthographe
traditionnelle et la faire correspondre davantage à la langue
parlée, Sweet et Passy comprirent la nécessité de ne retenir

1958), p. 14 ; cf. ses *Izbrannye raboty po russkomu jazyku* (Moscou,
1957), pp. 94 sq. On trouve une déclaration semblable dans la préface
du livre de Polivanov, *Za marksistskoe jazykoznanie* (Moscou, 1931),
pp. 3 sq. : « Le livre posthume de F. de Saussure, que beaucoup
reçurent ici comme une sorte de révélation, ne contient à proprement
parler rien de neuf dans la présentation et la solution qu'il offre des
problèmes linguistiques généraux en comparaison de ce que Baudouin
et son école ont réalisé ici il y a longtemps ».
(119) H. Sweet, *Handbook of Phonetics* (Oxford, 1877), pp. 103 sq.
Dans la préface de son *History of English Sounds* (Oxford, 1888), p. X,
Sweet caractérise la Notation large comme « une sorte de représentation
algébrique où chaque lettre représente un ensemble de sons similaires ».
(120) *Nekotorye otdely*, p. 71.
(121) *Programma II*, p. 100 ; A. J. Ellis, *Universal Writing and Prin-
ting with Ordinary Letters.*

dans l'écriture que « ces éléments de la parole qui possèdent une valeur sémantique ». Dans son discours de 1887 devant la société française pour la réforme de l'orthographe, Passy déclarait : « Nous distinguerons deux sons quand ils servent ou peuvent servir à distinguer deux mots ; d'autre part, nous ignorerons les différences superflues du point de vue du sens. » L' « Association phonétique internationale », fondée en 1886 comme la Société des professeurs de phonétique et dirigée principalement par Passy et Sweet, adopta en 1888 un certain nombre de mesures concernant la construction et l'application d'un alphabet phonétique international. Selon la première de ces règles, « une lettre distincte doit correspondre à chaque son distinctif, c'est-à-dire à chaque son susceptible de changer le sens d'un mot si on l'utilise à la place d'un autre » (122). De même, dans un opuscule intitulé *The Practical Study of Language* paru en 1900, Sweet déclarait explicitement que « nous devons distinguer entre les différences phoniques sur lesquelles reposent des différences de sens — différences phoniques significatives — et celles qui ne sont pas significatives ». Dans sa concision, cette définition différentielle, considérée par Sweet comme « principe de bon sens » et conçue « à des fins pratiques », fournit plus tard la base théorique d'une analyse strictement linguistique des sons du langage. Selon le témoignage de Léonard Bloomfield, c'est également cette définition qui l'amena à utiliser et à reconnaître la phonologie.

Au début de notre siècle, Baudouin et ses disciples de Saint-Pétersbourg se rapprochèrent de ce courant pratique franco-britannique. En 1900 commença une intense correspondance entre Sweet et Baudouin, lequel s'intéressait vivement à l'époque à la question des relations entre écriture et langage (123). En 1908-1909, le jeune Ščerba (1880-1944) vint à Paris, entra en contact avec les dirigeants de l'Association phonétique internationale et leur montra que le concept de « son distinctif » requérait un fondement méthodologique plus assuré, du type décrit par Baudouin dans sa recherche de l'essence du phonème. Plus tard, sous l'influence de Passy, dont il suivit les cours à la Sorbonne, Ščerba fonda la défini-

---

(122) *The Phonetic Teacher* (août 1888). Passy appelait le principe qui consiste à n'indiquer que les différences phoniques distinctives « la règle d'or du phonéticien empirique ».

(123) Baudouin qui, depuis sa première remarque « sur l'emploi de l'alphabet romain dans l'aire des langues slaves » (1865), n'avait cessé d'étudier les problèmes linguistiques relatifs à l'écriture et à l'orthographe, travailla durant ses années de professorat à Saint-Pétersbourg sur la relation entre la langue russe et son orthographe. Il consacra plus tard son livre *Ob otnošenii* à ce problème.

tion même du concept de phonème sur sa fonction distinctive (124). Les conversations de Ščerba avec Meillet (1866-1936), disciple de Saussure à Paris, confirmèrent ce dernier dans sa conviction que le phonème était indispensable aux opérations linguistiques (125) et donnèrent d'autre part au disciple russe de Baudouin un certain nombre d'indications précieuses pour l'analyse systématique de la structure du langage, dont Ščerba se servit dans ses travaux sur les systèmes phoniques du russe et du lusacien (126). Pour le phonéticien londonien Daniel Jones, « l'importance considérable » de la théorie du phonème élaborée par Baudouin lui apparut clairement après la lecture de la brochure de Ščerba, publiée en 1911 par l'Association phonétique internationale, et après que Tytus Benni, disciple polonais de Baudouin, l'eut personnellement initié à la doctrine de ce dernier (127). Enfin, grâce aux études de Polivanov sur la théorie des phonèmes appliquée aux langues orientales, et au japonais spécialement, les

---

(124) Dans son *Court exposé de la prononciation russe,* publié en 1911 par l'Association phonétique internationale, Ščerba signale que, dans son tableau des sons du russe, il présente « les sons qui ont une valeur significative (c'est-à-dire les phonèmes, dans la terminologie de Baudouin de Courtenay) en caractères gras et les nuances qui n'ont aucune valeur significative en caractères ordinaires » (p. 2). Dans l'introduction de son livre *Russkie glasnye v kačestvennom i količestvennom otnošenii* (Saint-Pétersbourg, 1912), Ščerba se réfère à l'*Exposé des principes de l'Association phonétique internationale* (1908), écrit par P. Passy, « l'un des rares phonéticiens qui ait entièrement compris l'idée simple concernant la nécessité qu'il y a à distinguer « les éléments significatifs d'une langue » des sons qui n'ont aucune valeur distinctive ». Il cite la conception de Passy selon laquelle deux sons qui « ne jouent pas le rôle de constituants sémantiques » ne sont pas « différents du point de vue linguistique » (p. 10). Plus loin, Ščerba essaye de « donner une définition définitive du phonème : il s'agit du nom donné à la représentation phonétique générale la plus petite qui, dans la langue donnée, peut être associée à des représentations sémantiques et différencier des mots » ; il indique que le phonème est pertinent pour la constitution phonétique du mot (p. 14).
(125) Dans son compte rendu du livre de Ščerba *Russkie glasnye,* Meillet louait l'auteur parce qu'il suivait Passy et qu'il insistait avec sagacité sur la nécessité de distinguer les différences phonétiques significatives des nombreuses différences dépourvues de valeur sémantique - *Bulletin de la Société de linguistique,* CXIII (1912).
(126) Dans la préface de son livre *Russkie glasnye,* Ščerba déclarait que la conception des phénomènes linguistiques qu'il avait acquise sous l'influence de contacts longs et étroits avec Baudouin de Courtenay s'était considérablement renforcée à la suite des cours et des conversations avec Meillet, qui lui montrèrent « comment deux savants qui, en des points différents du monde, travaillaient sur un matériel totalement différent, étaient parvenus, tout à fait indépendamment, à ce qui était, dans une large mesure, une conception identique des phénomènes linguistiques » (p. VII).
(127) D. Jones, *The History and Meaning of the Term « Phoneme »* (Londres, 1957).

idées de Baudouin atteignirent rapidement la linguistique japonaise et, de là, par l'intermédiaire de K. Jimbo et de son interprète H.E. Palmer, firent leur entrée dans la linguistique anglaise.

Ainsi, à l'aube de la première guerre mondiale, le monde scientifique se familiarisa avec les préoccupations de Baudouin sous leurs divers aspects. L'époque où paraissait le *Cours* posthume de Saussure était très favorable à la diffusion progressive de ses principes directeurs. Dans l'atmosphère de fermentation intellectuelle qui dominait le monde après la première guerre mondiale, on pouvait accepter les idées issues de cet ouvrage plus facilement qu'à toute autre époque antérieure, et peu importait de savoir si elles constituaient toutes des découvertes originales de l'auteur ou si — comme c'était le cas pour beaucoup d'entre elles — d'autres précurseurs de la linguistique moderne les avaient formulées préalablement (voire prématurément). En dépit du singulier va-et-vient entre tradition et nouveauté dans la recherche de Saussure, en dépit également de ses hésitations lorsqu'il discutait de « la valeur linguistique considérée dans son aspect matériel » (incertitudes accrues plus tard lorsque les éditeurs remanièrent sensiblement les notes d'étudiants utilisées pour la reconstruction du *Cours* du maître), le lecteur découvrit dans ses idées le tournant scientifique essentiel. Un tel tournant était indispensable pour que la théorie des unités phonologiques devienne une conception active et opératoire, et pour que la linguistique puisse procéder à l'analyse phonologique systématique de toute langue donnée. Au cours du siècle dernier, la recherche des invariants linguistiques prit son essor parallèlement à l'application croissante de l'invariance dans les sciences exactes. Les historiens des mathématiques affirment qu'on n'a saisi toute l'importance du concept d'invariance qu'à partir du moment où il fut corroboré par la théorie de la relativité généralisée (128). Cette observation s'applique également à l'histoire de la linguistique. Il est véritablement significatif que la même année 1916 vit la parution des *Fondements de la théorie générale de la relativité* et du *Cours* de Saussure qui insistait (d'une manière véritablement révolutionnaire dans ses conséquences) sur le caractère purement relatif des composants linguistiques. De nouveaux exemples vinrent illustrer plus tard le parallélisme frappant entre le développement de la linguistique et celui des sciences exactes.

---

(128) Voir, par exemple, E.T. Bell, *The Development of Mathematics* (New York et Londres, 1945), chap. 20.

Le concept clé de la relativité des traits phoniques utilisés par une langue donnée, leur dépendance à l'égard de la totalité structurée du système phonologique de la langue, et le problème apparenté des oppositions phonologiques, toutes ces idées, Baudouin les avait en fait comprises et ébauchées dans ses années de jeunesse ; Saussure fut toutefois le premier à bâtir sur ces bases la véritable conception d'un système linguistique. C'est pourquoi, s'ajoutant aux anticipations de Baudouin et de Kruszewski, la version saussurienne de ces thèmes donna le branle aux recherches poussées en phonologie générale et particulière qui prirent leur essor dans le monde à partir de 1920, et qui ont continué à se développer rapidement depuis lors. Il est significatif qu'au stade actuel de la discipline, tant à l'Est qu'à l'Ouest, on assiste de nouveau à la discussion — à un autre niveau, toutefois — des deux thèmes corrélatifs qui avaient intéressé les deux précurseurs polonais de la phonologie : la question des invariants au plan diachronique et l'analyse des alternances. Le traitement du problème de l'invariance et de la variation dans le domaine des sons du langage reste, *mutadis mutandis,* le modèle méthodologique pour tous les autres champs de l'analyse linguistique.

De nos jours, le linguiste trouve un stimulant toujours nouveau dans le travail de pionniers de Baudouin et de Kruszewski, et il faudrait rassembler et republier leur héritage afin de le rendre accessible au lecteur contemporain.

CHAPITRE XI

L'IMPORTANCE DE KRUSZEWSKI
DANS LE DEVELOPPEMENT
DE LA LINGUISTIQUE GENERALE*

La linguistique polonaise, vers la fin du siècle dernier, a donné à la science mondiale deux théoriciens de génie : Baudouin de Courtenay (1845-1929) et Kruszewski (1851-1887). Elève et collaborateur de Baudouin, le second dépassa son maître par le sens philosophique, la solidité et la précision de la méthode rigoureusement analytique, comme le reconnut Baudouin lui-même.

Mikołaj Habdank Kruszewski, né à Luck, en Voynie, après avoir terminé ses études secondaires à Chelm, entra à la faculté d'histoire et philologie de l'université de Varsovie. Son orientation scientifique se précisa dès ses premières années universitaires. Bien qu'inscrit à la section historique de la faculté d'histoire et de philologie, « il se consacrait fort peu à l'histoire et concentrait son travail sur la philosophie », selon le récit biographique fait, après sa mort, par Baudouin de Courtenay. Ce n'est pas un hasard si, dans ses thèses de 1881, Kruszewski déclara en premier lieu que la tâche principale de la linguistique « n'est pas de reconstruire le tableau du passé de la langue, mais de découvrir les lois des phénomènes linguistiques », ce qui implique que, en vertu de sa nature méthodologique même, la linguistique se rapproche non pas des sciences « historiques », mais des sciences « naturelles ».

C'est à la même année 1881 que remonte l'affirmation analogue de Baudouin, selon laquelle la tâche de toute véritable science « consiste à libérer l'objet de l'analyse de tout carac-

---

(*) Extrait de *Ricerche Slavistiche*, vol. XIII, Rome, 1965, traduit par Jacqueline Risset et revu par l'auteur à la lumière du texte russe original.

tère 'casuel' et arbitraire dans l'établissement d'une 'régularité' et d'une 'légitimité'. De ce point de vue, toutes les sciences qui s'occupent de confronter les points particuliers et à les reconduire au général seront 'naturelles', lorsqu'elles mettront au premier plan la cohérence et la régularité latentes qui se dessinent dans les phénomènes ; quand au contraire elles se fonderont seulement sur le casuel et sur le particulier, elles seront 'historiques' (dans le sens où cette épithète s'applique au titre de la prétendue 'histoire universelle'). En considérant les choses de cette façon, on s'apercevra qu'en dehors des sciences naturelles et des mathématiques, il n'y aura de place pour aucune autre science effective ». Mis à part les changements ultérieurs intervenus dans sa façon de considérer ces problèmes, Baudouin dut reconnaître lui-même que la thèse foncière de Kruszewski « constitue jusqu'à un certain point une 'particularité autonome' de ce dernier ».

L'intérêt principal du brillant étudiant de Varsovie se concentra sur la logique et sur la psychologie ; le professeur M. M. Troickij, admirateur fanatique de la pensée anglaise, de Bacon à Locke, à Hume, à Mill et à Bain, en exposa à fond la méthodologie et la problématique à son élève Kruszewski. D'après les mémoires de Baudouin, en effet, « très importante fut sa lecture approfondie des œuvres fondamentales de logique et de psychologie des philosophes anglais, son habitude de les résumer, de les réélaborer, etc. (...) Ce fut là une excellente école de pensée et un aiguillon à la formulation exacte de ses propres réflexions, et aussi à l'heureuse réduction des points particuliers au général ».

Un autre professeur de Kruszewski à Varsovie, un spécialiste de la philologie slave et du folklore, M. A. Kolosov, « ayant remarqué chez le jeune étudiant une inclination pour la linguistique jointe à des capacités peu communes, (...) lui conseilla d'essayer, au sortir de l'Université, de se rendre, pour se perfectionner dans ce domaine, à Kharkov auprès du linguiste et folkloriste renommé A. A. Potebnja » — avec qui Kolosov lui-même avait fait ses études — « ou bien à Kazan auprès de Baudouin ». La thèse de Kruszewski, *Les Formules magiques russes comme genre de poésie populaire,* écrite sur un thème recommandé par Kolosov, terminée au début de l'année 1875 et publiée en 1876 dans les *Izvestija* de l'université de Varsovie, fait déjà apparaître tous les traits essentiels de sa personnalité scientifique : l'originalité créatrice et la pénétration, une attention concentrée sur les « fondements logiques » de la langue et de la pensée à tous les niveaux culturels, une fine sensibilité à l'égard des problèmes linguistiques et, dans le cas spécifique, à l'égard de la parole dans sa fonction magique ainsi qu'une passion pour la question des « procédés stéréotypiques » caractéristiques de la langue et du folklore.

Tandis qu'il enseignait à l'école de Troick, une lointaine ville de la province d'Orenbourg, et qu'il accumulait peu à peu des ressources pour ses études de linguistique sous la direction de Baudouin, il relut en 1876 l'un des travaux remarquables de ce dernier, la leçon inaugurale de Saint-Pétersbourg *Sur la linguistique et la langue,* qu'il avait déjà vainement cherché à s'assimiler au début de ses études universitaires, en 1871, au moment de la publication, qui avait eu lieu en février de la même année. Cette fois, le jeune Kruszewski fut particulièrement attiré par les observations de Baudouin sur les diverses « forces opérant dans la langue » et, le 30 septembre 1876, il écrivait à l'auteur :

« Cela vous fera sans doute sourire, que je me sente déjà attiré, pour ainsi dire avant même de commencer les études linguistiques, vers des considérations philosophiques ou plutôt logiques sur la linguistique, mais cela est dû en réalité non pas au fait que je suis sur le point de m'occuper de linguistique, mais au fait que je m'occupe depuis longtemps de philosophie (...). Or je ne sais ce qui m'entraîne ainsi, comme magnétiquement, vers la linguistique, si ce n'est le caractère inconscient des forces de la langue ; c'est seulement à présent, en effet, que je me suis aperçu qu'en énumérant ces forces, vous ajoutiez toujours le terme *bessoznatel'nyj* (inconscient). Cela m'intéresse beaucoup, car cela rejoint une idée qui me tourne depuis longtemps dans la tête, l'idée d'un processus inconscient en général, une idée radicalement différente de la pensée de Hartmann. Pour éclaircir cette différence, je me suis appliqué durant ces vacances à une pesante et fastidieuse étude de la philosophie de Hartmann, dans le remaniement de Kozlov. A présent, naturellement, la place de Hartmann a été prise par les cahiers de mes élèves, mais j'espère revenir encore à lui. Il y a une autre chose qui m'intéresse infiniment. La linguistique a-t-elle une loi générale, et, si oui, quelle est-elle, pour qu'elle puisse être également appliquée à tous les phénomènes de la langue. Une loi générale, comme par exemple en psychologie la loi d'association, car sans loi générale, comme l'affirme avec raison la logique, la science ne saurait être science. N'existe-t-il pas quelque ouvrage, ou quelque article, où la linguistique soit considérée au point de vue de la logique, de la façon dont sont considérées par exemple les autres sciences à la fin du second volume de la *Logique* de Mill ? S'il existe quelque chose de semblable, et si vous ne considérez pas qu'il soit nuisible de commencer mes études par la fin, je vous prie de m'en informer. »

Ce qui apparaissait déjà dans ce remarquable document était l'attitude typique que Kruszewski observera dans tous ses travaux linguistiques par rapport à la logique des processus inconscients, et aussi cette tendance constante que Baudouin définira comme une « voracité de s'emparer des lois ». Et c'est justement dans sa thèse fondamentale sur la possibilité et la nécessité d'une science dont la fin ultime serait la découverte des lois qui règlent les phénomènes linguistiques, que réside le lien intime de Kruszewski avec la pensée linguistique de nos jours. La ferme conviction que « la langue représente un tout harmonique », les efforts continuels pour découvrir la loi interne dans ce que Kruszewski définissait comme un « système structural » de la langue, tout cela donne aux courageuses recherches de ce savant disparu prématurément une place de premier ordre dans l'histoire de la lutte pour une théorie rigoureusement scientifique de la langue ; et cela, même si nous acceptions ce que déclara Baudouin par la suite, sous l'impulsion d'une déception scientifique croissante et d'un scepticisme découragé, que Kruszewski n'aurait « découvert aucune loi dans la langue ». Après qu'il se fut détaché de cette « pensée mathématique abstraite », dans laquelle il continuait à voir la caractéristique fondamentale de la doctrine de Kruszewski, Baudouin s'efforçait de convaincre ses lecteurs et de se convaincre lui-même que « ce sont là des postulats méthodologiques, c'est-à-dire des 'lois' subjectives de la pensée théorique, mais que telles qu'elles, elles ne peuvent être considérées comme des lois qui règlent les rapports entre les faits examinés ».

Tout en s'enthousiasmant devant les plus hautes conquêtes de l'histoire comparée des langues indo-européennes, Kruszewski se déclarait nettement opposé, en linguistique, au monopole du courant tourné vers le passé, parce que cette direction substituait à la vaste problématique de la linguistique générale des tentatives de reconstruction de la proto-langue indo-européenne. Kruszewski soutenait que, même pour la détermination des filiations génétiques, « la simple méthode empirique de la comparaison est insuffisante : à chaque pas nous avons besoin de l'aide de la déduction à partir de lois phonétiques et morphologiques solidement établies » par l'analyse systématique de la structure des langues vivantes.

Dans les brefs intervalles entres ses nombreuses leçons universitaires et les cours de langue et de littérature russe qu'il donnait à l'Institut des jeunes filles nobles, « forcé par la nécessité d'entretenir sa famille », Kruszewski se consacrait à une fébrile activité de recherche à laquelle il ne put toutefois dédier

que cinq brèves années de travail scientifique constamment
interrompues.

Ayant débuté avec un court essai linguistique *Pro venia
legendi,* à la fin de 1879, il n'avait pas encore trente-trois ans
quand, en 1884, il fut terrassé physiquement et spirituellement
par une maladie inexorable, qui ne lui permit plus aucune activité de recherche et le conduisit en 1885 à des tentatives de
suicide, puis à la mort, le 12 novembre 1887. Mais déjà, à la
fin de l'année 1886, après une crise violente de la maladie
fatale, obligé de signer sa démission du poste de professeur
titulaire à l'université de Kazan, où il venait d'être nommé,
Kruszewski commentait douloureusement : « Oh ! comme j'ai
traversé rapidement la scène ! » Le jour suivant, selon le témoignage de Baudouin, il était déjà dans un état de démence.

Dans l'introduction au *Profil de la science du langage* (*Očerk
nauki o jazyke* - 1883), qui reste l'ouvrage fondamental de
Kruszewski, les conclusions de ses recherches linguistiques
sont clairement énoncées :

« Travaillant sous la conduite du prof. Baudouin de Courtenay, et étant fermement convaincu que le domaine des phénomènes linguistiques, comme les autres champs de ce qui existe,
est soumis à certaines lois, dans le sens scientifique général du
mot, j'ai étudié le langage vivant, dans l'espoir de me rendre
claires, un beau jour, de telles lois. Peu à peu je suis arrivé à
quelques vues bien centrées sur la langue, je dirais même — si
je ne craignais un reproche de présomption — à une certaine
théorie de la langue. Je rêvais de dédier à ce thème un certain
nombre d'années de travail et de ne pas publier mon ouvrage
avant que les idées fondamentales de cette théorie n'apparaissent
exposées d'une façon suffisamment convaincante. Divers motifs
m'amènent aujourd'hui à publier ces travaux bien plus tôt que
je ne pensais. Je dois me résigner à l'idée d'avoir donné, au
lieu d'un tableau accompli et élaboré dans tous ses détails,
une ébauche pour l'instant incomplète (...). Considérant ce
livre comme un simple profil préliminaire, je ne perds pas
l'espoir de présenter un jour une réélaboration de ce même
sujet sous une forme plus achevée (...). Le lecteur qui sait
apprécier les généralisations en elles-mêmes, et qui se souvient
que tous les chercheurs n'ont pas la chance de disposer de leur
temps et de forces physiques suffisantes pour une élaboration
prolongée et soigneuse des détails, considérera avec bienveil-
lance les nombreux défauts de mon livre. »

L'auteur indiquait dans l'extrême pauvreté de généralisations
le point faible de la science du langage, et désignait comme
étape immédiate l'analyse de la structure du mot tandis que le
second objet de la recherche, c'est-à-dire la phrase, n'était pas

encore « véritablement entré dans la science linguistique » comme il l'avait déjà affirmé dans sa *Leçon inaugurale* du 15 janvier 1880. D'après le jeune savant, la linguistique générale avait instamment besoin de vastes formulations conceptuelles, à considérer au début, sans doute, comme de pures hypothèses de travail, même si cela risquait d'amener la nouvelle théorie « à une application trop vaste lors de sa première apparition » ; il avait une claire conscience du fait que le « perfectionnement ultérieur d'une théorie nouvelle consiste surtout dans sa délimitation ». Son ouvrage était emprunt du sens des vastes perspectives qui accompagne toujours la création et l'élaboration d'un nouveau système scientifique.

Dans un de ces *Bulletins de l'université de Kazan,* où Baudouin avait publié les résumés de ses précieuses découvertes, il rendait compte en 1883, du *Profil* de Kruszewski récemment sorti, et jugeait que c'était le « fruit d'une pensée indépendante et habituée à l'analyse logique », aussi bien qu'une « contribution aux études linguistiques en général », qui se trouvaient par lui enrichies d'idées nouvelles. Vingt ans plus tard, le même Baudouin déclarera encore que ce livre « reste aujourd'hui l'un des meilleurs ouvrages de linguistique générale, et pas seulement en langue russe ». De telles observations sont incomparablement plus importantes et plus justes que tout ce que Baudouin écrira dans la longue commémoration dédiée à Mikołaj Kruszewski en 1888, à un moment de révision polémique des énoncés de ce qu'on a appelé l'école de Kazan, fondée par lui et par Kruszewski à la fin des années soixantedix et au début de la décennie suivante.

Le 3 mai 1882, Kruszewski commentait dans une lettre à Baudouin, qui se trouvait à l'étranger, son propre travail de préparation au *Profil :*

« Je ne sais quel sera le titre de mon travail ; le sujet en tout cas est le suivant : 1) A côté de l'actuelle science de la langue, il en faut une autre, plus générale, quelque chose de semblable à une phénoménologie de la langue. 2) Un certain pressentiment (inconscient) de cette science peut être saisi dans la fraction créée depuis peu, des néogrammairiens. Les principes qu'ils soutiennent sont toutefois, ou bien inaptes à ce que se construise sur eux une science de ce type, ou bien insuffisants. 3) Il est possible de trouver dans la langue elle-même de solides fondements pour cette science. »

Cette déclaration, si exceptionnelle pour l'époque, par la pénétration et la limpidité de sa formulation, laissa Baudouin perplexe et alarmé. En effet, à la fin des années quatre-vingt justement, c'est-à-dire pendant les années de son enseignement à Dorpat, Baudouin s'éloignait partiellement du radica-

lisme innovateur de la période de Kazan, et s'efforçait de
remplacer, dans l'analyse linguistique, ses précédentes recherches
fondées sur des critères linguistiques internes, par des renvois
pseudo-psychologiques ; et, à l'analyse des éléments du son
dans leurs fonctions linguistiques, il substituait peu à peu une
stérile « psycho-phonétique ». Pourtant, malgré la multiplication, avec les années, des concessions de Baudouin aux canons
idéologiques du monde scientifique de son temps, il restait
encore le même chercheur génial. Sa fille, l'ethnologue Cezaria
Jendrzejewicz, rapporte qu'au cours de l'une des dernières
conversations qu'elle eut avec son père, celui-ci, réagissant
contre l'étiquette de psychologisme appliquée à ses travaux linguistiques, s'écria : « Et pourtant, pendant toute ma vie,
j'ai été en vérité un phénoménologue. » Ainsi Baudouin,
donnant une définition de son activité, à un moment où il se
trouvait à la fin de sa carrière, se rapprochait des points programmatiques énoncés dans une lettre vieille de près de
cinquante ans par son grand collaborateur de Kazan.

Ce que Kruszewski mettait à la base de sa vision de la langue,
de son organisation interne et de son évolution, c'était une délimitation systématique du double type de rapports reliant les
éléments linguistiques, c'est-à-dire les rapports externes de
contiguïté et les rapports internes de similitude. La doctrine
des deux axes linguistiques, née en lui sous l'impulsion de la
classification des associations psychiques dans l'enseignement
des psychologues anglais, classification chaleureusement défen-
due par Troickij, a perdu son caractère mécaniste et a acquis
un aspect vraiment dialectique dans l'œuvre de Kruszewski,
où cette dichotomie a formé une théorie du langage d'une
grande intégrité et productivité. Puisque l'auteur considère le
mot comme objet premier de la recherche linguistique, c'est
au mot que s'applique tout d'abord cette méthode binaire.
D'après le *Profil,* « chaque mot a deux types de liens : d'une
part, les innombrables liens d'affinité avec les mots de la même
famille », à la fois par la consistance « matérielle », c'est-à-dire
constitution phonique du lexique, et par la forme grammaticale
ou aussi par la signification, et d'autre part « les liens de contiguïté, également innombrables, avec les mots variés qui l'accompagnent dans toutes les phrases possibles ». Si bien que « les
mots se disposeront dans notre esprit en systèmes ou nids ou
familles » (les trois termes sont synonymes dans le *Profil*).
On observe une hiérarchie complexe de groupements : « Dans
la langue se forment des familles plus ou moins nombreuses
de mots apparentés par la racine, le suffixe ou le préfixe. »
Les mots révèlent certaines affinités, ou « par le matériel dont
ils sont faits », ou « par leur structure même ». Kruszewski

souligne que notre mémoire est capable de conserver « des types de mots indépendamment des mots eux-mêmes ». Outre les types de mots déterminés, on arrive à découvrir « une connexion entre les différents types », c'est-à-dire des sortes de « familles structurales, ou systèmes de types ». D'autre part, le linguiste oriente son attention vers « un certain nombre de catégories générales », c'est-à-dire de concepts grammaticaux, et chacune de ces catégories fournit à son tour un genre particulier de « famille ou système », que Kruszewski définit comme « connexion directe ou indirecte de mots ».

Si chaque mot est capable de « susciter dans notre esprit d'autres mots dont il est proche et d'être à son tour suscité par ces mots » liés à lui par des liens de similarité interne ou externe, c'est-à-dire « par leur signification » ou « par leur structure et en partie par leurs sons », alors, en vertu de la loi de l'association par contiguïté, « les mots devront se disposer en séquences ». Dans cette direction on découvre ensuite « la capacité des mots de se susciter l'un l'autre », et nous, de façon correspondante, « nous nous habituons à employer un mot donné plus fréquemment avec tel mot qu'avec tel autre ».

En même temps que les « nids » et que les séquences de mots, Kruszewski prend en considération les « nids » d'éléments morphologiques du mot (ou « morphèmes », selon le terme inventé et lancé par Baudouin), et aussi les séquences des éléments contigus à l'intérieur des mots. C'est la vérité des associations par similarité et contiguïté qui conditionne l'autonomie de ces unités : « Dans notre conscience, ou pour mieux dire dans notre sens de la langue, c'est cette seule condition qui les rend éléments morphologiques du mot. »

Que le rapport de similarité entre les structures syntaxiques ne soit pas entré dans l'horizon linguistique de Kruszewski est indicatif du fait que de la même façon le problème du caractère paradigmatique (« rapports associatifs ») des formes syntaxiques n'a pas trouvé de réponse précise chez Saûssure non plus et cela bien qu'il puisse sembler que la nette distinction entre consistance matérielle et consistance formelle du mot introduite par Kruszewski dans ses travaux, aurait pu le conduire à l'idée des combinaisons de mots liées entre elles par un double genre de rapports, c'est-à-dire par des liens de similarité et de contiguïté.

Analysant les liens réciproques des mots, Kruszewski identifie la similarité avec un ordre de coexistence et la contiguïté avec un ordre de suite temporelle, mais il affirme que la coexistence des deux aspects du mot — de la forme externe et de la signification — se fonde sur l'association par conti-

guïté, qui lie les deux aspects « en un couple insécable ».
Toutefois pour notre mémoire, « ce lien est précaire, insuffisant ; il doit être renforcé à l'aide d'une association par similarité avec d'autres mots ». C'est justement à travers la pré-
carité et l'insuffisance du lien traditionnel par contiguïté entre
la série phonique et le contenu interne du mot, c'est-à-dire
le lien qui détermine le « caractère symbolique » du mot, que
Kruszewski explique la « mutabilité infinie » des éléments linguistiques. Le processus de développement de la langue est
représenté dans le *Profil* comme l' « éternel antagonisme entre
une force progressive fondée sur les associations par similarité,
et une force conservatrice fondée sur les associations par
contiguïté ». Dès ses premiers travaux, Kruszewski s'était
efforcé de saisir dans une formulation généralisée les divers
processus de changements linguistiques. Dans sa « leçon
d'essai » de 1879 *Sur l'analogie et l'étymologie populaire,* il
indiquait de façon convaincante que ces deux phénomènes,
considérés généralement comme deux processus distincts, ne
constituent en réalité que deux variantes d'un processus subs-
tantiellement unique d'assimilation verbale, qu'il définit comme
« force intégrante » de l'évolution linguistique : il considère
la prétendue « analogie grammaticale » comme une assimilation morphologique, et l'étymologie populaire comme une
assimilation lexicale. Baudouin lui-même reprendra cette formulation de Kruszewski dans son dernier cours de l'*Introduction à la linguistique (Vvedenie v jazykovedenie)* à l'université
de Saint-Pétersbourg. Dans sa captivante étude, Kruszewski
considère l'assimilation phonétique elle-même comme un phénomène de ce type, bien qu'entre assimilation morphologique
et assimilation phonétique on observe une différence substantielle dans la répartition des deux associations. Dans le premier cas, tel ou tel élément morphologique du mot se transforme en conformité avec les composantes qui occupent une
place correspondante dans une série d'éléments qui constituent
la forme d'un mot tandis que ce qui se fait voir dans l'assimilation phonétique est, au lieu de l'adaptation aux « membres
de la même famille », une accommodation unilatérale ou
réciproque entre « compagnons » (*sputniki*) dans le domaine
de la séquence. En tant que fondement de l'association par
similarité, l'assimilation morphologique demande la coexistence,
tandis que l'assimilation phonétique demande la succession. On
notera que Kruszewski a opposé au caractère statique du
système phonique la dynamique qui considère les sons dans
la dépendance de la successivité temporelle, en y incluant,
comme il apparaît dans ses leçons d'anthropophonie de 1880,
non seulement la dépendance du son par rapport aux sons qui

lui sont contigus à l'intérieur d'une séquence phonique déterminée (« objet de la dynamique dans le sens exact du mot », ou « solidarité syntagmatique » selon Saussure), mais aussi l'évolution du son dans les étapes linguistiques qui se suivent (« l'axe des successivités », dans la conception de Saussure).

Dans la brève étude *Sur l'absorption morphologique,* l'observation de son maître Baudouin sur la réduction des thèmes au bénéfice des désinences fournit à Kruszewski un point de départ pour une formulation générale plus vaste dans les termes d'une « tendance des unités morphologiques qui suivent à absorber les unités qui précèdent ». Dans le *Profil,* tous ces phénomènes sont conçus comme les manifestations particulières d'un processus fondamental de l'évolution linguistique, processus défini comme réintégration (*pereintegracija*). En se référant, dans son compte rendu, à l'étude de Kruszewski publiée depuis peu, Baudouin affirmera que l' « hypothèse d'un processus universel de réintégration dans tous les aspects de la vie de la langue (...) se trouve pour la première fois énoncée, dans la littérature linguistique, dans le livre de Kruszewski. Cette généralisation provient d'autres sciences qui s'occupent de l'analyse de la vie au sens le plus large du mot ». Comme l'enseigne Kruszewski, la « réintégration », fondée sur les liens de similarité, amène à ordonner les systèmes linguistiques. C'est au seul processus de réintégration que nous devons l'harmonie des systèmes grammaticaux ; cela dépend « uniquement de la créativité de la langue, c'est-à-dire de notre capacité de produire des mots », au lieu de les reproduire mécaniquement. Lorsqu'il discute du choix du modèle que la langue opère dans sa propre réorganisation morphologique, le linguiste doit se garder de références simplistes à la présence d'un modèle formel dans la majorité écrasante des mots. La tendance vers la généralisation des modèles de structuration phonique peut également jouer un rôle considérable. D'autre part, l'abondance des mots d'un certain type morphologique peut être contrebalancée par une fréquence de leur usage et alors les mots les plus employés sont ceux qui sont le moins soumis à la réintégration.

On doit attribuer la plus grande originalité aux observations de l'auteur sur les variantes concurrentes, qui, ou bien remontent à des variétés territoriales coexistantes et sont des doublets dont l'un est original et l'autre emprunté, ou bien appartiennent à deux étapes successives du développement linguistique ; leur rapport mutuel dans le système de la langue est donc celui des archaïsmes et des nouvelles formations. Il faut souligner que dans les problèmes de la coexistence des variantes, Kruszewski et en général les linguistes de l'école de Kazan marquent un net progrès par rapport à la façon habituelle de traiter d'une

façon mécaniste les changements linguistiques. Lorsque Baudouin
écrivit la *Commémoration* de 1888, à un moment où il s'était
déjà éloigné de l'ancienne communauté d'idées et de langage
avec Kruszewski, il perdit aussi sa compréhension des problèmes
de la réintégration, celle que Kruszewski définit comme
« le processus le plus important dans le développement de la
langue », considérée dans ses phénomènes les plus élémentaires
et les plus complexes. Baudouin lui-même, qui, de l'époque
des leçons de Kazan jusqu'à ses dernières recherches, se
servit de « l'élément zéro », qu'il avait tiré de la linguistique indienne ancienne, se refusait dans cette *Commémoration,*
contre Kruszewski, à « considérer comme des réintégrations
la simple chute d'un élément constitutif quelconque ».

Kruszewski défendait dans le *Profil,* à propos du problème
général de la chute de certains éléments, des idées beaucoup
plus constructives que celles des linguistes de son temps. Qu'il
suffise de rappeler les conclusions de son *Cours de grammaire
française,* publié après sa mort, en 1891, par son élève
V. Bogorodickij ; en révélant la disparition partielle ou complète
de formes constitutives du système verbal, et en particulier
de formes « indiscutablement nécessaires à la langue », Kruszewski parvenait à un renvoi aux « analogies biologiques » :
« La disparition est une condition nécessaire du développement. » C'est toujours dans le *Profil* que se trouve exprimée
l'idée conséquente que les facteurs de destruction sont « à
un très haut degré bénéfiques pour la langue ». En agissant
dans un sens destructeur à l'égard des systèmes de mots présents dans une époque déterminée, « ils fournissent et sont
seuls à fournir de façon constante à la langue un matériel nouveau, sans lequel tout progrès structural et, à plus forte raison,
tout développement matériel, lexical, seraient impensables ». Ici
Kruszewski a saisi et déployé l'idée autrefois suggérée par le
jeune Baudouin, à propos de « l'oubli et de l'incompréhension,
comme facteurs productifs, positifs, véritables impulsions inno-
vatrices, puisqu'ils favorisent la formation inconsciente de synthèses vers de nouvelles directions ».

Le *Profil* soutient que « les mots doivent leur origine à des
associations par similarité », étant donné qu'une première
dénomination est donnée à l'objet « en vertu de quelque similarité qu'il possède avec un objet déjà nommé » ; toutefois, à
côté de dénominations d'origine métaphorique, il est possible
de trouver des noms métonymiques attribués par contiguïté.
Et l'affirmation postérieure que c'est seulement à travers le
trope que le mot se transforme par la suite en signe plein et
effectif de la chose, et qu'il tient dorénavant sa signification
de la contiguïté habituelle entre l'aspect externe et le contenu

interne, ne rend pas suffisamment compte du lien sémantique
vivant entre le mot et les autres mots de la même famille. Il
faudra néanmoins observer qu'une semblable répartition simpliste des associations n'est pas typique de Kruszewski. Au
contraire, il tient compte, pour sa part, du rapport fréquent
et positif entre la structure externe et la signification des « mots
constituant une unique famille » ; par exemple, les préposi-
tions, grâce à la similarité de leur fonction grammaticale,
« acquièrent peu à peu, à force d'être produites, des traits
semblables extérieurs ».

D'après la conclusion ingénieuse de l'auteur, les exemples
frappants d'une similarité externe acquise en correspondance
avec une similarité interne également frappante ne peuvent s'expliquer que « par la participation d'une force créative ». On
doit citer les belles observations de Kruszewski sur la catégorie
des numéraux, famille paradigmatique de mots disposés en
ordre successif, dont les membres contigus tendent clairement,
dans les différentes langues, à une assimilation extérieure
réciproque.

Une partie essentielle de la théorie linguistique de Kruszewski
est constituée par l'analyse des unités morphologiques. La
même unité, dans un contexte de familles de mots génétiquement apparentées, peut être caractérisée par les « alternances »
d'un ou de plusieurs, et parfois de tous les éléments constitutifs. Le *Profil* cite comme exemple russe la racine verbale *nos* -
« porter », qui apparaît dans toute une série de variantes phoniques, telles que *n'os-, n'es-, n'es'-, nos'-, noš-, naš*.

Baudouin de Courtenay, qui s'était proposé depuis le début
d'étudier « la partie morpho-étymologique de la science
des sons » et en général « les sons par rapport au sens des
mots », consacra dans ses cours de Kazan une attention particulière aux alternances grammaticales des sons, non pas
tant au sens historique que dans la coupe synchronique, rigoureusement descriptive. La revue *Russkij filologičeskij vestnik* de
1881 s'ouvre avec la dissertation de Kruszewski *K voprosu o
gune*, consacrée aux alternances vocaliques paléoslaves. Le
chapitre « Observations générales sur les alternances des sons »
propose, pour la première fois dans la littérature linguistique,
une théorie et une classification des alternances phonétiques.

Peu après, Baudouin publia dans la même revue un résumé
des leçons prononcées durant l'année académique 1880-1881
sur la grammaire comparée des langues slaves, avec un bref
panorama des types d'alternances et une déclaration terminale
intitulée *Suum cuique,* qui soulignait le fait que les idées exposées ne lui appartenaient que dans une certaine mesure :
« Kruszewski, qui avait pris une part active au travail universi-

taire de Baudouin de Courtenay à partir de 1878, avait développé au début de sa dissertation et dans le remaniement en allemand de l'introduction à cette thèse ses idées personnelles sur le sujet (...) d'une manière plus exacte et plus scientifique. » Tenons-nous-en aux termes de Baudouin : « La grande rigueur scientifique de l'exposé de M. Kruszewski est donnée par la sévère analyse logique des concepts généraux dans leurs parties constitutives, par la définition des marques nécessaires de chaque alternance et par l'harmonie logique générale du système tout entier. C'est un autre mérite de M. Kruszewski que de vouloir arriver par cette voie à la définition de lois effectives en phonétique, c'est-à-dire de lois qui n'admettent pas d'exceptions. C'est seulement depuis que ces pensées ont été formulées et présentées avec tant de clarté par M. Kruszewski qu'il est possible de les développer et de les élaborer. » Le panorama inséré par Baudouin dans les parties publiées du cours constitue, selon ses propres termes, une élaboration ultérieure de ses idées et de celles de Kruszewski.

Avec plus d'insistance encore, Baudouin mit en relief les mérites de Kruszewski lorsqu'il rendit compte en 1881 de son travail *K voprosu o gune,* en s'arrêtant surtout à la partie introductive : « Pour une compréhension vérifiable de la statique de la langue, il est indispensable de définir et d'étudier dans tous leurs aspects, non seulement les sons séparés, mais aussi leurs alternances, c'est-à-dire les couples de sons homogènes (de même origine) qui se distinguent entre eux en un rapport anthropophonique (phonophysiologique). Le problème phonétique posé de cette façon, au lieu du recours aux « passages » ou aux « changements » de certains sons à d'autres sons, implique une coexistence d'éléments homogènes (...). L'idée des alternances des sons et de la distinction de leurs différentes catégories était née avant Kruszewski et ne semble donc pas lui appartenir. Mais la formulation de cette théorie, dans l'aspect qu'elle revêt dans le livre de Kruszewski, est le résultat de ses propres généralisations. Et ce n'est que grâce à cette formulation et à ses termes techniques indispensables pour l'exactitude scientifique qu'un développement ultérieur et qu'un perfectionnement de la théorie des alternances sont devenus possibles. En outre, l'analyse des marques sur la base desquelles il faut distinguer diverses catégories d'alternances appartient de façon inaliénable à M. Kruszewski et constitue une importante contribution à la science. A ma connaissance, une semblable méthode analytique ne se trouve nulle part dans les travaux linguistiques précédents, et elle a été employée pour la première fois par M. Kruszewski. M. Kruszewski doit cette méthode à l'étude non de la linguistique, mais de la logique moderne, qu'il connaît à fond et qu'il a su magnifiquement appliquer à l'étude des données de la linguistique. »

Empruntant à Saussure le terme de « phonème » en 1880, Kruszewski attribua à ce terme une signification légèrement différente. Si la confrontation d'unités morphologiques génétiquement coïncidantes dans des langues apparentées met en évidence une série de correspondances phonétiques, le prototype commun de cette descendance multiforme, c'est-à-dire l'invariant qui se trouve à la base de la variation polylingue postérieure et qui se distingue de tous les autres éléments du système phonique de la langue reconstruite, a été défini « phonème » par le jeune Saussure dans son célèbre traité *Mémoire sur le système primitif des voyelles dans les langues indo-européennes* (1878). Kruszewski, pour sa part, appliqua le terme à la correspondance d'unités phonétiques différentes comprises au sein d'une même unité morphologique dans le champ d'une langue donnée. L'invariant historique par rapport à de telles variations est constitué par le prototype phonique commun, tandis que l'invariant synchronique est donné par la disposition semblable des alternants à l'intérieur d'une unité morphologique, ainsi que par les propriétés phoniques communes des alternants en question. D'après l'une des thèses finales de la dissertation de Kruszewski, « sans l'acceptation des phonèmes, l'exposition scientifique de la phonétique et de la morphologie est impossible ». Le concept de phonème était pour lui indissolublement lié au concept d'invariance et de variation. Mais si, dans les travaux de Kruszewski, ce terme était appliqué à des alternances envisagées séparément, Baudouin, dans la publication de 1881, citée plus haut, reconnaissait avec acuité la nécessité de « comprendre les phonèmes donnés dans un concept plus vaste, en en faisant des phonèmes plus généraux, des phonèmes d'ordre supérieur », et de reconduire les divers alternants « à un dénominateur commun ».

Le problème de la prévisibilité unilatérale ou bilatérale fut nettement posé par Kruszewski et reste à la base des observations de Baudouin sur la « divergence purement phonétique, comme par exemple en russe l'alternance des *e* — fermé devant des consonnes « palatalisées » et ouvert dans les autres positions ([ét'i] - [étu]) —, ou encore l'alternance de la voyelle postérieure *y* après des consonnes « non palatalisées » avec la voyelle antérieure *i* dans les autres positions (*darý* - *car'í*). Le concept de variantes combinatoires et d'un dénominateur commun de celles-ci à l'intérieur de la même unité morphologique comporta naturellement un pas en avant ultérieur, la recherche en somme des éléments distinctifs représentés par différentes variables combinatoires indépendamment de la présence ou de l'absence de telles variations dans le champ d'un même morphème. Cette étape ultérieure sur le chemin de ce que Baudouin définissait comme « processus scientifique de généralisation toujours plus grande », Kruszewski ne put apparemment l'atteindre, bien que le problème des identités et des différences fonctionnelles dans la structure phonique des mots ne fût pas étranger. Kruszewski lui-même considérait ses propres *Considérations générales sur l'alternance des sons* comme « l'une des premières tentatives non complètement stériles de situer la phonétique sur un terrain plus rigoureusement scientifique », c'est-à-dire d'étudier les sons du langage au point de vue de leurs fonctions linguistiques (1882) ; mais, de toute cette problématique complexe, il tira uniquement la théorie des alternances dans la composition phonique à l'intérieur des unités morphologiques. Parmi les observations polémiques que Baudouin fit à Kruszewski, dans le bilan final de l'activité scientifique de son collègue disparu, il en est une qui conserve un poids essentiel : celle pour qui la division des propositions en mots, des mots en unités morphologiques — les morphèmes — et de ces derniers en « purs sons indifférents à la signification » (*bezznaczeniowe*) révèle en définitive un « saut injustifié et en contraste avec la logique », puisque dans les unités linguistiques de portée différente — dans les propositions, justement, et dans les mots et morphèmes — la signification a une fonction essentielle. Les sons doivent donc être évalués en relation avec les unités linguistiques signifiantes seulement dans la mesure où ils sont considérés dans leur rapport avec la signification. En d'autres termes, « les morphèmes sont divisibles non pas en sons, mais en phonèmes », ce qui fait que la différenciation des liens par similarité et des liens par contiguïté s'applique non seulement aux phrases, aux mots et aux morphènes, mais aussi aux phonèmes et à leurs combinaisons. « Dans chacun de ces domaines, nous trouvons d'une part des systèmes, ou des nids, grâce aux associations par similarité et, d'autre part, des séquences grâce aux associations par contiguïté. »

Considérant avec raison que la problématique liée au phonème est bien loin de s'épuiser dans les « composantes mobiles du morphème », c'est-à-dire dans les « phonèmes alternants », Baudouin ne parvint pas, dans ses travaux des années quatre-vingt-dix, à trouver le fondement linguistique des « atomes phonétiques » (c'est ainsi qu'il avait appelé les plus petites unités de la chaîne du langage, dès les années soixante-dix), et s'engagea ingénument dans la tentative stérile de substituer à une interprétation linguistique intrinsèque une définition pseudo-psychologique : c'est ainsi que le phonème devint « un équivalent psychique du son ». A ce point, le concept de phonème perdait toute valeur opératoire, et la limite même entre les phonèmes et leurs variantes combinatoires en venait à se brouiller. Durant les vingt dernières années de sa vie, Baudouin parviendra pourtant à clarifier graduellement sa pensée « sur les liens entre les représentations phonétiques et les représentations morphologiques et sémantiques. Dans son cours de Saint-Pétersbourg (*Introduction à la linguistique*), nous lisons que les phonèmes « deviennent des valeurs linguistiques et peuvent être considérés d'un point de vue linguistique », cela exclusivement en vertu de la morphologisation et de la sémantisation, c'est-à-dire grâce au rapport avec les représentations morphologiques et sémantiques.

Dans ce même chapitre de son cours, Baudouin, qui s'était rendu compte depuis longtemps de la nécessité d'étendre à la composition phonique du langage la dichotomie de Kruszewski, affronte directement le problème de la désagrégation des atomes phoniques : « Ce ne sont pas les phonèmes entiers et insécables qui se sémantisent et qui se morphologisent », mais uniquement leurs parcelles constitutives, c'est-à-dire les plus petits éléments « prononciatifs-auditifs », les *kinakemy,* selon le néologisme russe proposé par Baudouin. Vu de cette façon, le phonème apparaît comme un ensemble de parties constitutives élémentaires, qui ne sont pas divisibles au-delà. Résumant en 1910 ses *Considérations sur les « lois phonétiques »,* Baudouin souligna que « les phonèmes ne sont pas des notes séparées, mais des accords composés de plusieurs éléments », tandis que Saussure, dans son cours de morphologie comparée de 1909-1910, enseignait qu' « il n'y a rien de plus uniforme, de plus pauvre, que l'ordre de la langue : la parole (comme la musique *sans les accords*) est linéaire ». La possibilité d'un rôle autonome de « qualités » phoniques particulières (par exemple, dans des couples de mots russes comme *gnil,* « pourri », et *gnil',* « pourriture ») avait déjà été relevée par Kruszewski. Tirer des conclusions analytiques concrètes de ces observations occasionnelles, mais stimulantes, resterait désormais la tâche des élèves et des continuateurs des deux pionniers.

« Dans n'importe quelle branche des sciences naturelles, des travaux comme ceux de Brugmann et de Saussure auraient fait grand bruit : on se les serait arrachés, et ils auraient été traduits, ils auraient provoqué une suite de nouvelles recherches », écrivait Kruszewski en 1880 dans un article du *Russkij filologičeskij vestnik,* sur les récents travaux de ces deux savants, « mais en linguistique, où à peu près chaque spécialiste a sa propre méthode, sa propre préparation et ses propres tâches, et où, de ce fait, très peu de spécialistes sont en mesure de se

comprendre l'un l'autre, les remarquables découvertes de Brugmann et celles, plus importantes encore, de Saussure, sont
passées à peu près inaperçues ». L'article soulignait la grande
pertinence méthodologique de l'expérience tentée par Saussure
pour « faire de la morphologie le fil conducteur dans les recherches de phonétique ». La version allemande de l'introduction
à sa thèse sur la *guna* fut publiée à ses frais par Kruszewski
en 1881, sous le titre *Über die Lautabwechslung* (Kazan,
1881), du fait que les revues linguistiques allemandes avaient
refusé de la publier, sous le prétexte qu' « elle s'occupait plutôt de méthodologie que de linguistique ». Malgré tout, les idées
de Kruszewski réussirent à pénétrer en Occident. Le chef des
néogrammairiens, K. Brugmann, qui fut mis en garde par cet
écrit de Kruszewski contre le mauvais usage du terme et surtout
du concept des « changements phonétiques » au lieu duquel
était proposée l'idée synchronique d'alternance, s'y référait en
ces termes dans le *Literarisches Centralblatt* de 1882 : « Tout
linguiste qui a un intérêt quelconque pour les principes de
l'histoire linguistique et qui est capable de les comprendre lira
cet essai avec satisfaction et profit. » C'est d'autre part à partir
de ce même essai de Kruszewski que W. Radloff construisit
tout son rapport sur les alternances phonétiques dans les langues
turques, publié dans les *Travaux du Congrès international
d'études orientales de Berlin* tenu en 1881.

Baudouin, qui se rendit à Paris à la fin de 1881, fut proposé au cours de la séance de novembre et élu en décembre
comme membre de la Société de linguistique et, dans les deux
occasions, il présenta un travail à lui et un travail de Kruszewski
(la première fois, la plaquette allemande de Kazan et, ensuite,
la dissertation sur la *guna*). Dans la même séance de décembre,
le secrétaire adjoint de la Société, Ferdinand de Saussure, donna
une leçon sur la phonétique des dialectes romans de la Suisse,
tandis que, dans la séance de janvier, en présence de Saussure
et du romaniste L. Havet, Baudouin fit une communication sur
quelques problèmes de phonétique slave. Cela se passait encore
durant la période du travail de Baudouin à l'université de
Kazan, période de son plus grand dynamisme et de la plus
intense créativité dans la recherche de ce grand linguiste polonais. Sept ans plus tard, Saussure, dans une lettre à Baudouin,
rappellera encore avec plaisir les rencontres parisiennes et,
en novembre 1891, prenant possession de la chaire, qui venait
d'être créée à Genève, d'histoire comparée des langues indo-
européennes, il soulignera — comme il apparaît dans ses
notes — la nécessité d'étudier les langues vivantes pour comprendre les principes généraux du langage et, d'autre part, la
stérilité et l'inconsistance méthodologique de l'étude des lan-

gues particulières quand ce travail n'est pas accompagné par une tendance constante « à venir illustrer le problème général du langage ». Et Saussure cite alors, comme exemples de savants capables d'unir l'extrême spécialisation avec le don d'une grande vision de synthèse, les linguistes romanistes Gaston Paris, Paul Meyer et Schuchardt, le germaniste Hermann Paul et les slavistes Baudouin de Courtenay et Kruszewski. La deuxième partie du *Profil* de Kruszewski venait alors de sortir en version allemande. Ebauchant, enfin, un article critique (comme d'habitude inachevé) sur le livre de son élève Albert Séchehaye, *Programme et méthode de la linguistique théorique* (Paris-Genève, 1908), Saussure relevait que les essais antérieurs, de Humboldt à H. Paul et à Wundt, « ne fournissaient que des matériaux », tandis que « Baudouin de Courtenay et Kruszewski ont été plus près que personne d'une vue théorique de la langue, cela sans sortir des considérations linguistiques et pures ; ils sont d'ailleurs ignorés de la généralité des savants occidentaux. »

La profonde conviction de Kruszewski, que tout ce qui avait été fait en linguistique appartenait encore au monde préscientifique, devait être l'objet de violentes critiques dans le mémoire polémique rédigé en 1888 par Baudouin, mais elle était absolument partagée par Saussure. Combien Saussure faisait peu de cas des travaux les plus célébrés de ses prédécesseurs, la conversation tenue le 19 janvier 1909 et citée dans le livre instructif de Robert Godel, *Les Sources manuscrites du Cours de linguistique générale de F. de Saussure* (1957) en témoignent. Discutant la nécessité d'une élaboration de la grammaire générale, Saussure déclara : « Il n'y a pas de sujet plus ardu que celui-là ; il faudrait reprendre, pour le réfuter, tout ce que Hermann Paul et les modernes ont écrit là-dessus ». Saussure a lu sans aucun doute les travaux de Kruszewski, que Baudouin avait apportés à Paris, et, en tout cas, il connaissait au moins *Über dit Lautabwechslung,* recommandé entre autres aux lecteurs de la *Revue critique* par le romaniste L. Havet, à qui Saussure avait repris en 1878 le terme de « phonème ». Il devait connaître en outre la version allemande du *Profil de science du langage,* publiée avec le titre *Prinzipien der Sprachentwicklung* par un grand admirateur de ce livre, le phonéticien et linguiste F. Techmer, dans sa revue *Internationale Zeitschrift für allgemeine Sprachwissenschaft* de 1884 jusqu'à 1890.

Les idées de Kruszewski eurent, de façon évidente, une influence profonde et bienfaisante sur la pensée théorique de Saussure, et en particulier sur ses leçons de linguistique générale, tenues entre 1906 et 1911, c'est-à-dire précisément à l'époque où fut ébauché l'article cité sur Séchehaye. La doctrine originale du linguiste polonais sur la totalité harmonique du système linguistique et de ses parties, ainsi que sur les deux principes structuraux qui sont à la base de la langue, trouva une correspondance exacte dans le *Cours de linguistique générale* de Saussure. La seconde partie de ce cours, « La linguistique synchronique », rappelle décidément, surtout dans les derniers chapitres, le travail synthétique de Kruszewski cité plus haut. Sa distinction des deux types de rapports linguistiques est reprise jusque dans les détails ; d'une part, l'association par contiguïté qui relie les entités linguistique en des « suites » et qui trouve un traitement analogue dans l'enseignement saussurien sur les « rapports syntagmatiques » entre les membres de la « suite linéaire », d'autre part, l'association par similarité, sorte de « liens de parenté » qui regroupent l'entière constitution du système linguistique en une quantité de familles ou nids coordonnés. Saussure se sert dans ce cas du terme « solidarité associative », avec la référence au genre d'association dans la définition seule et non dans le terme même et avec un sous-titre caractéristique : « groupement par familles. » A travers le *Cours* de Genève, c'est l'idée fondamentale du *Profil* de Kruszewski sur les deux axes linguistiques, l'axe syntagmatique et l'autre, qu'on appelle aujourd'hui paradigmatique, qui a profondément pénétré dans la linguistique internationale contemporaine. Baudouin se servit lui aussi de cette dichotomie, comme de différentes autres idées de Kruszewski dans ses travaux tardifs, en particulier dans les cours lithographiés de Saint-Pétersbourg sur l'*Introduction à la linguistique*. Mais il faut dire qu'en réalité la conception des problèmes en question chez Kruszewski est beaucoup plus systématique, plus cohérente et plus vaste que celle de Baudouin et de Saussure. Une telle conception donne sa juste place, en le précisant, au principe de ce qu'on appelle « analogie » et jette un pont entre la linguistique synchronique et la diachronie, tandis que dans les leçons de Saussure l'antinomie, suggérée par Kruszewski, entre la variabilité et l'immutabilité des signes, entre leur solidarité avec le passé et leur infidélité au passé, s'est démontrée privée de justification interne, et que les problèmes de l'analogie grammaticale et de l'étymologie populaire y restent dans les limbes scientifiques. Le problème de la production linguistique, développé de façon captivante en relation avec le dualisme de la similarité et de la contiguïté, ne trouva d'écho ni chez Baudouin ni chez Saussure. De plus, deux thèses hardies de Kruszewski ont été pour longtemps condamnées à l'oubli : celle sur « l'éternelle créativité de la langue », proposée dans le *Profil,* avec un recours direct à Humboldt, et celle qui est placée en conclusion du livre, comme ouverture des futures discussions brûlantes : « En évoluant, la langue tend éternellement à une pleine correspondance générale et particulière entre le monde des mots et le monde des concepts. »

CHAPITRE XII

LES VOIES DE HENRY SWEET
VERS LA PHONOLOGIE *

« Je transcrirai d'abord selon la méthode de langage visible de Bell ; ensuite, en Notation large ».

Bernard Shaw, *Pygmalion.*

« Sa fraîcheur et son originalité d'esprit, (..) toujours ouvert à de nouvelles idées et à de nouveaux points de vue, (...) les vertus salvatrices de l'imagination et de l'humour, (...) la bonne foi, la simplicité et le courage » (1) ; « une candeur franche, (...) une candeur simple, naturelle, (...) une candeur résolue » (2). En lisant dans les divers mémoires consacrés à Henry Sweet ces témoignages et bien d'autres similaires, j'ai inconsciemment fondu ces jugements et la puissante impression que j'ai conservée de ma première conversation à bâtons rompus avec J.R. Firth dans une taverne de New York vers la fin de 1940, et de notre dernière conversation à cœur ouvert, en 1960, dans sa ravissante maison de Lindfield.

Lorsque je me rappelle les conceptions et remarques pénétrantes de Firth, quand je relis les livres et les articles de Sweet, ou quand j'écoute les discussions acharnées des jeunes linguistes anglais, je ressens une fois de plus les traits saillants qui frappent

---

* Ecrit en 1961 pour le volume *In Memory of J.R. Firth* (Londres, 1966). Publié en anglais sous le titre « Henry Sweet's Paths toward Phonetics ». Traduit par Paul Hirschbühler.

(1) Henry Cecil Wyld, « Henry Sweet », *Archiv für das Studium der neueren Sprachen und Literaturen*, N.S. XXX (1913), pp. 1-8.

(2) C.L. Wrenn, « Henry Sweet », *Transactions of the Philological Society*, 1946, pp. 177-201.

l'étranger qui observe la poésie et la philosophie anglaises depuis le Moyen Age jusqu'à nos jours. Ce qui me fascine dans tous ces domaines et de même dans les siècles de la peinture anglaise que l'on a si souvent injustement sous-évaluée, c'est le talent remarquable des penseurs et des artistes éminents : le courage inhabituel avec lequel ils voient le monde de leurs propres yeux, indépendamment des coutumes, des habitudes et des prédilections environnantes.

Les années 1876-1877 sont celles où la nouveauté de la façon dont Sweet approche le langage et sa structure phonique trouve une formulation particulièrement claire et explicite. En 1876, il écrivit la première version de son traité sur *l'Etude pratique du langage* (*The Practical Study of Language*) et il publia un essai détaillé « pour renverser certains des dogmes conventionnels de la philologie, de la logique, et de la grammaire » (3). L'année suivante il fit paraître une édition revue de la même étude (4). Ensuite, piqué sans doute par deux échecs universitaires successifs, d'abord à l'University College de Londres, puis à Oxford, et en même temps inspiré par sa présidence à la tête de la Société de philologie, Sweet fit paraître son *Manuel de phonétique,* préfacé à Christiana le 27 août 1877 (5), et présenta un vaste programme de recherche dans le discours présidentiel qu'il prononça à la réunion anniversaire de la Société de philologie, le 18 mai 1877 (6).

La doctrine de Sweet découle de la thèse selon laquelle « le langage repose essentiellement sur le dualisme de la forme et du sens ». C'est pourquoi toutes les tentatives pour ne pas tenir compte de ce dualisme et « pour réduire le langage à des catégories strictement logiques ou psychologiques, en ignorant son côté formel, ont lamentablement échoué. La forme d'une langue, ce sont ses *sons*. La phonologie est la science qui nous enseigne à observer, analyser et décrire les sons d'une langue » (7). Sweet a constamment insisté sur l'importance de la phonologie comme fondement indispensable de toute étude linguistique, « que cette étude soit purement théorique, ou également pratique ». Il était enclin à croire que cela est maintenant

---

(3) Henry Sweet, « Words, Logic, and Grammar », *Transactions of the Philological Society 1875-6*, pp. 470-503. Repris dans Henry Sweet, *Collected Papers*, arrangé par H.C. Wyld (Oxford, 1913), pp. 1-33.

(4) Henry Sweet, « Language and Thought », *Journal of the Anthropological Institute* (mai 1877).

(5) Henry Sweet, *A Handbook of Phonetics* (Oxford, 1877).

(6) Henry Sweet, « Presidential Address on English Philology and Phonology », *Transactions of the Philological Society 1877-9*, pp. 1-16. Repris dans *Collected Papers*, pp. 80-94.

(7) *Collected Papers*, p. 85.

généralement reconnu, « sauf dans des cercles irrémédiablement obscurantistes » (8).

Le même dualisme indispensable de la forme et du sens a contraint Sweet à reconnaître qu'on ne peut examiner les sons d'une langue de façon exhaustive sans une constante référence au sens. On trouvera difficilement non seulement dans les années soixante-dix mais dans tout le dix-neuvième siècle une autre étude des sons du langage qui mette en avant et qui utilise la notion de « distinctions sonores significatives » avec un zèle et une ténacité aussi grandes que le *Manuel* de Sweet de 1877. Il sépare systématiquement les distinctions sonores déterminées « qui sont susceptibles de correspondre à des différences de sens » de toutes les autres « différences qui ne sont pas significatives et qui ne peuvent pas altérer le sens » (9).

Il est vrai que cette classification des distinctions phoniques se limite aux parties du livre qui traitent de la représentation graphique des sons, c'est-à-dire la dernière partie, intitulée « Notation des Sons », et l'Exposé des principes d'une réforme de l'Orthographe de l'Appendice. Il est également vrai que le système de notation phonique que Sweet a introduit sous l'appellation *Broad Romic* (désormais, « notation large ») dans le but d' « indiquer seulement les distinctions phoniques plus larges qui correspondent effectivement à des distinctions de sens dans la langue », fut conçu d'une manière expressive par son inventeur « à des fins pratiques » contrairement au scientifique *Narrow Romic* (désormais, « notation étroite »). Cette dernière notation, comme le *Visible Speech* de Bell, fut établie « en vue d'une étude précise des sons en général » et était trop détaillée par rapport à de nombreux objectifs pratiques » (10). L'idée d'une double notation remonte aux efforts graduels de A.J. Ellis pour compléter le système explicite par un système plus pratique où « plusieurs des nombreuses et délicates distinctions nécessaires dans un alphabet phonétique complet sont négligées » (1848). La dernière amélioration aux expériences notationnelles de Ellis était son *Glossique* (*Glossic*) « tre fasil » de 1871, associé au *Glossique universel* (*Universal Glossic*) qui visait à « done de sîbol pur l'analiz fonetik la ply presiz žame fet » (11).

---

(8) *A Handbook*, p. v. ; *A New English Grammar Logical and Historical* (Oxford, 1892), p. XII.

(9) *A Handbook*, voir spécialement pp. 103 sq., 182 sq.

(10) *Ibid.*, pp. 103, 105.

(11) Alexander John Ellis, *The Ethnical Alphabet, or Alphabet of Nations* (Londres, 1871) : « Glossic », pp. XIII-XX ; voir p. XIII sq. En 1878, Sweet lui-même reconnut et détermina sa dette à l'égard « des

Le projet de Sweet d'une réforme de l'orthographe de l'anglais était, en plus de la notation large, une autre application de la notation simplifiée des sons. Sweet était, comme Ellis, un partisan résolu de la réforme et il discuta avec passion ses principes de base. Selon Sweet, « les préjugés, particulièrement ceux de notre classe supérieure, sont trop forts pour pouvoir être vaincus par la raison », mais « à la fin, la vérité et la raison triompheront de ces adversaires acharnés du progrès », et, « plus la réforme est retardée, plus elle sera radicale quand elle surviendra » (12).

Ainsi, Sweet n'a approché la signification des sons du langage que dans le cadre de la linguistique appliquée et seulement en liaison avec les questions graphiques — la variante « pratique » de la notation phonétique et la réforme de l'orthographe. Dans le *Manuel,* ces questions sont traitées systématiquement en fonction des tâches remplies par les sons de la parole dans la langue, alors que les chapitres consacrés aux sons et à leurs combinaisons ne prêtent pas attention à ces fonctions.

On peut en partie expliquer cette inconséquence par l'indifférence manifestée à l'égard de ces questions dans les travaux alors influents des phonéticiens allemands. « Le fait que la majorité de ceux qui ont fait de la phonétique en Allemagne étaient des physiologues et des physiciens plutôt que des linguistes de métier » rend compte, selon Sweet, de certains défauts de l'école allemande (13). Il est évident que ces physiologues et ces physiciens ne prêtaient aucune attention aux fonctions linguistiques des sons ; mais dans le courant linguistique qui faisait autorité à cette époque, l'école des *Junggrammatiker,* l'approche strictement génétique supprimait également tout problème fonctionnel.

Malgré cette attitude critique envers « les tendances des études allemandes », qui rapproche Henry Sweet de William Dwight Whitney et Ferdinand de Saussure, et malgré sa pensée systématiquement anti-autoritaire, rebelle, ni Sweet ni aucun autre

---

pionniers de la phonétique scientifique en Angleterre » : « J'ai donc formé les deux systèmes, la Notation large et la Notation étroite, principalement sur la base du *Paléotype* de M. Ellis, qui en diffère surtout par les valeurs assignées aux lettres. A la relation entre mes deux systèmes correspond celle entre le *Glossique* (Glossic) et le *Glossique universel* (Universal Glossic) de M. Ellis, qui ne sont toutefois pas fondés sur la valeur romaine des lettres, comme dans le cas du *Paléotype,* mais sur un essai pour conserver leur valeur anglaise actuelle » (*Collected Papers,* p. 117 sq.). Le *Glossique* et la *Notation large* développent une « notation phonétique plus approximative dans des buts purement pratiques » (*ibid.,* p. 120).

(12) *Collected Papers,* p. 88 ; cf. *A. Handbook,* p. 169 sq.
(13) *A Handbook,* p. VI sq.

linguiste de l'ère victorienne ne fut capable de porter une attaque de front contre les préjugés étroitement causalistes, génétiques, de son époque ; la valeur et la grandeur de ces précurseurs ne pouvaient résider que dans des attaques de biais. La linguistique appliquée ou, selon les termes de Sweet, « l'étude pratique du langage » lui fournit ce moyen de soulever de nouveaux problèmes et d'essayer de nouvelles méthodes.

Bien que Sweet ait déclaré que c'était la notation étroite qui était « scientifique », il voit que la notation large est nécessaire pour ce que nous appellerions aujourd'hui la phonologie générale, c'est-à-dire pour le traitement des relations phonétiques sans entrer dans les « petits détails » sur lesquels ne peuvent reposer des différences de sens. La notation large est encore nécessaire pour le « traitement d'une langue en particulier » et pour les écrits de toute longueur de cette langue (14). Mais, bien que la question de la relation entre son et sens ne soit discutée qu'en relation avec la notation, l'auteur nous rappelle que « la notation des sons n'est guère moins importante que leur analyse : sans système de notation clair et cohérent, il est impossible de discuter les problèmes phonétiques de manière intelligible ou de décrire la structure phonétique d'une langue » (15). En d'autres termes, l'analyse phonologique et la notation « large » s'impliquent l'une l'autre.

J.R. Firth avait raison quand il déclarait que « l'idée du phonème » est implicite dans la notation large de Sweet (16) ; nous pourrions ajouter que les bases théoriques de la phonologie sont implicites dans l'exposé de Sweet des principes qui soustendent la notation large et la représentation des sons du langage au moyen d'une orthographe rationnelle.

Il est clair pour l'auteur que la raison de l'indifférence à l'égard de « nuances plus détaillées » ou de « distinctions fines » ne réside pas dans leur petitesse mais uniquement dans leur incapacité à changer le sens. « Ainsi, les premiers éléments des diphtongues de *by* et *out* varient considérablement : certains les prononcent comme des voyelles larges, comme dans *father*, d'autres comme des voyelles étroites, comme dans *man*, avec divers sons intermédiaires. Et cependant le sens des mots reste inchangé. La différence entre les voyelles de *men* et de *man*, en revanche, bien que réellement moindre que celle existant

---

(14) *A Handbook*, p. 103 ; cf. *The Practical Study of Languages* (New York, 1900), p. 25.
(15) *A Handbook*, p. 100.
(16) J.R. Firth, « The Word 'Phoneme' », *Le Maître phonétique*, 3ᵉ série, XII (avril 1934), pp. 44-46.

entre les différentes prononciations de *by* et de *out*, est distinctive » (17).

En règle générale, Sweet s'est abstenu, de son propre aveu, d' « essayer de résoudre les questions de priorité de découverte ». Deux linguistes de rang mondial, Henry Sweet et Jan Baudouin de Courtenay, tous deux nés en 1845, vinrent à bout simultanément et indépendamment l'un de l'autre de problèmes identiques. En 1877, à la même époque que le *Manuel* de Sweet, parut dans le *Bulletin* (*Izvestija*) *de l'université de Kazan* le « Compte rendu des études de Baudouin de Courtenay en linguistique en 1872 et 1873 » avec un bref plan d'études sur « le mécanisme des sons du langage, leurs correspondances et leurs relations dynamiques, sur la base des liens entre son et sens ». Deux « Programmes détaillés des cours de Baudouin de Courtenay » de 1877 et 1878 furent imprimés dans les *Bulletins* de la même université en 1878 et 1881. Ils contiennent une description plus élaborée des études phonétiques, qui est expressément divisée en deux parties — l'une qui s'occupe de l'aspect physiologique et physique des sons du langage, l'autre « la phonétique au vrai sens du mot », qui traite « les sons en liaison avec le sens des mots ». Alors que Sweet a confiné sa recherche phonologique au niveau de la linguistique appliquée, Baudouin de Courtenay a attribué à cette recherche une place importante dans la théorie linguistique. Il a superposé cette « partie morphologico-étymologique de la science des sons du langage », comme discipline totalement linguistique, à la description auxiliaire des articulations et de leurs effets acoustiques (18). En revanche, c'est Sweet qui a ouvert de nouvelles perspectives par sa définition et sa classification des distinctions phonétiques. Sa délimitation rigoureuse des deux notations — large et étroite — était une voie payante vers une mise en œuvre de la bipartition théorique de la phonétique de Baudouin (19).

« Il serait intéressant de savoir ce que la vieille école des philologues allemands pense du travail de Winteler sur la phonologie et la grammaire de l'un des dialectes de la Suisse », dit Sweet lors de son discours présidentiel de 1877 (20). Le

---

(17) *A Handbook*, p. 182.

(18) Pour plus de détails sur « L'Ecole de linguistique polonaise de Kazan et sa place dans le développement de la phonologie », voir ci-dessus, chap. X.

(19) *A Handbook*, p. 105. Baudouin fit allusion pour la première fois à la nécessité de distinguer entre deux façons de transcrire en 1881 seulement, lorsque ses conférences choisies sur la grammaire comparative du slave parurent dans la revue *Russkij Filologičeskij Vestnik*.

(20) *Collected Papers*, p. 87.

même travail figure parmi les livres de référence du Programme de Baudouin de Courtenay cité ci-dessus. Jost Winteler, né en 1846, était parmi les linguistes de la génération de Sweet et de Baudouin le troisième grand précurseur de la phonologie moderne, et sa monographie, qui a fait date (21), a très probablement influencé Sweet dans son utilisation de paires minimales pour les tests de commutation (par exemple *men-man*, ou en français *pêcher-pêcher*) comme dans sa distinction systématique entre « différences distinctives » et simples « variations ». Le concept d'invariance sous-tend les études phonologiques de Sweet et de Baudouin dans les années soixante-dix, alors que les invariants restent anonymes dans ces écrits. Le terme « phonème » qui n'avait été proposé en 1873 par A. Dufriche-Desgenette que pour traduire en français l'allemand *Sprachlaut* (22), fut accepté et popularisé par le philologue romaniste L. Havet (23). Le jeune Ferdinand de Saussure, qui s'efforçait de reconstruire la structure phonétique de l'indo-européen, reprit cette appellation et l'utilisa pour désigner n'importe quel élément de cette structure qui, quelle que soit son articulation, s'est révélé « distinct de tous les autres phonèmes » (24). Mikołaj Kruszewski, l'étudiant et le collaborateur le plus proche de Baudouin de Courtenay et l'un des esprit les plus pénétrants de la linguistique du siècle dernier, se saisit du terme de Saussure, proposa de l'appliquer aux divers aspects de l'invariance phonologique (25) et, en commun avec son professeur, ouvrit la voie au développement moderne de ce nom et de ce concept.

Sweet n'a pas recherché de noms pour les invariants en question mais uniquement des « symboles généraux » permettant de spécifier ces invariants dans la notation et l'orthographe. « Ainsi, toutes les variétés de diphtongues possibles, en nombre incalculable, peuvent se ranger sous quelques catégories générales (...) et, si nous nous contentons de fournir des signes non ambigus pour ces catégories générales, nous pouvons ignorer le nombre illimité de nuances différentes qui existent entre elles, ces différences n'altèrant pas le sens ou l'application des mots dans lesquels elles apparaissent » (26). Il utilise deux symboles généraux (*ai*, *au*) « pour une variété de diphtongues qui toutes

---

(21) Jost Winteler, *Die Kerenzer Mundart des Kantons Glarus in ihren Grundzügen dargelegt* (Leipzig, 1876).
(22) Voir *Revue critique*, I (1873), p. 368.
(23) Cf. L. Havet, « OI et UI en français », *Romania* (1874), p. 321.
(24) Ferdinand de Saussure, *Mémoire sur le système primitif des voyelles dans les langues indo-européennes* (Leipzig, 1878-9), p. 121.
(25) Mikołaj Kruszewski, *Über die Lautabwechslung* (Kazan, 1881), p. 14.
(26) *A Handbook*, p. 103.

peuvent être classées sous l'un des deux types distincts, toutes deux commençant par une voyelle non arrondie d'arrière ou mixte [ce « ou » est une déviation par rapport à l'approche purement fonctionnelle sous-jacente à la notation large] et se terminant par une approximation de (i) et de (u) respectivement » (27).

Sweet rechercha des termes spécificateurs non pour les unités mais pour leurs relations. Sa conception entièrement relationnelle de l'invariance phonologique repose sur la notion de « distinctions significatives », par opposition aux différences « non significatives », « superflues », ou, comme nous dirions de nos jours, redondantes. Ce qui importe à ce niveau, ce n'est pas le son mais ses propriétés distinctives. « Ainsi nous devons distinguer non pas tellement entre *sons* qu'entre *groupes de sons* ». Comme exemple des « distinctions importantes existant dans ces groupes », Sweet cite celle de « fermé » et d' « ouvert » (28). « La règle générale » de Sweet « selon laquelle, dans n'importe quelle langue, seules les distinctions phonétiques qui sont significatives par elles-mêmes doivent être symbolisées » est une autre contribution radicale et importante à l'élimination des « distinctions phonétiques superflues ». Ainsi, en anglais, il serait inutile d'indiquer la distinction étroit-large, étant donné que « la quantité impliquerait toujours la distinction entre étroit et large ». De « deux critères de signification », un seul s'avère pertinent (29).

Sweet est totalement conscient du fait que, « si nous confinons notre attention à des différences déterminées (...) qui sont susceptibles de correspondre à des différences de sens, nous trouvons que chaque langue n'utilise qu'un petit nombre de ces distinctions » (30). Mais en plus de telles restrictions propres à une langue dans l'inventaire des « distinctions significatives par elles-mêmes », il existe des restrictions universelles. Si deux voyelles, même « formées d'une manière totalement différente », « ne sont jamais employées pour distinguer dans la même langue, le sens de certains mots, (...) on peut les considérer comme des variantes de la même voyelle ». Ainsi, l'extraction des invariants à partir des variations dans une langue se double très logiquement de la recherche audacieuse et nouvelle des variations interlangues, universelles, et des invariants correspondants (31).

---

(27) *The Practical Study*, pp. 18 sq.
(28) *A Handbook*, p. 183.
(29) *Ibid.*, p. 104.
(30) *Ibid.*, pp. 103, 182 sq.
(31) Certains linguistes, comme J.D. McCawley, *Langages*, VIII (1967), 113 sq., demeurent incapables de saisir ce précepte.

Naturellement, l'auteur proclame que cette sorte de considération ne sert que « des buts pratiques », mais il est aujourd'hui clair que, sous l'orientation étroitement génétique et causaliste de cette époque, seule l'insistance sur « des buts pratiques ordinaires » donnait au linguiste une chance d'aborder l'intentionnalité du langage et lui permettait d'obtenir une certaine connaissance du modèle des moyens et des fins.

Pour Baudouin de Courtenay comme pour Sweet, il allait de soi que des différences de signification ne pouvaient dépendre d'un accent lié automatiquement à la première ou à une autre syllabe du mot. Aussi, selon le « principe du sens commun » de Sweet, si une langue a toujours l'accent sur la première syllabe, « il n'est pas du tout nécessaire de marquer l'accent ». Sweet applique ce principe non seulement dans les cas de probabilité 1, mais également, et ceci est une innovation intéressante, dans les cas de probabilité inférieure à 1 : « Si la majorité des mots portent l'accent sur la première syllabe, il n'est nécessaire de le marquer que si celui-ci tombe sur une autre syllabe. En anglais, par exemple, il n'est pas nécessaire de le marquer dans *foutograf* (*photograph*) » (32).

Sweet a clairement vu que les oppositions binaires requéraient un symbole uniquement pour la présence de la marque, et pas pour son absence : étant donné qu'en grec « il n'y a que deux esprits, l'absence de l'esprit rude suffit à montrer que c'est l'autre qui est entendu » (33). La même règle s'applique à la paire de tons de mot du suédois, où le ton simple « n'est pratiquement que la négation du ton composé, et peut dès lors être soit une montée soit une chute selon le contexte » (34).

Son auteur avait conçu la notation large, qui est « moins précise, comme une sorte de notation algébrique » (35) et la considérait donc comme une opération scientifique supérieure et généralisée. Baudouin de Courtenay et Ferdinand de Saussure professaient une tendance similaire à une algébrisation de la linguistique (36).

La phonétique de Sweet, et surtout ses sections ouvertement pratiques, ont joué un rôle international de première importance.

---

(32) *A Handbook*, p. 190 ; *The Practical Study*, p. 19. Cf. la question de la prédictabilité absolue et relative que discute A.A. Zaliznjak dans *Simpozium po strukturnomu izučeniju znakovyx sistem* (Moscou, 1962), p. 55.
(33) *The Practical Study*, p. 19.
(34) *A Handbook*, p. 155.
(35) *A History of English Sounds from the Earliest Period* (Oxford, 1888), p. X.
(36) Cf. chap. X et XIV.

Depuis la fin des années 1880, la campagne de Paul Passy pour une réforme de l'orthographe du français et ses importantes activités dans l'Association internationale de phonétique, en particulier sa lutte continuelle en faveur de la « règle d'or » de la notation large, affirment et développent les principes de Sweet. Au début du siècle, des liens plus étroits s'établirent au sein de l'Association de phonétique entre l'école de Baudouin et les disciples de Sweet, spécialement entre Lev Ščerba et Passy ; et la mise à jour des distinctions significatives par Sweet et Passy inspirèrent les études descriptives et théoriques de Ščerba, stade de transition de la doctrine de Baudouin à la phonologie moderne. A partir de 1900 se développa une importante correspondance linguistique entre Sweet et Baudouin de Courtenay, due en partie à l'intérêt de ce dernier pour la relation entre langage et écriture. Si ces lettres existent encore, elles devraient être publiées et, d'une manière générale, on ne peut que répéter avec énergie la conclusion de la notice nécrologique d'A. Brandl sur Sweet : « Puisse son héritage trouver un éditeur fidèle » (37).

Lorsqu'en 1943 on demanda à L. Bloomfield quels étaient les travaux qui avaient donné un élan à la partie phonologique de son manuel, il renvoya à Sapir et à Trubetzkoy, mais tout d'abord et avant tout à la note de Sweet sur les « Distinctions phonétiques significatives » (38), d'où provient en fait, comme le confesse l'auteur de *Language,* le terme et l'idée des « traits distinctifs ».

Un autre trait étroitement lié à l'attitude fonctionnelle de Sweet à l'égard des sons du langage, et qui relie de même le savant des années 1870 à la recherche moderne, c'est sa prédilection pour la linguistique descriptive. Il est caractéristique que même dans la préface de son *Histoire des sons de l'anglais depuis la période la plus ancienne,* l'auteur critiquait la « pensée unilatéralement historique » de la tradition philologique allemande (40) ou, comme il le dit en 1874, les tendances « surtout historiques et tournées vers le passé » de la science allemande (41).

Dans son fameux discours présidentiel de 1877, Sweet condamnait l'orientation exclusivement généalogique de la philologie comparative qui accorde de l'intérêt aux « formes de langues

---

(37) *Archiv für das Studium der neueren Sprachen und Literaturen,* N.S. XXX (1913), p. 11.

(38) Leonard Bloomfield, *Language* (New York, 1933), chap. V-VIII.

(39) *The Practical Study,* p. 18 sq.

(40) *A History,* p. XI.

(41) Henry Sweet, « Report on Germanic and Scandinavian », *Transactions of the Philological Society 1873-4,* pp. 439-446. Repris dans *Collected Papers,* pp. 73-79.

postérieures uniquement selon la lumière qu'elles projettent sur
des formes plus anciennes » (42). Dans son discours et dans
une étude ultérieure consacrée à l'*Affinité Linguistique* (43),
Sweet décrivit un nouvel ensemble de problèmes comparatifs.
D'une part, « la divergence entre des langues de même origine
(...) soulève la question suivante : jusqu'où s'étend la possibilité
de changement de structure ? » (44). D'autre part, « rien ne
peut être plus important que la comparaison des « développe-
ments parallèles » dans des langues aussi distinctes que les
langues romanes et le néo-sanskrit, l'anglais et le perse, etc. »
(45). La diffusion des phénomènes linguistiques requiert une
étude systématique, car les possibilités de mélange se sont révélées « plus grandes que ne l'avaient soupçonné les fondateurs de
la philologie comparative ». « Il n'y a pas de limite nécessaire
au mélange de vocabulaire. (...) La possibilité de l'influence
syntaxique a été clairement prouvée » et « il existe des preuves
claires du fait que des langues différentes sont susceptibles de
s'influencer l'une l'autre dans leur morphologie » (46).

Encore une fois, c'était Sweet qui avait abordé ce problème
délaissé qui est devenu un sujet crucial dans la linguistique
actuelle : « Tout d'abord, il ne peut faire de doute que des
langues contiguës manifestent souvent des ressemblances phonétiques frappantes, même lorsqu'elles ne sont pas parentes ou
qu'elles ne le sont que de façon très éloignée ». Cette affirmation
s'appuie sur des références aux « particularités phonétiques
marquées » répandues dans le Caucase, dans l'est de l'Asie ou
dans le sud de l'Afrique « sans considération de parenté linguistique » (47).

A côté des similarités dues à la parenté ou à la contiguïté
des langues, Sweet a observé l'existence de « concordances »
génétiquement indépendante « dans la structure générale », et
il a par exemple proposé une comparaison entre certains traits
de l'anglais moderne et « ceux du chinois, du turanien, et
même de certaines langues primitives ». D'une telle comparaison
typologique indépendante des relations génétiques, Sweet déduit
« le principe primordial selon lequel toute langue et toute
période d'une langue possède une individualité propre, qui doit

---

(42) *Collected Papers*, p. 92.
(43) Henry Sweet, « Linguistic Affinity », *Otia Merseiana*, II (1900-1),
pp. 113-126. Repris dans *Collected Papers*, pp. 56-71.
(44) *Collected Papers*, p. 63.
(45) *Ibid.*, p. 92.
(46) *Ibid.*, p. 60 sq.
(47) *Ibid.*, p. 61 sq.

être respectée » (48). Le corollaire de ce principe, c'est « la reconnaissance d'une science du vivant, par opposition à une philologie morte, tournée vers le passé ». Cette conclusion, Sweet la rattache, tout comme sa notation large, à l'étude pratique du langage ; il prévoit de plus avec lucidité que cette science « est le fondement indispensable » des diverses branches de la linguistique, et même « de la philologie historique et comparative » (49).

Au niveau pratique, Sweet fait montre qu'une approche fonctionnelle systématique et, discutant « les délicates distinctions du verbe en anglais », il demande avec ironie : « Quelle peut être la contribution de la philologie historique à l'analyse de *will love, shall love, is loving*, etc. ? ». Il attaque avec énergie l'abus du point de vue historique, qui lui apparaît « aussi raisonnable qu'il le serait d'insister pour que chacun porte au cour de façon permanente l'*Histoire de l'Angleterre* de Macaulay, sous le prétexte que l'histoire est un type d'étude en progrès » (50). D'autre part, Sweet est loin de concevoir la synchronie comme un statisme immuable, et il discute « les changements en cours » avec une ingéniosité saisissante (51).

Un concept supplémentaire apparaît, lié à l'approche fonctionnelle et nettement étranger à la doctrine linguistique prédominante à la fin du dix-neuvième siècle. C'était l'idée de totalité, que Sweet met en évidence par opposition à l'esprit atomisateur du dogme établi : « Pour ma part, j'ai la ferme opinion que nos méthodes actuelles, exagéremment analytiques, (...) représentent un échec en comparaison des méthodes synthétiques du Moyen Age, qui saisissaient les phrases comme des touts », alors qu'aujourd'hui « on les assemble comme les pièces d'une mosaïque ». Il conclut que « toute réforme véritable fera intervenir, au moins en partie, un retour à ces méthodes plus anciennes » (52). Il est remarquable que, comme Sweet, son contemporain américain plus âgé, Charles Sanders Peirce, tout en prévoyant le développement d'une science sémiotique dans le futur, ait également déploré et attaqué le statut qu'elle avait alors et qu'il ait invoqué l'héritage supérieur de la tradition scolastique.

Aucun de ces deux géants n'obtint de chaire de son université ni d'aucune autre. Après une longue « série de déceptions et

---

(48) *Ibid.*, pp. 62, 92.
(49) Henry Sweet, « The Practical Study of Language », *Transactions of the Philological Society* 1882-4, pp. 577-599. Repris dans *Selected Papers*, pp. 34-55. Voir p. 49 sq.
(50) *Ibid.*, pp. 34, 36 ; *A Handbook*, p. 201.
(51) *A Handbook*, p. 195 sq.
(52) *Selected Papers*, p. 34.

de déconvenues universitaires » et après 1901, « l'année de la plus incroyable de toutes ses défaites académiques, (...) devant l'incapacité d'Oxford d'offrir à Sweet ce qui était alors la seule chaire de philologie comparative » en Angleterre (53), il essaya vainement de persuader le vice-chancelier de l'université d'Oxford qu'à côté de la chaire de philologie comparative « il fallait qu'il y ait une autre chaire de la science du langage (grammaire philosophique, etc.) » (54). Selon H.C. Wyld, « aucun homme à coup sûr n'a jamais été plus sensible et plus facilement blessé par la méchanceté, la dureté, et la brutalité, même lorsqu'elles étaient dissimulées sous une voix douce et des manières aimables » (55).

Dans une note plus ancienne, commentant l'échec de Sweet de 1901, Wyld rapporte que, pour un groupe d'éminents *Junggrammatiker* allemands, la seule explication considérée comme satisfaisante au fait choquant et incroyable que Sweet ne soit jamais devenu professeur, c'était la supposition bizarre « que Sweet venait de Süss, qui était clairement un nom juif, et que les Israélites n'étaient pas beaucoup plus populaires en Angleterre qu'en Allemagne » (56).

Comme je l'ai écrit dans mon essai sur Baudouin de Courtenay et son école, « le proverbe dit que c'est une erreur de découvrir l'Amérique trop tard, après Colomb, mais une découverte prématurée peut également être nuisible » (57). Les grands précurseurs de la science moderne du langage — John Hughlings Jackson (1835-1911), Charles Sanders Peirce (1839-1914), Henry Sweet (1845-1912), Jan Baudouin de Courtenay (1845-1929), Jost Winteler (1846-1929), Mikołaj Kruszewski (1851-1887) et Ferdinand de Saussure (1857-1913) — portent chacun à leur manière l'empreinte de la tragédie sur toute leur vie.

Dans le discours annuel de clôture du président, prononcé par Henry Sweet lors de la rencontre anniversaire de la Société de philologie du 7 mai 1878 sous le titre éloquent « L'Avenir de la philologie anglaise », on trouvait ceci :

« Il existe une forme de charlatanisme sur laquelle j'attirerai votre attention, et qui, se drapant du voile du travail consciencieux et de la rigueur, est spécialement insidieuse et dangereuse. On peut l'appeler la conception *mécaniste* du langage ; celle-ci

---

(53) C.L. Wrenn, *op. cit.,* pp. 182, 193, 195.
(54) J.R. Firth, « The English School of Phonetics », *Transactions of the Philological Society* 1946, pp. 92-132. Cf. p. 131.
(55) H.C. Wyld, *op. cit.,* p. 8.
(56) H.C. Wyld, « Henry Sweet », *The Modern Languages Quarterly,* IV (1901), pp. 73-79.
(57) Voir chap. X.

repose sur l'hypothèse que le langage n'est pas gouverné par des lois générales, mais qu'il se constitue uniquement de détails sans liens entre eux » (58).

Le savant qui osa regarder loin en avant et défier la croyance de son temps fut proscrit jusqu'à devenir *le savant maudit* *.

---

(58) Henry Sweet, « English and Germanic Philology », *Transactions of Philological Society* 1877-9, pp. 373-419. Repris dans *Collected Papers*, pp. 95-140.
* En français dans le texte.

CHAPITRE XIII

LES RÉACTIONS DU MONDE
AUX PRINCIPES LINGUISTIQUES DE WHITNEY *

L'Esquisse autobiographique de Whitney ajoute à son rapport sur les Etudes indologiques qu' « il a également produit deux volumes sur la science générale du langage ». Lorsque la première de ces deux contributions fondamentales parut à la fois à Londres et à New York en 1867 sous le titre *Language and the Study of Language* (*Twelve Lectures on the Principles of Linguistic Science*), deux savants critiques allemands — Heyman Steinthal dans *Zeitschrift für Völkerpsychologie und Sprachwissenschaft,* vol. 5 (1868), et Wilhelm Clemm dans *Kuhn's Zeitschrift für vergleichende Sprachforschung,* vol. 18 (1869) — accueillirent chaleureusement ce volume très complet, et tous deux mirent l'accent sur son arrière-plan américain. Comme le croyait Steinthal, l'illustre promoteur de la psychologie ethnique et linguistique, il fallait se rappeler que « l'auteur est américain et qu'il écrit pour des Américains ; ce qu'il dit et la manière dont il le dit est conditionné par le public pour lequel il écrit et l'on pourrait même probablement déceler certains traits de son peuple dans les conceptions de l'auteur ». Steinthal faisait allusion à l'éducation différente, au penchant différent, et aux exigences différentes » des lecteurs allemands. Selon le philologue classique Clemm (1843-1883), le fait que le travail de Withney ait été orienté principalement vers les lecteurs américains aurait pu sérieusement compromettre sa traduction.

---

* Publié en anglais sous le titre « The World Response to Whitney's Principles of Linguistic Science » dans le volume des œuvres choisies de William Dwight Whitney, *Whitney on Language,* édité par M. Silverstein (M.I.T. Press, 1971). Traduit par Paul Hirschbühler.

Cependant, le recueil de Whitney fut rapidement traduit en allemand et en néerlandais, et son second livre de linguistique générale, *The Life and Growth of Language* (Londres et New York, 1875), donna immédiatement lieu à trois traductions : en français (Paris, 1875), en italien (Milan, 1876), et en allemand (Leipzig, 1876). Une version suédoise suivit en 1880. Ces écrits circulèrent aussitôt à travers le monde. Ainsi, la publication de Londres de 1867, avec sa version allemande, et de même l'original anglais de 1875, ainsi que ses trois traductions de 1875 et de 1876, figurent parmi les principales références des premières pages du *Programme détaillé* que Jan Baudouin de Courtenay (1845-1929) publia en appendice de ses conférences novatrices de 1876-1877 à l'université de Kazan. La pertinence de ces sources se maintint et, dans le *Cours général* de linguistique comparative, lu à l'université de Moscou en 1901-1902 par le chef de l'école linguistique de Moscou, F.F. Fortunatov (1848-1914), parmi les quelques manuels recommandés, la première place revient à *The Life and Growth of Language* dans sa version originale ou en traduction, allemande de préférence. D'accord avec le savant américain, Fortunatov fit remarquer l'étroite relation existant entre le langage et la société. Son attitude critique à l'égard de la conception simpliste et mécaniste qu'August Schleicher (1821-1868) avait de l'ancêtre indo-européen le rattache aussi à la critique sévère par Whitney de la doctrine schleichérienne.

Une des sessions du 1ᵉʳ Congrès américain des philologues, tenu à Philadelphie les 27-28 décembre 1894, peu après la mort de D. Whitney (1827-7 juin 1894), fut dédiée à sa mémoire. Le *Rapport* de la conférence à la mémoire de Whitney témoigne de manière éclatante de la différence inattendue des réactions américaines et européennes à l'égard des réalisations de Whitney en linguistique générale. Les Américains qui prirent part à la commémoration laissèrent de côté cet aspect de ses activités, alors que les réponses que les organisateurs de la conférence avaient reçues d'Europe rendaient hommage au rôle historique de Whitney dans le développement extraordinaire de la linguistique.

Les cofondateurs et les chefs de file de l'influente école néogrammairienne et de sa base capitale à l'université de Leipzig, l'esprit créateur du nouveau courant, August Leskien (1840-1916), et son disciple fidèle, le célèbre indo-européaniste Karl Brugmann (1849-1919), reconnaissent l'impulsion décisive que les idées de cet Américain ont donnée dès son origine à ce courant.

Selon une lettre de Leskien, « les conceptions de Whitney

ont exercé beaucoup plus d'influence sur la science du langage qu'on ne le croirait à première vue, surtout à notre époque. Le travail des chercheurs concerne pour la majeure partie des questions de détails qui fournissent peu d'occasions de se référer immédiatement à Whitney. Pourtant, même dans ces recherches spécialisées et évidemment encore plus dans les questions de principes, plus générales, on est arrivé toujours plus dans ces dernières décennies à une approche qui vise à reconnaître la vraie nature des choses, c'est-à-dire ici les relations réelles de la langue ; et une grande partie de ce mouvement remonte directement ou indirectement à Whitney. »

Brugmann a insisté sur la profonde dette des études comparative indo-européennes à l'égard des activités de Whitney en philologie indienne, spécialement à l'égard de sa *Grammaire du sanskrit* (*Sanskrit Grammar*) qui « fait véritablement date », mais encore plus des immenses stimulations « que son examen des principes de l'histoire des langues a données aux indo-germanistes » (*die seine Behandlung der Principienfragen der Sprachgeschichte den Indogermanisten gegeben hat*). Selon Brugmann, « parmi les indogermanistes, Whitney a été le premier à promulguer l'histoire des phénomènes phoniques du langage débarrassée de toute prétention fantasque et troublante ». Il est significatif que le champion de l'école néo-grammairienne attaque ses suiveurs trop étroits d'esprit pour leur empirisme aveugle et leur aversion à l'égard des questions théoriques : « Même le plus doué doit avoir une connaissance de la nature des forces qui ont créé les faits historiques s'il veut spéculer sur les divers aspects de l'évolution des langues. Il n'y a que ce contrôle et cette critique de soi, rendus possibles par cette formation plus générale, qui le préservent de l'arbitraire et de l'erreur auquel un empirisme grossier se trouve partout exposé ».

Brugmann ouvre son message de Leipzig du 25 novembre 1894 — « *Zum Gedächtniss W.D. Whitney* » — en rappelant les années de recherches initiales de la nouvelle doctrine linguistique : « En ces années-là, lorsqu'on insistait dans la patrie des études indogermanistes sur une révision fondamentale des méthodes de recherches et sur le rétablissement d'un échange spécifique entre la philosophie du langage et la recherche spécialisée, Whitney était pour moi et pour d'autres savants plus jeunes un guide digne de confiance dont on suivait toujours les conseils avec grand profit. Et la très haute opinion que j'ai eue de Whitney dans mes années d'études n'a fait que se renforcer avec le temps ».

Discutant l'histoire de la linguistique dans une conférence de 1909, Ferdinand de Saussure (1857-1913) mentionne la date de 1875 comme un tournant. Tout d'abord, dit-il, le *Life and Growth of Language* de Whitney, qui parut à cette époque en anglais et en français, « donna l'élan ». Ensuite, nous avons assisté à la naissance d' « une nouvelle école » ou, selon les termes que préférait Saussure, « le courant néogrammairien se développa » (*Cours de linguistique générale,* dans l'édition critique de R. Engler, p. 16). Saussure passa les années 1876 et 1877 à Leipzig, qui selon lui était alors « le principal centre » de ce « mouvement scientifique » (voir *Cahiers F. de Saussure,* vol. 17, 1960, p. 15). Il assista aux cours de Leskien et, au moins à travers Leskien, dont la traduction allemande de Whitney, *Leben und Wachstum der Sprache,* fut imprimée à Leipzig en 1876, ce guide (*Wegweiser*) des néogrammairiens a dû lui devenir familier.

Lorsque les organisateurs de la conférence à la mémoire de Whitney réunie à Philadelphie demandèrent à Saussure de donner son jugement sur l'œuvre de Whitney, Saussure, avec son « épistolophobie » habituelle et son dégoût croissant en face de la difficulté qu'il y a à écrire « dix lignes serrées à propos des faits de langage » (lettre à A. Meillet du 4 janvier 1894), s'efforça d'accepter et de répondre à l'invitation ; il couvrit un carnet d'environ quarante pages d'un essai de réponse qu'il ne termina et n'envoya jamais. Ce carnet est conservé à la Bibliothèque publique et universitaire de Genève (Ms fr. 3951 : 10) ; Engler, *op. cit.* et R. Godel dans *Cahiers Ferdinand de Saussure,* vol. 12 (1954), pp. 59 sq., et dans sa précieuse monographie *Les Sources manuscrites du Cours de linguistique générale de F. de Saussure* (1957), pp. 43-46, n'en ont publié que des fragments.

On peut lire, dans le brouillon de la réponse de Saussure : « La pensée dont s'est inspirée l'American Philological Association, en demandant à un grand nombre de [savants] américains et [européens], de résumer selon leur propre opinion le rôle qu'a rempli Whitney dans les différents départements de la science qui les regarde, me semble une pensée des plus heureuses. De la seule comparaison de jugements portés en toute liberté de côtés absolument différents se dégagera un enseignement, en même temps qu'un hommage plus complet à la mémoire de celui dont nous avons déploré avec vous la perte récente ».

Saussure se sent toutefois dépassé par la tâche de résumer « le travail qu'a accompli Whitney » et se risque à ouvrir une discussion libre, étant donné qu' « il est plus facile dans ces conditions de laisser courir la plume ». Il commence en mettant l'accent sur les aspects singuliers « du rôle et de la destinée » de Whitney :

« 1° Que n'ayant jamais écrit une seule page qu'on puisse

dire dans son intention destinée à faire de la grammaire comparée, il a exercé une influence sur toutes les études de grammaire comparée ; et que ce n'est pas le cas d'aucun autre. Il est en date le premier moniteur dans les principes qui serviront en pratique de méthode à l'avenir.

« 2° Que des différentes tentatives qui *pour la première fois* tendaient, entre les années 1860 et 1870, à dégager, de la somme des résultats accumulés par la grammaire comparée, quelque chose de général sur le langage, toutes étaient avortées ou sans valeur d'ensemble, sauf celle de Whitney, qui du premier coup était dans la direction juste, [qui] n'a besoin aujourd'hui que d'être patiemment poursuivie.

« Considérons avant tout ce second rôle, car il est évident que c'est par là, c'est-à-dire parce qu'il avait inculqué aux linguistes une plus saine vue de ce qu'était en général l'objet traité sous le nom de langage, qu'il les déterminait à se servir de procédés un peu différents dans le laboratoire de leurs comparaisons journalières. Les deux choses, une bonne généralisation sur le langage, qui peut intéresser qui que ce soit, ou une saine méthode à proposer à la grammaire comparée pour les opérations précises de [*un mot manquant*] sont en réalité la même chose ».

Saussure oppose la performance de Whitney à l'état de désolation de la tradition linguistique en vigueur, que les deux savants méprisaient de façon semblable :

« Ce sera pour tous les temps un sujet de réflexion philosophique, que pendant une période de cinquante ans, la science linguistique née en Allemagne, développée en Allemagne, chérie en Allemagne par une innombrable catégorie d'individus, n'ait jamais eu même la velléité de s'élever à ce degré d'abstraction qui est nécessaire pour dominer d'une part *ce qu'on fait,* d'autre part en quoi *ce qu'on fait* a une légitimité et une raison d'être dans l'ensemble des sciences ; mais un second sujet d'étonnement sera de voir que lorsque enfin cette science semble triompher de sa torpeur, elle aboutit à l'essai risible de Schleicher, qui croule sous son propre ridicule. Tel a été le prestige de Schleicher pour avoir simplement *essayé* de dire quelque chose de général sur la langue, qu'il semble que ce soit une figure hors pair encore aujourd'hui dans l'histoire des études linguistiques, et qu'on voit des linguistes prendre des airs comiquement graves, lorsqu'il est question de cette grande figure. (...) Par tout ce que nous pouvons contrôler, il est apparent que c'était la plus complète médiocrité, ce qui n'exclut pas les prétentions ».

Après quelques réflexions critiques sur le défunt linguiste américain, la lettre d'éloge esquissée par Saussure fait place à un second essai, *antithétique celui-là.*

« A la réception de votre très honorée lettre, datée de Bryn Mawr 29 octobre et qui m'est parvenue le 10 nov., j'aurais dû immédiatement vous répondre ceci :

« 1° Vous me faites le haut honneur de me demander d'apprécier Whitney *as a comparative philologist*. Mais jamais Whitney n'a voulu être un *comparative philologist*. Il ne nous a pas laissé une seule page permettant de l'apprécier comme *comparative philologist*. Il ne nous a laissé que des travaux qui déduisent des résultats de la grammaire comparée une vue supérieure et générale sur le langage : cela étant justement sa haute originalité dès 1867. (...)

« 2° Du moment qu'il ne s'agit plus que des choses universelles qu'on peut dire sur le langage, je ne me sens d'accord avec aucune école en général, pas plus avec la doctrine raisonnable de Whitney qu'avec les doctrines déraisonnables qu'il a victorieusement combattues. Et ce désaccord est tel qu'il ne comporte aucune transaction ni nuance, sous peine de me voir obligé d'écrire des choses n'ayant aucun sens à mes yeux.

« J'aurais dû dès lors vous prier de me décharger immédiatement du devoir de parler de l'œuvre de Whitney en linguistique, alors même que cette œuvre est de beaucoup la meilleure ».

Finalement, sur la dernière page de ses notes, le savant suisse esquisse la troisième version de sa réponse projetée mais jamais terminée à l'invitation américaine de faire part de son opinion sur le linguiste décédé ; cette nouvelle variante est centrée sur l'importance historique du travail de ce dernier : « Je crois que ce sera le meilleur et le plus simple hommage à décerner à l'œuvre de Whitney que de constater à quel point cette œuvre a peu souffert de l'injure du temps ». Comme le souligne Saussure, « un éloge de ce genre devient extraordinaire dans la linguistique proprement dite. De tous les livres, spéciaux ou généraux, qui ont aujourd'hui 30 ans de date, quel est celui qui en linguistique n'ait pas irrémédiablement vieilli à nos yeux ? Je le cherche et n'en trouve pas d'autre. — En quoi, nous ne songeons à dire aucunement que le livre de Whitney soit définitif, ou qu'il contienne tout ce qu'on pourrait désirer ; c'est là ce que l'auteur lui-même eût repoussé, mais ce qu'il contient, et ce que Whitney disait le premier en 1867, n'est pas encore frappé de nullité en 1894, de l'aveu universel. C'est là un fait plus instructif que beaucoup de commentaires pour servir de pierre de touche dans l'appréciation d'un esprit ».

Saussure songeait à une importante réponse qui prendrait la forme d'un essai dans lequel il pourrait « donner libre cours à sa plume » et qui comporterait des sections comme : « la Grammaire comparée » ; « la Grammaire comparée et la linguistique » ; « le Langage, institution humaine » (ou « Whitney et l'institution ») ; « La linguistique, science double » ; « Whitney et l'école des néo-grammairiens » ; « Whitney phonologiste ». Le chapitre final — « Valeur définitive » — devait être une reconnaissance du mérite qu'avait eu Whitney » (...) de s'être rendu assez indépendant de la grammaire comparée, tout pour en avoir tiré le premier une vue philosophique ».

Le carnet de Saussure de 1894 regorge des préliminaires passionnants et provocateurs de ce projet, qu'il a abandonné comme c'était souvent le cas dans sa pratique genevoise ; et, ainsi, la conférence à la mémoire de Whitney força cet éternel chercheur à réfléchir à son propre programme linguistique et à le laisser pour la première fois sous une forme écrite, la plus radicale peut-être.

Ces essais fragmentaires commencent par une brève référence aux études de Sweet sur les sons du langage : « Pour autant, dis-je, que la phonologie touche à la linguistique, il est à remarquer dans cette lettre que plusieurs contributions positives y ont été apportées à différentes reprises par Whitney, d'ailleurs attentif depuis le premier moment, en raison de ses études sur les *Pratiçahyas* de différents Véda, à tous les détails qui peuvent éclairer la prononciation ». Saussure quitte cette « science auxiliaire » pour aborder l'essence des efforts du savant américain : « Mais il y a une tentative de Whitney de résoudre une question autrement intéressante pour la linguistique. Et sans résoudre le problème (simplement parce qu'il a oublié *un* élément, il est vrai le plus décisif, dont je n'aurais pas le loisir de parler ici), il a dit, de beaucoup, ce qu'il y a encore de plus raisonnable sur cette question ». Voici, selon Saussure, le fond du problème : « Whitney a dit : le langage est une *Institution* humaine. Cela a changé l'axe de la linguistique ». La particularité substantielle de cette institution consiste dans le fait que « le langage et l'écriture ne sont *pas fondés sur un rapport naturel des choses*. Il n'y a aucun rapport à aucun moment entre un certain son sifflant et la forme de la lettre *S*, et de même il n'est pas plus difficile au mot *cow* qu'au mot *vacca* de désigner une vache. C'est ce que Whitney ne s'est jamais lassé de répéter, pour mieux faire sentir que le langage est une institution pure ».

Saussure note la croyance de l'Américain selon laquelle, dans le langage, il n'existe jamais de traces d'une corrélation interne entre les signes vocaux et l'idée, et il souligne le fait que dans toute son œuvre, Whitney n'a pas cessé d'affirmer sa position sur cette base. Saussure se sent particulièrement impressionné par le passage de *Life and Growth of Language* dans lequel « Whitney dit que les hommes se sont servis de la voix pour donner des signes à leurs idées comme ils se seraient servis du geste ou d'autre chose, et parce que cela leur a semblé *plus commode* de se servir de la voix. Nous estimons que c'est là, en ces deux lignes, qui ressemblent à un gros paradoxe, la plus juste idée philosophique qui ait jamais été donnée du langage ; mais, en outre, que notre plus journalière pratique des objets soumis à notre analyse aurait tout à gagner à partir de cette donnée. Car elle établit ce fait que le langage n'est rien de plus qu'un cas particulier du signe, hors d'état d'être jugé en lui-même ».

Saussure restera d'accord, dans ses cours de linguistique générale, avec l'insistance de Whitney sur le caractère conventionnel du langage, mais il admettra l'existence d'une certaine prédisposition à utiliser les organes vocaux pour le langage humain.

Dans les judicieux raisonnements de Whitney sur le langage en tant qu'institution, Saussure décèle un défaut qui doit être corrigé. « La continuation serait, croyons-nous : c'est une institution humaine sans analogue ». La principale réserve émise par le critique est dirigée contre l'impression générale que l'on retire des écrits de Whitney et selon laquelle « le sens commun suffirait » à éliminer tous les fantômes et à saisir l'essence des phénomènes linguistiques : « Or cette conviction n'est pas la nôtre. Nous sommes au contraire profondément convaincus que quiconque pose le pied sur le terrain de la *langue* peut se dire qu'il est abandonné par toutes les analogies du ciel et de la terre. C'est précisément pourquoi on a pu faire sur la langue d'aussi fantaisistes constructions que celles que démolit Whitney, mais aussi pourquoi il reste beaucoup à dire dans un autre sens ».

Saussure répond en indiquant les traits caractéristiques qui distinguent les systèmes de signes, c'est-à-dire les institutions sémiotiques, de toutes les autres institutions humaines, et en particulier les traits qui caractérisent le langage et l'écriture par rapport aux autres structures sémiotiques et qui manifestent donc « (...) la si complexe nature de la sémiologie particulière dite langage. Le langage n'est rien de plus qu'un *cas particulier* de la Théorie des Signes. Mais, précisément par ce seul fait, il se trouve déjà dans l'impossibilité absolue d'être une chose simple (ni une chose directement saisissable à notre esprit dans sa façon d'être).

« Ce sera la réaction capitale de l'étude du langage dans la théorie des signes, ce sera l'horizon à jamais nouveau qu'elle aura ouvert, que de lui avoir appris et révélé *tout un côté nouveau du signe,* à savoir que celui-ci ne commence à être réellement connu que quand on a vu qu'il est une chose non seulement transmissible, mais de sa nature *destiné à être transmis* et modifiable. — Seulement, pour celui qui veut faire la théorie du langage, c'est la complication centuplée.

« Des philosophes, des logiciens, des psychologues, ont peut-être pu nous apprendre quel était le contrat fondamental entre l'idée et le symbole, en particulier un *symbole indépendant* qui la représente. Par symbole *indépendant,* nous entendons les catégories de symboles qui ont ce caractère capital de n'avoir *aucune espèce de lien* visible avec l'objet à désigner, et de ne plus pouvoir en dépendre même indirectement dans la suite de leurs destinées ».

D'autres institutions sémiotiques, comme les rites ou les coutumes, impliquent une certaine liaison interne entre les deux aspects, le *signifiant* et le *signifié* (pour utiliser le terme que Saussure reprit plus tard, en 1911, à la tradition stoïcienne), et dès lors « Les autres institutions demeurent *simples* dans leurs complications ; au contraire, il est fondamentalement impossible qu'une seule entité de langage soit *simple,* puisqu'il suppose la combinaison de deux choses *privées de rapport,* une idée et un objet symbolique dépourvu de tout lien avec cette idée.

« Ce n'est que dans la mesure exacte où l'objet extérieur est signe (est aperçu comme signe = signifiant) qu'il fait partie du langage à un titre quelconque ».

Le carnet de Saussure sur Whitney s'ouvre par un principe sémiotique fondamental : « L'objet qui sert de signe n'est jamais « le même » deux fois : il faut dès le premier moment un examen ou une convention initiale pour savoir au nom de quoi et dans quelles limites nous avons le droit de l'appeler le même ; là est la fondamentale différence avec un objet quelconque ».

Cette assertion manifeste une étroite correspondance avec la recherche continue de Charles Sanders Peirce sur la relation entre les légisignes (*Legisigns*) et les occurrences (*Replicas*) ou récurrences (*Instances*). En général, les remarques de Saussure sur la *sémiologie,* remarques que lui ont inspirées ses méditations sur Whitney, sont nettement apparentées aux idées *sémiotiques* de Peirce, qui ne se réfère cependant nulle part à son compatriote de la Nouvelle-Angleterre.

Poussé par le *Programme et méthodes de la linguistique théorique* de Séchehaye (1908), Saussure revint aux problèmes cardinaux du langage. Il affirmait dans ses notes — nous le savons par les citations de Godel — que deux Polonais, Baudouin de Courtenay et M. Kruszewski (1851-1887), qui étaient tous deux toujours méconnus de la plupart des savants de l'Europe occidentale, « ont été plus près que personne d'une vue théorique de la langue, cela sans sortir des considérations linguistiques pures ; ils sont d'ailleurs ignorés de la généralité des savants occidentaux ». Il trouva nécessaire d'ajouter un troisième nom : « L'Américain Whitney, que je révère, n'a jamais dit un seul mot sur les mêmes sujets qui ne fût juste ; mais, comme tous les autres, il ne songe pas que la langue ait besoin d'une systématique ». Les notes de Saussure de 1894 essayèrent d'expliquer cette prétendue absence de systématisation au moyen d'une comparaison, reprise plus tard, entre le langage et le jeu d'échec : la nécessité d'une distinction claire entre deux aspects du jeu, à savoir, les positions simultanées des pièces et la suite temporelle de leurs mouvements. Il affirme que cette distinction est particulièrement importante pour la science du langage : « La différence de l'institution du langage d'avec les autres institutions humaines ; à savoir, celle-ci n'est pas soumise à la correction continuelle de l'esprit, parce qu'elle ne découle pas, depuis l'origine, d'une harmonie visible entre l'idée et le moyen d'expression ». Saussure conçoit cette interrelation entre les deux aspects comme purement conventionnelle (dans son carnet, Saussure n'a utilisé qu'une fois, avant de le barrer, le terme *arbitraire* de Whithney, qu'il a adopté plus tard). Aussi, « il serait vraiment présomptueux de croire que l'histoire du langage doive ressembler même de loin, après cela, à celle d'une autre institution.

« Que le langage soit, à chaque moment de son existence, *un produit historique,* c'est ce qui est évident. Mais qu'à aucun moment du langage ce produit historique représente autre chose que le compromis (le dernier compromis) qu'accepte l'esprit avec certains symboles, c'est là une vérité plus absolue encore, car sans ce dernier fait il n'y aurait pas de langage. Or la façon dont l'esprit peut se servir d'un symbole (*étant donné d'abord que le symbole ne change pas*) est toute une science, laquelle n'a rien à voir avec les considérations historiques. De plus, si le symbole change, immédiatement après il y a un nouvel état, nécessitant une nouvelle application des lois universelles ».

Quant aux changements eux-mêmes, Saussure insiste sur leur caractère purement fortuit : « Tout se passe hors de l'esprit ». Et, avant tout, « par sa genèse un procédé provient de n'importe quel hasard ». Pour celui qui veut s'attacher à la comparaison avec le jeu d'échecs, alors, selon le dogme de Saussure — « (...) rien n'empêche de supposer le joueur tout à fait absurde comme l'est le hasard des événements phonétiques et autres ».

« Nous nourrissons depuis bien des années cette conviction que la linguistique est une science *double,* et si profondément, irrémédiablement double qu'on peut à vrai dire se demander s'il y a une raison suffisante pour maintenir sous ce nom de

linguistique une unité factice, génératrice précisément de toutes
les erreurs, de tous les inextricables pièges contre lesquels nous
nous débattons ».

« Il n'y a pas un seul terme employé en linguistique auquel
j'accorde un sens quelconque », dit Saussure dans sa lettre à
Meillet déjà citée.

Saussure intitula ses remarques finales sur cette question « Du
caractère antihistorique du langage ». Il essaya de justifier ce
titre : « Il n'y a de langue et de science de la langue qu'à la
condition initiale de faire abstraction de ce qui a précédé, de
ce qui relie entre elle les époques. (...) C'est la condition absolue
pour comprendre ce qui se passe, ou seulement ce qui *est* dans
un état que de faire abstraction de ce qui n'est pas de cet état,
par exemple de ce qui a précédé ; surtout de ce qui a précédé.
Mais que résulte-t-il de là pour la généralisation ? La généralisation est impossible. (...) Concevoir une généralisation qui
mènerait de front ces deux choses est demander l'absurde. C'est
ce genre d'absurde que la linguistique, depuis sa naissance,
veut imposer à l'esprit. Il serait, par suite, impossible soit de
discourir sur un seul des termes usités en linguistique dans la
pratique de chaque jour sans reprendre *ab ovo* la question
totale du langage, soit encore moins de formuler une appréciation sur une doctrine qui n'a pas tenu compte, si rationnelle
qu'elle fût, (...) ».

Il s'agit d'une allusion évidente à la doctrine de Whitney.
Mais, d'autre part, la croyance en la prépondérance ou même
en l'hégémonie de la linguistique « non historique », que Saussure exprime avec une telle intransigeance dans son carnet, fit
l'objet d'hésitations répétées et insistantes tout au long des
années 1890. Ainsi, nous rencontrons des expressions d'incertitudes jusque dans son carnet sur Whitney : « Il est extrêmement
douteux et délicat de dire si c'est plutôt un objet historique ou
plutôt autre chose, mais, dans l'état actuel des tendances, il
n'y a aucun danger à insister surtout sur le côté non historique ».

Dans le même carnet, Saussure proposa mais barra lui-même
« la vraie question » : « Peut-on forcer le langage jusqu'à devenir une matière historique, proprement historique ? — Mais,
inversement, sera-t-il un seul instant possible d'oublier le côté
historique ? ».

On peut toutefois se rappeler que, dans sa monographie de
1894 sur les alternances phonétiques, Baudouin de Courtenay
blâmait Saussure pour son historicisme unilatéral et son indifférence à l'égard des éléments coexistants du langage. Ce dernier
affirmait dans ses leçons d'introduction de 1891 à l'université de
Genève que « tout dans la langue est *histoire,* c'est-à-dire qu'elle

est un objet d'analyse historique, et non d'analyse abstraite, »
et même dans son compte rendu de la monographie de J. Schmidt
de 1895, *Kritik der Sonantentheorie,* pour le *Indogermanische
Forschungen* de 1897, Saussure affirmait que « quand on fera
pour la première fois une théorie vraie de la langue, un des tout
premiers principes qu'on y inscrira est que jamais, en aucun
cas, une règle qui a pour caractère de se mouvoir dans un *état
de langue* (= 2 termes successifs) ne peut avoir plus qu'une
validité de hasard. (...) Et, dans tous les cas, pour poser la règle
sous un vrai sens, il faudra reprendre le terme antérieur au lieu
d'un terme contemporain. (...) »

L'insistance de Saussure sur les « états de langue » l'éloigne
des principes linguistiques de Whitney et rapproche ses desseins
et ses propositions des recherches sémiotiques de Peirce : « La
loi tout à fait finale du langage est à ce que nous osons dire
qu'il n'y a jamais rien qui puisse résider dans un terme (par
suite directe de ce que les symboles linguistiques sont sans relation
avec ce qu'ils doivent désigner), donc que tous deux ne valent
que par leur réciproque *différence,* ou qu'aucun ne vaut, même
par une partie quelconque de soi (je suppose « la racine », etc.),
autrement que par ce même plexus de différences éternellement
négatives ».

Côte à côte avec *différences,* le carnet utilise aussi le terme
oppositions, qui fut très probablement modelé sur l'exemple de
Baudouin (*protivopoložnosti*) et promu plus tard au rang de
concept fondamental de la doctrine saussurienne. Le noyau de
cette doctrine apparaît dans le carnet : « (...) L'évidence absolue,
même a priori, qu'il n'y aura jamais un seul fragment de langue
qui puisse être fondé sur autre chose, comme principe ultime,
que sa non-coïncidence, ou sur le degré de sa non-coïncidence,
avec le reste ; la forme positive étant indifférente, jusqu'à un
degré dont nous n'avons encore aucune idée (...) ; car ce degré
est entièrement égal à zéro ».

Son approche des systèmes de valeurs linguistiques corrélatives
lui a permis de réévaluer les résultats atteints par des chercheurs
aussi brillants que Whitney à la lumière du futur qu'il prévoyait :
« Au reste, ne nous faisons pas d'illusions. Il arrivera un jour
où on reconnaîtra que les quantités du langage et leurs rapports
sont régulièrement exprimables de leur nature fondamentale par
des formules mathématiques ». Sans quoi il faudrait renoncer
à comprendre quoi que ce soit aux faits linguistiques : « C'est
ce qui change beaucoup, malgré nous, notre point de vue sur
la valeur de tout ce qui a été dit, même par des hommes très
éminents ».

L'exigence saussurienne de l'autonomie de la linguistique et sa critique de la conception qu'avait Whitney de ce problème avaient été préfigurées une décennie auparavant par l'éminent philosophe tchèque T.G. Masaryk (1850-1937), dont le traité *Základové konkretné logiky* (« Principes de logique concrète ») visait à construire une systématique des sciences. La discussion de Masaryk sur la relation entre le linguistique et les disciplines voisines rejoint les « deux volumes » de Whitney, qui inaugurent le choix des sources recommandées dans le traité tchèque. L'auteur adhère à la conception de Whitney — le langage est une institution sociale — mais modifie d'une manière essentielle la thèse de ce dernier : « La question se pose de savoir si la linguistique est une science indépendante, et en particulier on pourrait le prétendre, si elle n'appartient pas d'une certaine façon à la sociologie. Je pense cependant que la linguistique est une science indépendante étant donné son objet, à savoir le langage, qui, dans son être comme dans sa constitution, se distingue des phénomènes traités par la sociologie. Aussi étroit que puisse être le rapport qui lie le développement du langage parlé et de l'écriture à la genèse et au développement de la vie intérieure, il s'agit toutefois d'un sujet totalement différent qui doit être étudié par sa propre science ».

Dans son livre de 1885, Masaryk condamnait toute imitation superficielle par les linguistes de méthodes étrangères à leur domaine. Il attaquait les incohérences logiques et la peur de la théorie comme des entraves au développement de la linguistique. Selon lui, les principes de la linguistique devaient faire l'objet d'une élaboration systématique en tant que base théorique nécessaire de la linguistique concrète — *spéciale,* dans le cas où elle est orientée vers des langues particulières et des familles de langues, *générale,* lorsqu'elle a pour but d'éclaircir et de résumer l'expérience accumulée à partir de tout l'univers des langues. C'est l'intuition latente de Whitney qui doit avoir favorisé la conception de la double subdivision de l'étude du langage — chacune abstraite et concrète — en son aspect synchronique (fondamental) et son aspect historique (secondaire), conception qui avait hanté Masaryk dans les années 1880 et Saussure dans les années 1890, et qui était lourde de conséquences pour le développement ultérieur de la linguistique.

L'essai le plus complet consacré aux acquisitions iniatrices de Whitney dans la théorie du langage et à leur place dans l'histoire mondiale des idées est l'œuvre de l'éminent linguiste italien Benvenuto Terracini (1886-1968). Il fut publié à l'occasion du cinquantième anniversaire de la mort de Whitney dans *Revista de filología hispánica,* vol. 5 (1943) sous le titre « W.D. Whitney y la lingüística general ». Dans sa version italienne, « Le origini delle lingüistica generale », qui fut incluse dans le *Guida allo studio della linguistica storica* de Terracini (Rome, 1949), il dépeint Whitney comme l' « initiateur de la linguistique générale bâtie sur l'empirisme historique », qui assure toujours à son lecteur le sentiment d' « un charme particulier ». En particulier, les pénétrantes discussions européennes sur le caractère « institutionalisé » et « conventionnel » du langage ne manquent jamais de mettre chaque fois en avant le nom et la pensée de Whitney.

Dans son propre pays, l'impact immédiat des contributions de Whitney à la science générale du langage fut beaucoup plus faible. Pendant de longues années, ce fut comme si les étudiants, « absorbés par les détails », négligeaient son avertissement préliminaire de 1867 de ne pas perdre « de vue les grandes vérités et les grands principes qui sous-tendent et donnent un sens à leur travail, et dont la reconnaissance devrait gouverner toute leur orientation ». Les publications universitaires américaines limitaient leurs occasionnelles marques de respect à de rapides remarques disant que les études théoriques de Whitney « ne peuvent être restées totalement sans effet » et qu'elles « ont aidé à chasser de nombreux mirages du ciel » (Benjamin Ide Wheeler). Les nouvelles idées linguistiques qui commencèrent à surgir ici, principalement vers le début du siècle, étaient liées aux progrès de l'anthropologie et aux questions de méthode que suscitaient les recherches croissantes sur les langues indiennes d'Amériques, leur structure et leurs relations mutuelles.

Si, selon la lettre de Brugmann déjà citée, « un confrère allemand » ressentait la large dette de la science européenne à l'égard de l'Américain Whitney — « le grand savant décédé » —, ensuite ce fut le Westphalien de naissance Franz Boas (1858-1942) qui, en 1886, transporta d'Allemagne en Amérique ses multiples activités scientifiques. Il entreprit sur le terrain de vastes recherches descriptives, orientées vers l'anthropologie, qui faisaient intervenir une large équipe de chercheurs et qui révélèrent la nécessité vitale de nouvelles méthodes et de nouvelles conclusions théoriques. Comme l'a écrit Léonard Bloomfield (1887-1949) dans sa nécrologie de Boas, « Le progrès que l'on a noté depuis lors dans l'enregistrement et la description du langage humain n'a fait que croître à partir des racines, du tronc, et des puissantes branches de l'œuvre de Boas.

Dans la génération suivante de chercheurs américains, le domaine des intérêts linguistiques a embrassé les langues indigènes locales ainsi que le monde indo-européen. Il est très significatif que l'héritage de Whitney ait été délibérément rétabli par Léonard Bloomfield, dont la première version de *Language, An Introduction to the Study of Language* (New York, 1914) se trouve pré-

cisément associée jusque dans son titre à la tradition de Whitney.
Les premières lignes de la Préface de Bloomfield annoncent que
l'objectif de la nouvelle publication est le même « que celui de
Language and the Study of Language et *The Life and Growth
of Language* de Whitney, livres qui il y a cinquante ans représentaient les acquisitions de la science linguistique et qui, grâce
à la clarté des conceptions de leur auteur et à sa consciencieuse
distinction entre fait établi et simple conjecture, contiennent peu
de choses auxquelles nous ne pouvons souscrire aujourd'hui. Les
grands progrès accomplis par notre science dans la dernière
moitié du siècle justifient cependant, je crois, ma tentative de
donner un résumé de ce que l'on sait aujourd'hui du langage ».

Bloomfield conserva son admiration pour l'essentiel des conceptions linguistiques de Whitney et il déclara un jour, au début
de l'année 1940, que la *Grammaire du sanskrit* (1879) de Whitney avait été son premier guide dans l'étude synchronique des
langues. Il vaut la peine de noter que le compte rendu qu'en
avait fait A. Hillebrandt en 1880 reconnaissait la nouveauté de
cette grammaire par son étude d'un état de langue (*Erforschung
des Sprachzustandes*) ; et Tullio De Mauro, le meilleur traduc-
teur et commentateur du *Cours de linguistique générale* (Bari,
1967) de Saussure, comparaît ce trait du manuel de Whitney à
l'approche synchronique du langage de Saussure.

Les structures linguistiques sont « soumises au contexte » :
elles changent de signification conformément à la variations des
environnements. D'une façon similaire, les théories linguistiques
subissent des modifications selon l'environnement historique et
l'idéologie personnelle de leurs interprètes. Ainsi, Brugmann,
Saussure, Terracini, Bloomfield, et probablement aussi les lecteurs exigeants d'aujourd'hui, considèrent et traitent la doctrine
de Whitney de façon différente. Jusqu'ici, dans toutes les interprétations des contributions de Whitney à la linguistique générale,
l'idée invariante est que, sur les sujets qu'il a discutés, il n'a pas
fait d'affirmations fallacieuses, et que donc, dans les questions
de linguistique générale, il a remarquablement dépassé ses prédécesseurs et ses contemporains. Les variations dans l'appréciation de l'héritage de Whitney ne concernent pas tant ce qu'il a
dit que ce qui reste et combien il reste à dire « dans un autre
sens » et quelle est la relative pertinence pour la science du langage de ce qui a été révélé en comparaison de ce qui est resté
inexprimé.

Chapitre XIV

RÉFLEXIONS INÉDITES DE SAUSSURE SUR LES PHONÈMES *

Raymond et Jacques de Saussure ont généreusement fait don à la Bibliothèque Houghton de l'université de Harvard d'une collection de manuscrits de leur père (bMS Fr. 266 : Saussure, Ferdinand de, *Linguistic Papers*). Avec les riches archives saussuriennes de la Bibliothèque publique et universitaire de Genève (inventoriée par R. Godel dans son livre *Les Sources manuscrites du Cours de linguistique générale de F. de Saussure,* 1957, pp. 13-17, et dans *CFS* XVII, pp. 5-11), ces matériaux récemment découverts représentent une source d'une valeur inestimable pour les études exhaustives futures de l'héritage toujours capital de ce savant. Tous ces brouillons, ces esquisses et ces notes attendent une description détaillée, et manifestement, plusieurs de ces œuvres posthumes exigent une édition critique, en particulier les contributions de Saussure à la poétique, qui ne sont pas moins audacieuses et intéressantes que ses réalisations dans la science générale du langage et dans l'étude comparative des langues, à savoir, les quatre-vingt-dix-neuf *Cahiers d'anagrammes* (cf. les extraits commentés par J. Starobinski dans *Tel quel* XXXVII, 1969, pp. 3-33), et les nombreux résultats de ses pénétrantes recherches en métrique homérique, védique, saturnienne et française.

La collection de Harvard, particulièrement riche en ce qui concerne les études indologiques de Saussure, comprend éga-

---

* Publié en anglais, sous le titre « Saussure's Reflexions on Phonemes », dans les *Mélanges de linguistique offerts à Henri Frei (Cahiers Ferdinand de Saussure,* XXVI, 1970). Traduit par Paul Hirschbühler.

lement son *Essai pour réduire les mots du grec, du latin, de l'allemand à un petit nombre de racines,* qui était réputé perdu. Ces quarante et une pages d'une écriture enfantine appliquée étaient mentionnées dans les *Souvenirs* de Saussure (voir *CFS* XVII, p. 17) comme un « enfantillage » composé en 1872, et le manuscrit ne donne aucune raison de douter du témoignage de l'auteur. Le garçon de quinze ans qu'il était pose neuf racines fondamentales de trois éléments bâties sur toutes les combinaisons possibles de *k, p,* et *t,* avec un *a* intercallé : *KAK, KAP, KAT,* etc. (p. 4) et assure que « de ces neuf mots primitifs il va en découler des milliers de nouveaux au moyen de diverses opérations qui n'empêcheront pas de reconnaître la forme de chaque racine » (p. 5).

L'essai se termine (p. 41) par cet aveu : « Si j'étais sûr que le reste était vrai, j'étudierais spécialement tous ces points difficiles. Je parviendrais ainsi, et surtout si je connaissais les langues orientales, à diviser tous les mots en une douzaine de racines. Mais je vois que je me perds dans les rêves, et qu'il faut se souvenir de la fable du Pot au Lait ».

Le lecteur du manuscrit, « le vénérable Adolphe Pictet », écrivit une lettre sévère à son « jeune ami », et, selon les *Souvenirs* de ce dernier, cette critique fut suffisante « pour me calmer définitivement sur tout système universel du langage. — Dès ce moment (1872), j'étais très prêt à recevoir une autre doctrine, si j'en avais trouvé une, mais en fait j'oubliai la linguistique pendant deux ans, assez dégoûté de mon essai manqué » (*CFS* XVII, p. 17).

Au lieu de ces « rêves » d'écolier, ce sont des doctrines scientifiques bien développées — tout d'abord dans le domaine comparativo-historique et ensuite en théorie linguistique — qui ont servi de base aux recherches de Saussure, depuis ses plus anciennes publications (1877-1878) jusqu'aux dernières années de ses activités universitaires (1911-1912). Ce qui est toutefois resté le trait immuable de la personnalité de ce savant, c'est le même et constant doute quant à la justesse de la voie choisie (« Si j'étais sûr... ») et par la suite un semblable « dégoût » constant favorisé par le sentiment répété d'une rupture entre ses façons de penser créatrices et les conceptions linguistiques largement prédominantes. Les hésitations de Saussure, ses doutes, et sa perpétuelle répugance à donner de la publicité à ses idées ont souvent été citées : (...) « Mais je suis bien dégoûté de tout cela, et de la difficulté qu'il y a en général à écrire seulement dix lignes ayant le sens commun en matière de faits de langage. Préoccupé surtout depuis longtemps de la classification logique de ces faits, de la classification des points de vue sous lesquels nous les traitons, je vois de plus en plus à la fois l'immensité du travail qu'il faudrait pour montrer au linguiste ce qu'il fait ; en réduisant chaque opération à sa catégorie prévue ; et en même temps l'assez grande vanité de tout ce qu'on peut faire finalement en linguistique », etc. (Lettre à A. Meillet de 1894, éd. par E. Benveniste, *CFS* XXI, p. 95). Et en mai 1911, dans une conversation avec L. Gautier, il dira : « Je suis toujours très tracassé par mon cours de linguistique générale. (...) Je me trouve placé devant un dilemme : ou bien exposer le sujet dans toute sa complexité et avouer tous mes doutes (...). Ou bien faire quelque chose de simplifié (...). Mais à chaque pas je me trouve arrêté par des scrupules » (Godel, *o.c.,* p. 30).

Invité en 1909 à écrire un livre sur la théorie du langage, Saussure répondit : « On ne peut y songer : il doit donner la pensée définitive de son auteur » (1. c). Mais peut-être que la véritable grandeur de cet éternel explorateur et pionnier tient précisément à sa répugnance dynamique à l'égard de la « vanité » de toute « pensée définitive ». Alors la vacillation de ses termes et de ses concepts, les doutes déclarés, les questions ouvertes, les divergences et les contradictions entre ses divers écrits et lectures, et jusque dans un même essai ou dans un même cours, représentent un constituant vital d'une recherche anxieuse et d'une lutte sans repos aussi bien que de sa conception essentiellement multilatérale du langage.

En plus des écrits indologiques, surtout les écrits védiques, de larges esquisses d'un traité de phonétique long et varié occupent la place la plus importante parmi les manuscrits de Saussure de la collection de Harvard. Cette étude phonétique a dû être suscitée à l'origine par les violentes attaques que H. Osthoff a lancées à plusieurs reprises contre le *Mémoire sur le système primitif des voyelles dans les langues indo-européennes* et qui trouvent ici une réplique de poids, jamais publiée cependant. Comme Saussure le déclare lui-même, cet écrit « n'était primitivement qu'une note explicative destinée à une étude sur la syllabe indo-européenne » ; mais, peu à peu, il s'est transformé en une discussion longue et détaillée sur les sonantes et les consonnes de l'indo-européen, avec de larges digressions sur des questions essentielles de phonétique générale. L'étude consiste en une multitude d'esquisses et de remarques additionnelles ; elle n'a pas de titre général mais, selon une table des matières préliminaire, elle devait se diviser en six chapitres de quatorze paragraphes.

Les phonèmes à traiter étaient groupés en trois classes : I. *phonèmes constamment sonantiques :* e, o ; II. *phonè-*

mes constamment consonantiques : g_1, g_2, d, b, k_1, k_2, t, p, g_1h, g_2h, dh, bh, z, s ; III. *phonèmes tantôt sonantiques, tantôt consonantiques :* i, u, r, l, n, m.

L'auteur a barré les parenthèses dont il avait primitivement entouré trois phonèmes de sa liste, parce qu' « il importe peu pour la question qu'on admette ou non l'existence des phonèmes *b, z,* et *l* ». Il a noté de plus qu' « en plaçant à côté de *g, d, b* les aspirées *gh, dh, bh* nous n'entendons pas en faire des espèces propres, inexactitude à laquelle on n'est que trop enclin. Les « aspirées » sont des fragments de chaîne phonétique comparables à une combinaison de deux phonèmes. (...) Mais on n'est pas assez fixé sur la nature du second élément marqué par *h* pour que nous puissions nous permettre de décomposer en groupes. Le phonème *A* qui soulève une foule de questions diverses est laissé de côté dans le présent travail. La discussion des *i, u, r, l, n. m* longs était postposée, et la question primordiale traitée est : « quelle est la distribution des rôles qu'on trouve établie dans les différents phonèmes ario-européens à l'égard de l'opposition entre consonne et sonante ? »

Manifestement, cet essai exige d'être publié complètement et soigneusement, et le modeste but de la présente note n'est que d'attirer l'attention des linguistes sur un pas supplémentaire ignoré mais pourtant remarquable, de ce glorieux comparatiste après son *Mémoire,* et surtout d'offrir un extrait préliminaire de l'esquisse systématique par Saussure de son attitude originale envers les questions fondamentales de phonétique générale ; il est remarquable que par certains côtés les conceptions de cette description diffèrent des affirmations saussuriennes accessibles jusqu'ici au lecteur.

En traitant à la fois la production et la perception de la parole, ce projet de phonétique générale est riche en observations et en généralisations nouvelles, concrètes et exactes. Il applique systématiquement le terme « acoustique » uniquement au niveau sensoriel, psycho-acoustique, du langage, et distingue avec rigueur les notions de « sensation acoustique » et de « phénomène physique » mais avance la question de leur relation ; selon la définition de Saussure, « unité » phonétique signifie « unité acoustique de sensation du phénomène physique ».

Quant à l'interconnexion entre les aspects « physiologiques » et « acoustiques », il avance une exigence méthodologique rigoureuse : « Tant qu'il s'agit de faits partiels, s'abstenir systématiquement d'établir aucun lien entre l'ordre physiologique et l'ordre acoustique. Seuls l'ensemble du phénomène physiologique et l'ensemble du phénomène acoustique sont pour nous en relation. En revanche, l'ensemble du fait physiologique est *exclusivement* connu dans sa relation avec le fait acoustique ».

L'auteur insiste sur la primauté du critère « acoustique », perceptif. Ainsi, par exemple, « les phonétistes sont accoutumés à distinguer dans les occlusives (...) trois moments différents : fermeture buccale, maintien de la fermeture, ouverture (implosion, pause, explosion). Nous n'admettons que deux moments différents : *fixation* et *explosion*, l'oreille ne distinguant pas, à ce que nous croyons, un effet spécial d'implosion ». C'est précisément le couple *fixations et explosions* (titre du chap. I, § 1 de la table des matières du traité) qui sous-tend les opérations de Saussure sur les consonnes et les sonantes de l'indo-européen. Un autre exemple frappant : « Le phénomène de la syllabe est un fait d'ordre acoustique. Les phonétistes devraient donc cesser de chercher à définir la syllabe sur des caractères mécaniques ; l'effet acoustique en question peut reposer (et repose en effet, pensons-nous) sur des facteurs mécaniques qui ne sont pas toujours les mêmes, et néanmoins cet effet acoustique sera toujours la syllabe. Il en est de même des termes de *sonante* et *consonne*. (...) La notion des deux valeurs est donnée directement par l'oreille ».

Saussure nous met résolument en garde contre la confusion habituelle « de l'ordre acoustique avec l'ordre physiologique » aussi bien que contre « l'approche mécaniste invétérée de la production des sons ». Articulation « est encore un terme dangereux, parce qu'aussitôt qu'il fait supposer le phonème déjà tout déterminé, il empêcha de concevoir les positions buccales comme l'un des facteurs constitutifs de l'espèce ».

La conception de la production de la parole comme une activité programmée, intentionnelle, anticipatoire, traverse toute l'étude. Le « présent », c'est-à-dire le phonème « en exécution » est guidé par le « futur » : « le phonème à exécuter », l'idée « du phonème qui en suit est ce qui dirige l'articulation ». Les niveaux physiologique et acoustique de la parole sont définis — le premier comme « acte » et le second comme « effet » ou « fin ». Ainsi l'observateur discerne les points centraux de la production de la parole, « mouvements volontaires qu'on exécute avec leur effet acoustique direct pour fin ». Le traité préfigure les idées avancées et justifiées par le physiologue Bernstejn dans son important ouvrage *Očerki po fiziologii dviženij i fiziologii aktivnosti* (Moscou, 1966). Selon l'observation de Saussure, « il n'y a pas d'actes purement mécaniques, seulement des actes indirectement volontaires, puisque chaque fait involontaire en lui-même est la conséquence d'un fait voulu ou la condition d'un fait voulu (implicitement renfermé comme conséquence ou comme condition dans un fait volontaire) ».

Un modèle graphique du circuit de la parole inséré dans le manuscrit représente clairement l'ordre des événements : « Phénomène physiologique » — « Phénomène physique » — « Sensation ». Une flèche supplémentaire indique « un effet ou une fin » ultérieur appelé « idée » et qui nous introduit aux efforts de Saussure pour déterminer l'essence du phonème. Il dresse une colonne de définitions et l'équation du dessus se lit : « Phonème » = « Valeur sémiologique ». Les commentaires phonétiques de Godel sur quelques autres manuscrits de Saussure — « fragments rebelles à tout classement chronologique » (*CFS* XVII, p. 5) — peuvent s'appliquer aux cinq dossiers d'esquisses du traité de phonétique en question. Il apparaît toutefois très probable que l'élaboration de ce traité de phonétique appartienne à la dernière décennie du siècle dernier, les premières années de l'enseignement de Saussure à Genève, inauguré en 1891. Ce sont les années où le concept de « science des signes » et les termes « sémiologie », « sémiologique », entrent apparemment dans ses notes (cf. Godel, *o.c.,* pp. 37, 48, 275).

La colonne qui débute par la définition sémiologique du phonème se poursuit ainsi :

« Phonème = Oppositions acoustiques
Phonème = Indivision du son dans le temps — résultant de ressemblance relative
Phonème = Totalité [*originellement :* « Indivision »] du son perçu de moment en moment »

A la droite de l'équation sémiologique, Saussure insère une définition supplémentaire, explicative, qui accentue le choix délibéré des « percepts » conceptualisés : « Phonème = impression [*barré :* sensation] directrice de la volonté ». Ensuite, deux pages plus loin, une formule récapitulative est ajoutée, à savoir, « Le phonème [*au-dessus, entre parenthèses :* ou l'unité phonique] = élément phonétique simple » ; ici, finalement, une équation supplémentaire suit, la seule qui prenne également la production en considération : « Phonème = le phénomène intermédiaire considéré à la fois dans son rapport avec la sensation et avec l'acte physiologique ».

L'insistance de Saussure sur la valeur purement sémiologique du phonème le conduit à la thèse suivant laquelle, en analysant les divers phonèmes de n'importe quelle langue, « il faut (...) se borner à chercher le différenciateur (déterminateur) ». Dans son premier cours de linguistique générale fait en 1906-1907, nous décelons les conséquences naturelles de cette proposition, l'exigence que les phonèmes soient décomposés « dans leurs éléments de différenciation » (voir le *Cours de linguistique générale*

de Saussure dans l'édition critique de R. Engler de 1967, 787 f.).
L'affirmation suivante de ce cours — l'importance capitale des
« facteurs négatifs » pour la classification des phonèmes (*ibid.*,
789) — trouve également une étroite correspondance dans le
traité ébauché : « La différence entre phonèmes repose en partie
sur des facteurs négatifs. Et comme la différence entre phonème
et silence est formée sur le même principe, on peut dire que le
phonème, non seulement comme espèce mais comme *entité*
(substance) est formé partiellement par des facteurs négatifs ».

L'auteur du traité s'intéresse beaucoup aux « faits de concaténation » (ou peut-être « consécution », ajouté avec un point
d'interrogation), mais, lorsqu'il touche aux règles distribution-
nelles de l'indo-européen, il note avec résignation : « Nous évitons à dessein d'examiner ici si un tel groupement aurait une
raison d'être au point de vue de la phonétique générale ».

Selon le traité, « la théorie de la combinaison des phonèmes
dans la parole est encore à faire. Dans les essais qui ont été
faits, on ne s'est pas bien rendu compte de la question ». La
motivation de ce jugement sévère est particulièrement instructive : « On s'est engagé sur ce terrain à peu près comme si on
abordait la géométrie avec la méthode des zoologistes ». D'autres
sources confirment et montrent d'une part la croyance de Saussure dans l'affinité entre les procédés attendus de la vraie
science du langage et ceux de la géométrie relationnelle et de
l'expression algébrique (pour les notions linguistiques, « l'expression simple sera algébrique ou elle ne sera pas »), d'autre part
l'opposition radicale qu'il établit entre ces procédés et un empirisme « des unités concrètes déjà données comme un être vivant
pour le zoologiste » (voir Godel, *o.c.*, pp. 29 f. et 49).

A la lumière d'une telle attitude à l'égard des tâches futures
du linguiste, le titre de la conclusion tirée des règles de distribution des sonantes et des consonnes de l'indo-européen formulées dans le traité devient particulièrement clair : « Empirisme
inévitable des formules ». La conclusion elle-même est : « La
délimitation des syllabes et la distinction des rôles de sonante
et de consonne se ramènent, on l'a vu, à déterminer les règles
sur le mode des phonèmes. Mais ces règles elles-mêmes, il faut
bien s'en rendre compte, ne peuvent être que la constatation
[*variante :* l'enregistrement] d'un ou de plusieurs résultats, le principe même, ce serait une illusion de croire le posséder ; la perspective du développement historique qui a conduit à régler de
cette façon le mode des phonèmes nous échappe ». L'interprétation de telles règles ne peut se faire sans référence à l'aspect
dynamique de la totalité de la structure phonique concernée :
« Or tout ordre phonétique nouveau s'établit sur un ordre an-

cien ; il ne peut être rationnellement compris que si l'on connaît le rapport de ce qui est avec ce qui a été (...). Les « habitudes de prononciation », quand même elles se ramènent à une formule très satisfaisante et très simple, ne peuvent jamais être considérées d'une manière absolue : elles ne peuvent l'être qu'en regard du fond linguistique sur lequel elles s'exercent, dont elles sont la modification [*originellement :* modifient la structure] et en présence duquel elles devront le plus souvent recevoir une autre formule. Dans l'ignorance de ce fonds antérieur [*variante :* matière première], tout flotte en l'air ; il n'y a plus que des règles empiriques ».

Cette conclusion est manifestement liée aux vues exprimées par Saussure dans son compte rendu de *Kritik der Sonantentheorie* de J. Schmidt (*IF* VII, 1897 : « Quand on fera pour la première fois une théorie vraie de la langue, un des tout premiers principes qu'on y inscrira est que jamais, en aucun cas, une règle qui a pour caractère de se mouvoir dans un *état de langue* (= entre 2 termes contemporains), et non dans un *événement phonétique* (= 2 termes successifs) ne peut avoir plus qu'une validité de hasard (voir le *Recueil des publications scientifiques de F. de Saussure,* 1922, p. 540) ».

La conclusion citée, avec tous ses doutes sur la possibilité 1) de surmonter l' « empirisme inévitable », 2) de posséder « le principe même », et 3) de saisir le statut d'une langue sans connaître son « fonds antérieur », s'accompagne toutefois d'une remarque hautement significative qui écarte en fait tous ces doutes : « Toutefois, tout ce qui dans le langage est un fait de conscience, c'est-à-dire le rapport entre le son et l'idée, la valeur sémiologique du phonème, peut et doit s'étudier en dehors de toute préoccupation historique : l'étude sur le même plan d'un état de langue est parfaitement justifiée (et même nécessaire, quoique négligée et méconnue) quand il s'agit de faits sémiologiques. Il est légitime de dire que la divergence *y-i* était pour les ario-européens sans valeur sémiologique [*originellement :* y et i avaient pour les indo-européens même valeur sémiologique], sans examiner l'origine de cette divergence phonétique [*originellement* (quelle que puisse être l'origine de cette divergence phonétique), c'est un fait]. Cela n'est pas une simple conception de notre esprit, comme l'est peut-être [*phrase inachevée dans le manuscrit et faisant apparemment allusion à l'ensemble des « règles empiriques considérées comme une simple conception de notre esprit »*]. Parallèlement à cette affirmation, la relation entre des spécimens tels que les variétés sonantiques et consonantiques de *u* ou *r* est appelée « équivalence sémiologique ».

Ainsi, il inaugure, nomme et décrit une nouvelle discipline : « la phonétique sémiologique s'occupe des sons et des successions de sons [*originellement :* des phonèmes et des suites de phonèmes] dans chaque idiome en tant qu'ayant une *valeur* pour l'idée (cycle acoustico-psychologique) ».

La « phonétique sémiologique » et l'importance primordiale que cet essai assigne à la « valeur sémiologique » du phonème jettent une nouvelle lumière sur la place de Saussure dans la lutte graduelle pour une approche intrinsèquement linguistique de la structure phonique du langage. L'influence directe des idées de Baudouin de Courtenay et de Mikołaj Kruszewski sur Saussure devient toujours plus claire. Dans *Versuch einer Theorie phonetischer Alternationen* (1895, note 2), Baudouin lui-même confesse son abandon du concept original de « phonème » que lui et Kruszewski avaient introduit tout au début des années 1880. C'est précisément cette dernière conception véritablement linguistique du phonème qui a trouvé un nouveau développement dans le traité de Saussure. Albert Séchehaye, son fidèle étudiant du début des années 1890, a sans aucun doute compris « plusieurs des principes » de son maître, en particulier les réflexions de Saussure de cette époque sur la « phonétique sémiologique », et il en donna une forme et un caractère nouveaux, très personnels, dans ses méditations sur la « phonologie » proprement dite et sur les « éléments » du « système phonologique » « sous son aspect algébrique » (*Programme et méthodes de la linguistique théorique,* 1908, chap. XI, XII). De plus, depuis les premiers moments de la phonologie pragoise, on a reconnu expressément le rôle précurseur du programme de Séchehaye (cf. *Le Cercle de Prague, Change* III, éd. par J.P. Faye, 1969, p. 73 sqq.) en même temps qu'une autre puissante impulsion, à savoir la tradition de Baudouin revue et rénovée par son disciple le plus astucieux. L.V. Ščerba. Ainsi, l'idée de Saussure d'une phonétique sémiologique, jetée dans un essai que l'on n'a conservé que par hasard et qui est resté ignoré jusqu'à ces derniers temps, représente néanmoins un message vraiment historique dans l'opiniâtre progression de la pensée linguistique internationale.

CHAPITRE XV

NIKOLAJ SERGEEVIČ TRUBETZKOY *
(16 avril 1890 - 25 juin 1938)

Lors du 1ᵉʳ Congrès international des linguistes, Meillet, désignant Trubetzkoy, le présenta comme « la tête la plus forte de la linguistique ». — « Une tête forte, en effet », approuva quelqu'un. — « J'ai bien dit : la plus forte », insista alors Meillet avec lucidité.

Dans l'histoire de la haute noblesse russe, les familles qui ont laissé des traces aussi durables que remarquables dans la vie publique et intellectuelle sont extrêmement rares. Le père de celui qui vient de mourir, le prince Sergej Trubetzkoy (1862-1905), professeur et recteur de l'université de Moscou, était un philosophe exceptionnel par la profondeur de sa réflexion. Son centre d'intérêt fondamental était le devenir et l'évolution de la pensée du Logos à travers l'histoire. Un observateur attentif ne peut manquer de remarquer le lien intime de cette réflexion avec la quête du sens intime de l'articulation linguistique qui fut l'objectif de son fils. Le frère du philosophe, philosophe lui-même, Evgenij Trubetzkoy, évoque en ces termes dans ses souvenirs (*Iz prošlogo*, Vienne) ce qu'il y a de commun et de différent dans les trois générations de la famille : « Entièrement saisis par une pensée et un sentiment, nous y consacrons toute la force de notre volonté et de notre tempérament ; ainsi ne bute-t-elle devant aucun obstacle et atteint-elle nécessairement son but ». Mais le contenu lui-même de la pensée dominante change d'une génération à l'autre. L'arrière-grand-père de Trubetzkoy était passionné par quelques lignes architecturales et

---

* Publié dans *Acta linguistica I*, 1939. Traduit de l'allemand par Pierre Cadiot.

il soumettait entièrement sa vie quotidienne à leur style sévère ;
c'est pourquoi « il n'y avait pas d'esprit plus systématique que
lui ». Chez son grand-père, « l'art architectural s'intériorisa
et se transforma en une autre sorte d'architecture, celle, magique,
des sons ». Avec la génération suivante apparut « la philosophie,
fille de la musique ». Et, enfin, c'est nous qui l'ajoutons, la
langue empirique, matérialisée, se substitua dans le monde créateur de Nikolaj Trubetzkoy à l'Idée supra-sensible du Logos.
Et pourtant, même si le savant a su renoncer avec résolution à
toute incursion trop abstraite dans le domaine philosophique,
on aurait du mal à trouver dans la linguistique contemporaine
de doctrine à ce point pénétrée d'esprit philosophique ou susceptible de le seconder. Trubetzkoy allie donc la solidité d'une
robuste tradition à l'esprit rebelle de l'innovation. On trouve en
effet, vivant dans son œuvre, non seulement la problématique
du Logos chère à son père, mais aussi l'héritage musical qui
l'amène à être attiré par le langage artistique, le vers (exclusivement, d'ailleurs, le vers chanté) et qui orienta ses minutieuses
recherches vers le problème des relations entre rythme linguistique et rythme musical. Il découvre les lois sonores des Bylines
et des couplets russes, de la chanson populaire mordve et
polabe, ainsi que celles des échos dans l'œuvre de Pouchkine
des épopées serbes et celles d'un hymne en vieux-slave.

Les dispositions de son aïeul pour l'architecture sont, elles
aussi, vivantes chez N.S. Trubetzkoy. Elles se manifestent dans
la forme autant que dans le contenu : d'une part, dans son très
pur style classique et, tout spécialement, dans son art de la
composition harmonieuse et limpide, et, d'autre part, dans son
sens exceptionnel de la classification, qui révèle une tournure
d'esprit passionnément et génialement systématique. Trubetzkoy a lui-même présenté avec la meilleure précision possible
cette « contrainte du système » qui servait de fondement essentiel à son travail. Dans son livre *K probleme russkogo samopoznanija* (1927), il exhorte ses compatriotes à une prise de
conscience individuelle et nationale et il insiste en particulier
pour qu'on comprenne l'originalité touranienne, qu'il présente
comme un élément déterminant de l'histoire et de la psychologie
russes (Cf. en particulier, sa brochure *Nasledie Čingisxana,*
Berlin, 1925, publiée sous les initiales I.R.), et il décrit cet
« esprit touranien » avec une force de conviction introspective
que Meillet a beaucoup admirée :

« L'homme touranien soumet chaque matière à des lois simples et schématiques qui la fondent en une totalité et confèrent
à cette totalité clarté et évidence. Il n'aime pas s'attarder à
des détails trop fins et compliqués, il préfère s'intéresser à des

formes clairement appréhendables qu'il groupe selon des schémas simples. Ces schémas ne sont pas le résultat d'une abstraction philosophique. Sa pensée et toute sa conception de la réalité trouvent spontanément place dans les schémas symétriques d'un système philosophique pour ainsi dire subconscient. Mais ce serait une erreur de penser que le schématisme de cette pensée paralyse l'élan et l'impétuosité de son imagination. Son imagination n'est ni pauvre ni lâche, mais au contraire vivante et hardie ; cependant, la force imaginative n'est pas orientée vers l'élaboration minutieuse ou l'accumulation de détails, mais, pour ainsi dire, en longueur et en largeur ; l'image ainsi déroulée ne fourmille pas de couleurs et de gradations multiples, elle est, au contraire, peinte en tonalités fondamentales, en traits de pinceau larges, parfois même énormes. Il aime la symétrie, la clarté et l'équilibre stable ».

Trubetzkoy comprenait que cet esprit systématique et totalisant était très caractéristique des toutes premières acquisitions de la science russe, et déterminant pour son œuvre personnelle. Il possédait la faculté rare, essentielle pour lui, de découvrir le systématique dans tout le perçu (ainsi, malade, quelques semaines avant sa mort, il devina du premier coup d'œil les séries phonématiques du dungan et de l'hottentot, qui restaient impénétrables pour les spécialistes reconnus de ces langues). Toujours, également, il dirigeait son étonnante mémoire vers le systématique, les faits s'emmagasinaient en schémas qui eux-mêmes s'ordonnaient en classes bien constituées. Rien ne lui était plus étranger ni ne lui paraissait plus inadmissible qu'un catalogue mécanique. Le sentiment d'un lien interne, organique, entre les éléments à répartir ne le quittait jamais et le système ne restait jamais suspendu en l'air, arraché aux autres données. Au contraire, la réalité dans son ensemble lui apparaissait comme un système de systèmes, une unité hiérarchique grandiose d'accords multiples, dont la construction enchaîna ses réflexions jusqu'à ses derniers jours. Il était prédisposé intérieurement à une conception totalisante du monde, et il ne s'est découvert lui-même complètement que dans la science structurale. Aussi sensible aux faits linguistiques qu'aux nouvelles pensées scientifiques, il sentait avec acuité lesquels étaient appropriés à l'édifice conséquent et original qu'il bâtissait.

Dans une esquisse autobiographique non publiée ni terminée, Trubetzkoy raconte : « Mes intérêts scientifiques s'éveillèrent très tôt, dès l'âge de treize ans, époque où j'étudiais surtout la civilisation. A côté de la poésie populaire russe, je m'intéressais particulièrement aux peuples finno-ougriens de Russie. Depuis 1904, j'assistais régulièrement aux séances de la Société ethnographique de Moscou, et entrai en rapports personnels avec son président, le professeur V.F. Miller (chercheur connu dans le domaine de l'épopée populaire russe et de la langue ossète) ». C'était une période florissante pour l'étude de la civilisation et du folklore russes, où la célèbre école historique de Miller jouait un rôle dominant. Les traditions populaires, archaïques et polyglottes, de la Russie possédaient une force vitale extrême ; elles représentaient pour les chercheurs une source inépuisable à cause des croisements ethniques survenus dans l'Antiquité, des formes très diverses et originales de ces traditions, de leur influence constante sur l'écriture et de leur très riche contenu historique et mythologique. C'est avec enthousiasme que le jeune Trubetzkoy se consacra à ces problèmes ; l'école secondaire lui fut épargnée, il fit ses études à domicile et put ainsi consacrer beaucoup de temps à ses premières tentatives scientifiques, qui firent de lui un chercheur mûr dès l'âge de quinze ans. Dans l'organe de la société évoquée ci-dessus, *Étnografičeskoe Obozrenie,* il publia à partir de 1905 une série d'études remarquables sur les traces d'un culte des morts finno-ougrien dans les chansons populaires de Finlande occidentale, sur une déesse païenne du Nord-Ouest sibérien apparaissant dans les anciens comptes rendus de voyage et dans la foi des Vogules, Ostiaks et Votiaks, sur les légendes de la naissance de la pierre dans les pays du Nord-Caucase, etc. A l'origine, l'étude de la langue n'est pour Trubetzkoy qu'un moyen en vue de l'ethnologie historique et, en particulier, de l'histoire religieuse. Ces questions l'ont d'ailleurs toujours intéressé, même plus tard, comme le révèlent par exemple ses remarques sur les traces du paganisme dans le vocabulaire polabe (*Zeitschrift für slavische Philologie* I, 153 sqq.) ou encore sur les iranismes dans les langues du Caucase du Nord (*Mémoires de la Société de linguistique* XXII, 247 sqq.) ; dans sa dernière année, il avait même en projet une étude sur les vestiges païens dans le Dit d'Igor, à l'occasion d'une tentative récente, absurde selon lui, de contester l'authenticité de ce texte de grande valeur (il analysait le nom divin *Dažьbogъ* comme un composé archaïque signifiant « donne la richesse », de même que la formation parallèle *St[ь]ribogъ*).

Le jeune Trubetzkoy fut encouragé par Miller à étudier les langues caucasiennes et sous l'influence de l'ethnographe et archéologue S.K. Kuznecov, il commença à s'intéresser aux langues finno-ougriennes et paléosibériennes, puis directement à la linguistique comparée et générale. En s'appuyant sur d'anciens comptes rendus de voyage, il établit un glossaire de la langue kamtchadale (actuellement en voie de disparition) à côté d'un court traité grammatical de cette langue, et, peu avant son certificat de licence, il découvrit « une série de correspondances frappantes » entre le kamtchadal, et le tchouktcho-koriak d'une part, et les langues du groupe samoyède d'autre part, dans le domaine du vocabulaire. Son travail fut à l'origine d'une correspondance animée avec les trois pionniers de l'étude des civilisations et langues de Sibérie orientale, Joxel'son, Šternberg et, surtout, Bogoraz ; mais, lorsque ce dernier arriva de Petersbourg à Moscou et fit la connaissance de son savant correspondant, il se sentit personnellement outragé en constatant qu'il s'agissait d'un enfant d'âge scolaire !

Trubetzkoy entra en 1908 à la faculté d'histoire et de philologie de l'université de Moscou. A l'origine, il avait l'intention d'étudier l'ethnologie, mais comme ces matières n'étaient pas inscrites au programme, il choisit le département de psychophilosophie, « pour étudier essentiellement la psychologie des peuples, la philosophie de l'histoire et les problèmes méthodologiques » ; cependant, lorsqu'il s'aperçut qu'il ne pouvait réellement s'intégrer à ce département et que l'intérêt pour les problèmes linguistiques s'ancrait de plus en plus en lui, il passa au troisième semestre dans le département de linguistique, provoquant un sincère dépit chez ses professeurs et collègues qui avaient déjà salué en lui le grand espoir de la philosophie russe. Il avait pourtant acquis pour la vie entière une solide formation philosophique et une disposition à l'hégélianisme renforcée encore, plus tard, par l'influence de son intelligent collègue et ami tôt disparu, Samarin. Les questions fondamentales de la psychologie des peuples, de la sociologie et de la philosophie de l'histoire n'ont jamais cessé de l'occuper. La trilogie que, depuis l'école, il projetait d'établir sur la problématique de la civilisation, son évaluation et son évolution, avec un intérêt particulier pour le cas russe, se réalisa en partie dans sa passionnante monographie intitulée *L'Europe et l'humanité* (*Evropa i čelovečestvo,* 1920), qui fut traduite en allemand et en japonais, en partie aussi dans les études de l'ouvrage collectif russe intitulé *Sur le problème de la prise de conscience russe.* Ces travaux furent suivis d'une série d'articles sur la question des nationalités, sur l'Eglise et sur l'idéocratie, articles dont une petite partie seulement fut publiée, le reste ayant disparu depuis. Les considérations de Trubetzkoy, fermement dirigées contre toute conception naturaliste (qu'elle soit biologique ou évolutionniste) du monde spirituel et contre tout égocentrisme délibéré, s'enracinent certes dans la tradition idéologique russe, mais apportent beaucoup d'éléments personnels et originaux et valent par leur profondeur et leur acuité critiques, dues surtout à la riche expérience scientifique de l'auteur et à sa collaboration de près de vingt années avec le grand géographe et historien des civilisations P.N. Savickij. La doctrine de ces deux penseurs concernant la spécificité du monde géographique et historique russe (eurasien) par rapport à l'Europe et à l'Asie fut à l'origine de ce qu'on a appelé le courant idéologique eurasien.

Trubetzkoy termina au début de 1913 le cursus du département de linguistique. La faculté agréa son travail sur les dénominations du futur dans les principales langues indo-européennes, travail dont on trouve un écho (« Réflexions sur le conjonctif latin en *a* ») dans les *Mélanges Kretschmer,* et accepta à l'unanimité de l'intégrer au corps enseignant afin qu'il puisse se préparer aux activités universitaires.

« L'étendue, écrit Trubetzkoy, et l'orientation de l'enseignement dans le département de linguistique ne me satisfaisaient pas : je m'intéressais plus à des questions hors du domaine des langues indo-européennes. Si j'ai, quand même, décidé de travailler dans ce département, c'est pour les raisons suivantes : premièrement, j'étais, à l'époque, déjà convaincu que la linguistique est la seule branche des sciences humaines qui dispose d'une méthode réellement scientifique et que toutes les autres branches (sciences des civilisations, histoire des civilisations, histoire religieuse, etc.) ne pouvaient atteindre à un stade de développement supérieur au stade « alchimique » que si elles prenaient une orientation méthodologique selon le modèle de la linguistique. Deuxièmement, je savais que les études indo-européennes sont la seule branche réellement élaborée de la linguistique et que c'est donc en la pratiquant que je pouvais apprendre la vraie méthode linguistique. Je me consacrais donc avec beaucoup de zèle aux études prévues par le programme du département de linguistique, tout en poursuivant mes recherches personnelles dans le domaine de la linguistique et de la folkloristique caucasiennes. En 1911, le professeur V. Miller me proposa de passer une partie des vacances d'été dans sa propriété située sur la rive caucasienne de la mer Noire pour y faire des recherches dans les villages tcherkesses voisins sur la langue et la poésie populaire tcherkesses. J'acceptai cette proposition et poursuivis même mes études sur le tcherkesse pendant l'été 1912. Je ne pus ainsi rassembler un assez riche matériel, dont je dus repousser l'élaboration et la publication jusqu'à la fin de mes études universitaires. Mes contacts personnels avec le professeur Miller me furent très utiles dans ce travail, car le professeur Miller, dont les vues sur la linguistique étaient certes, à certains égards, démodées, était un éminent connaisseur du folklore et de la civilisation ossètes et put, à ce titre, me donner de précieux conseils et indications ».

L'Ecole de Fortunatov qui, à l'époque, dominait presque tou-

tes les chaires de linguistique de l'université de Moscou, fut très
justement qualifiée par Meillet d'étape suprême dans l'élaboration et l'approfondissement philosophique de la technique des
Junggrammatiker (néogrammairiens). L'obéissance de tout événement linguistique à des lois, la forme comme spécification
linguistique déterminante et la nécessité d'approcher chaque niveau de l'analyse linguistique comme un vecteur et un tout autonome y furent portés avec logique jusqu'à leurs conséquences
ultimes, même si les concepts de causalité mécanique et de
psychologie génétique y sont maintenus et si la conception des
données empiriques en linguistique y reste purement naturaliste.
Les professeurs de Trubetzkoy à l'université — le comparatiste
rigoureux W. Porzezinski, le slaviste, artiste très sensible,
V.N. Ščepkin et l'intelligent philologue classique M.M. Pokrov-
skij étaient les disciples immédiats de Fortunatov et surent transmettre fidèlement la technique linguistique de ce grand penseur
et chercheur ; mais ce qui était pour eux un dogme inaliénable
fut pour leur élève émancipé le point de départ d'une critique
fondamentale et parfois destructrice. Trubetzkoy n'en demeure
pas moins le continuateur authentique de l'Ecole moscovite ;
pour l'essentiel, il conserve leur manière de choisir les problèmes
et leurs artifices de recherche ; pendant la première période de
son activité linguistique, il s'efforce d'élargir leur horizon et
d'élaborer avec plus de précision leurs principes, il renforce leur
actif et cherche ensuite, dans les dix dernières années de sa vie,
à se libérer pas à pas du passif, celui que nous avons évoqué
plus haut.

Déjà lorsqu'il était étudiant, Trubetzkoy chercha à transposer
aux langues nord-caucasiennes la méthode comparative de Fortunatov telle qu'elle était pratiquée dans le domaine des études
indo-européennes. Au début de 1913, il présenta devant le
Congrès des ethnologues russes réuni à Tiflis deux exposés, l'un
sur les vestiges mythologiques dans le Caucase du Nord et
l'autre sur la structure du verbe dans les langues de la partie
est du Caucase du Nord ; il travaillait alors activement à la
grammaire comparée des langues de cette région, cherchant à
établir de manière détaillée la parenté originelle des deux branches linguistiques nord-caucasiennes, celle de l'est et celle de
l'ouest ; au contraire, la question de la parenté supposée entre
cette famille de langues et les langues kartvéliennes (du Sud-
Caucasien) lui paraissait provisoirement insoluble. Malheureusement, ce travail et ses riches notes sur la langue et le folklore
du Caucasse du Nord (en particulier du pays tcherkesse) furent
perdues à Moscou pendant la guerre civile, de même que de
nombreuses études sur la versification en vieil-indien, en finnois

et en russe, et c'est seulement plus tard qu'il réussit à reproduire une petite partie de son expérience dans le domaine caucasien. A l'étranger, cependant, il continua à travailler dans ce domaine très embrouillé, il publia dans des revues spécialisées une série d'études révolutionnaires et, en dépit de sa méfiance du début, il ne put éviter, sous la pression de ses recherches originales, de se heurter à la question de la « parenté typologique », en particulier entre langues géographiquement voisines. Il en vint ainsi au problème des « unions linguistiques » (voir *Evrazijsk. Vremennik* III, 1923, 107 sqq. et les Actes des Ier, IIe et IIIe congrès de linguistique), dont l'importance lui sembla de plus en plus évidente (voir *Sbornik Matice slovenskej* XV, 1937, 39 sqq. et *Proceedings* du IIIe congrès des sciences phonétiques, 499).

Parmi les linguistiques étrangères, la linguistique allemande fit toujours partie de l'horizon de l'Ecole de Moscou et, conformément à la tradition, Trubetzkoy fut envoyé à Leipzig, où, pendant le semestre d'hiver 1913-1914, il suivit les cours de Brugmann, Leskien, Windisch et Lindner, étudia le vieil-indien et l'avestique et se confronta aux études de Sievers sur la mélodie et le rythme. Leskien lui laissa l'impression d'une personnalité puissante pour qui l'ornière de la doctrine des *Junggrammatiker* était trop étroite ; plus généralement, le jeune savant revint de Leipzig avec l'idée que la linguistique allemande souffrait d'un épuisement qui la paralysait, et lui opposa résolument la force d'entrain de la nouvelle linguistique française ; il admirait également la fraîcheur d'idées des *Principes de linguistique psychologique* de J. van Ginneken et ces nouveaux courants divergents renforcèrent son esprit critique et aiguillonnèrent ses recherches. Ces deux aspects étaient, d'ailleurs, naturellement liés pour lui et il n'a cessé de souligner que la critique devait être constructive sous peine de dégénérer inévitablement en un travail négatif, complaisant et anarchique, que le chercheur détestait. Les deux exposés probatoires publics qui terminèrent les épreuves de sa thèse en 1915 — *Les Différents courants de la recherche védique* et *Le Problème de la réalité de la langue originelle et les méthodes modernes de sa reconstruction* — devinrent, en quelque sorte, les thèses programmatiques d'un révisionnisme créateur, et les premiers pas concrets dans cette direction ne se firent pas attendre.

Au cours de l'année universitaire 1915-1916, Trubetzkoy, nouveau *privat docent* en linguistique comparée à l'université de Moscou, y fit des exposés sur le sanskrit et projetait, pour l'année suivante, des conférences sur l'avestique et le vieux-perse. A cette époque, comme il le raconte lui-même, il s'intéressait essentiellement aux langues iraniennes, parce qu'elles sont, parmi l'ensemble des langues indo-européennes, celles qui ont exercé la plus grande influence sur les langues caucasiennes, qui continuaient d'être son principal centre d'intérêt ; mais, brusquement, les langues slaves vinrent pour lui au premier plan. L'occasion en fut le nouveau livre du principal slaviste russe de l'époque, A.A. Šaxmatov, *Esquisse de la plus ancienne période de l'histoire de la langue russe* (1915). L'élève le plus personnel de Fortunatov, armé d'une vaste connaissance des faits et d'une rare intuition, y essaie, pour la première fois, de faire la somme de ses recherches et de celles de toute l'Ecole ; il tente, en particulier, de dégager systématiquement l'ensemble de l'évolution phonétique entre le slave commun et le russe. Mais c'est précisément cette conception synthétique qui révéla à Trubetzkoy le caractère trop étroit, trop mécanique du mode de reconstruction utilisé par Šaxmatov. Il s'ensuivit une période de fermentation et de remise en cause au sein de la nouvelle génération de l'Ecole de Moscou, ainsi qu'une émulation dans l'examen et la découverte des erreurs de l'*Esquisse* ; tout un cours fut même consacré à la discussion de ce livre par le plus jeune élève de Fortunatov, N.N. Durnovo. Mais, ce qu'il y avait de vraiment nouveau dans l'exposé, ardemment discuté et, finalement, totalement accepté par la nouvelle génération, de Trubetzkoy sur la conception de Šaxmatov — exposé fait dans le cadre de la commission de dialectologie, à l'époque le centre de la vie linguistique moscovite — résidait dans la portée pénétrante de son analyse critique : elle montrait que beaucoup des erreurs essentielles de Šhakhmatov s'enracinent déjà dans la technique de Fortunatov, ou plutôt, dans les faux pas qu'il fit lui-même hors de ses propres principes de base. Trubetzkoy chercha à écarter ces faux pas et à appliquer les principes de l'Ecole avec précision et conséquence, avec plus de précision même que leur initiateur. « Je fis le projet, écrit Trubetzkoy, d'écrire un livre sous le titre *Préhistoire des langues slaves,* où j'avais l'intention de décrire, en utilisant une méthode de reconstruction perfectionnée, les étapes du développement des différentes langues slaves à partir du slave commun, et de celui-ci à partir de l'indo-européen ».

Lorsque Trubetzkoy, après les événements agités de la Révolution et une marche aussi aventureuse que périlleuse à travers le Caucase en proie à la guerre civile, arrive, affamé et en haillons, dans le bureau du recteur de l'université de Rostov, en dépit de l'opposition des gardiens pleins de suspicion envers ce vagabond (!), et qu'il y devient (en 1918) professeur de langues slaves, il peut se consacrer entièrement à son livre, terminer pour l'essentiel l'histoire phonétique et esquisser la morphologie ; mais, à la fin de 1919, il doit à nouveau prendre la fuite et, cette fois encore, les manuscrits de ses travaux se perdent. A Constantinople, il est mis devant le choix tragique en même temps que grotesque de devenir cireur de chaussures ou de continuer à se battre héroïquement, avec l'assistance héroïque de sa femme contre tous les coups du sort, pour la science. Il réussit à s'établir à Sofia *docent* de linguistique comparée et, deux années plus tard, il est nommé professeur de philologie slave à l'université de Vienne, en particulier grâce au rapport clairvoyant de Jagić.

Avec la persévérance d'un zélateur, Trubetzkoy cherche à reconstruire sa *Préhistoire* endommagée ; il la modifie et l'élargit. Son travail est axé selon les idées de base suivantes : il est aussi erroné de vouloir ramener les données sur le slave commun à un seul stade historique que de prétendre comprendre synchroniquement les conquêtes de César et celles de Napoléon ; le slave a une longue histoire embrouillée et la linguistique comparée n'est en mesure de la saisir et de la décrire que par une analyse chronologique relative ; les événements contemporains, de même que les événements successifs, doivent être appréhendés dans leurs rapports internes et les arbres ne doivent pas cacher la forêt, à savoir les lignes directrices du développement. Certes, Fortunatov rejette fondamentalement la théorie naturaliste de l'arbre généalogique, mais, dans son travail concret de recherche en histoire des langues, on en trouve encore des traces, ainsi que, plus généralement, dans la pratique comparatiste habituelle ; au contraire, Trubetzkoy rejette complètement la conception généalogique héritée de Schleicher au profit de la théorie des ondes ; en conséquence, il considère les langues slaves dans leurs débuts comme de simples dialectes du slave commun, et il explique, à juste titre, les débuts de la différenciation par « des différences dans la vitesse et la direction de propagation des changements phonétiques à partir du slave commun » et par l'ordre variable de ces changements dans les différents dialectes. Ainsi que Trubetzkoy nous en convainc, le protoslave continue de vivre en tant que « sujet de l'évolution » jusqu'au seuil de notre millénaire, lorsque le dernier changement phonétique commun, la perte des voyelles réduites, commença à se propager.

Dans les revues de slavistique des années vingt ne parurent que des fragments, d'une grande valeur synthétique, de la partie phonétique de la *Préhistoire,* mais il est cependant légitime d'affirmer qu'il n'existe pas, dans toute la littérature mondiale, de description de la dynamique linguistique sur le modèle des *Junggrammatiker* écrite dans une perspective aussi totalisante.

Même les emprunts étrangers évidents, par exemple la doctrine de Meillet des dialectes indo-européens ou les réflexions de Bremer et Hermann sur la chronologie relative, sont si profondément et si organiquement élaborés, et jusque dans les plus fines déductions logiques, que l'œuvre conserve une empreinte personnelle très rare. Pour quelles raisons l'ouvrage ne fut-il jamais achevé ? En fait, ce n'est pas par hasard, même si le travail de Trubetzkoy se heurta à beaucoup d'obstacles imprévisibles. Au début, il partageait avec Fortunatov et Leskien le point de vue que l'héritage indo-européen dans le slave ancien est l'aspect le plus remarquable et il eut toujours de la prédilection pour la recherche des traces des catégories morphologiques disparues (voir *Slavia* I, 12 sqq. et *ZfslPh* IV, 62 sqq.). Mais, à Vienne, il dut rendre compte des différentes langues et littératures slaves et, en enseignant-né et accompli, il prit ses obligations magistrales avec un sérieux et un dévouement d'ascète (voir l'écho qu'en donne son meilleur élève en linguistique, A.V. Isačenko dans la *Slav. Rundschau* X). Il se donna pour tâche d'étudier l'histoire de chacune de ces langues prises une à une. Ainsi, dans ses cours, la préhistoire des langues slaves trouva son prolongement logique, prolongement qui permit également de jeter une lumière neuve sur les étapes préhistoriques, amenant fréquemment pour ces questions des compléments et des corrections. Trubetzkoy utilise pareillement une méthode strictement comparatiste pour l'étude des différentes langues slaves ; plus fidèle que Fortunatov lui-même à l'idée dominante de celui-ci, il insiste dans sa présentation de l'évolution phonétique du russe sur le fait que la méthode comparatiste y joue « naturellement un rôle plus important que la philologie pure » (*ZfslPh* I, 287 sqq.) ; et il est conséquent avec lui-même quand il comprend la nécessité qui, curieusement, échappait aux comparatistes orthodoxes, de reconstituer le vieux-slave à partir de la comparaison entre ses rédactions tchèque et bulgare. Une petite partie de ses études seulement fut publiée, et c'est seulement lorsque ses notes pour les cours d'histoire des langues seront éditées, et si nous sommes, un jour, en mesure de publier également ses nombreuses lettres linguistiques (le genre favori de Trubetzkoy) qu'apparaîtra plus clairement la profondeur, l'étendue et l'originalité de ses recherches d'alors.

D'un côté, donc, le programme de la *Préhistoire* s'élargissait, mais, de l'autre, sa réalisation était retardée par les cours d'histoire littéraire et les études de civilisation que faisait Trubetzkoy à l'époque. Les uns comme les autres apportèrent cependant beaucoup à son travail en linguistique. Les problèmes de la langue poétique, représentés de manière très variée dans la tra-

dition scientifique du pays, pratiqués avec beaucoup d'intelligence
par F.E. Korš (l'un des plus célèbres « moscovites », à côté
de ses collègues Fortunatov et Miller) et portées à leur meilleur
niveau pratique et théorique par les poètes du vingtième siècle,
débouchèrent à l'époque de la Révolution sur la conception qui
fut celle des jeunes chercheurs russes, à savoir sur le système
harmonieux d'une poétique (et esthétique) fondée rigoureusement sur la linguistique (et la sémiotique). Trubetzkoy, que
les questions de métrique attirèrent dès sa jeunesse, se rapprocha
peu à peu des principes de l' « Ecole formaliste » (qui, à l'heure
actuelle, exerce une grande influence dans les pays de langue
slave), sut en éviter les déviations mécanistes et apporta sa contribution en présentant l'œuvre de Dostoevskij dans une perspective
purement linguistique inhabituelle, et qui, pourtant, fit autorité
en poétique même ; ce faisant, non seulement il réalise, en quelque sorte, la découverte scientifique de très grandes œuvres d'art,
mais encore il met à l'épreuve l'importante question méthodologique des hiérarchies de valeur en général. Ses recherches dans
le domaine de la civilisation permirent à Trubetzkoy d'accéder
à la problématique de la langue écrite et sa belle étude sur
l'influence du slave d'Eglise sur le russe fut un important apport
à la linguistique, en même temps qu'une des œuvres les plus
brillantes du savant ; elle se révéla d'une grande importance pour
le problème des structures linguistiques hybrides, et même
prophétique pour ce qui touche à la question de la zone de
rayonnement de l'alphabet cyrillique (voir K probleme russkogo
samopoznanija). Ces domaines de la poétique et de la civilisation
linguistique furent surtout importants pour l'évolution créatrice
de Trubetzkoy dans la mesure où ils le mirent directement en
face des questions touchant au système synchronique des langues et à sa finalité. Plus le chercheur s'intéressait à l'histoire
phonétique, plus il se rendait clairement compte du fait que
« l'évolution phonétique possède, comme toute autre évolution
historique, sa logique interne, logique que l'historien a pour
tâche de découvrir », mais, en fin de compte, le principe téléologique entrait dans un conflit insoluble avec le traitement naturaliste habituel des données phonétiques. La Préhistoire se développa par la négation de ses propres bases. Trubetzkoy était
entièrement historien, et, tant que les problèmes du phonème et
du système phonologique se limitaient à la synchronie, ils le
laissaient froid et passif, comme, avant lui, Fortunatov et ses
élèves. Les doctrines de Saussure, Baudouin de Courtenay,
Ščerba, étaient extérieures à sa problématique, puisque « ils se
détournaient purement et simplement de l'histoire linguistique ».
Certes, il approuva (Slavia II, 1923, 452 sqq. ; Bulletin de la

Société de linguistique XXVI, 3, 1925, 277 sqq.) ma tentative de prosodie phonologique, ainsi que les recherches de N.F. Jakovlev sur le système des phonèmes du kabardien, mais on ne trouve trace dans ses travaux personnels que de la question des lois prosodiques panchroniques. C'est seulement lorsque le problème phonologique fut posé dans le domaine historique et qu'à la fin de 1926 il reçut une longue lettre exaltée qui posait la question de savoir s'il ne fallait pas surmonter le fossé contre-nature entre l'analyse synchronique du système phonologique et la « phonétique historique » en considérant chaque changement phonétique du point de vue de ses fins dans le système global, que, selon sa propre expression, cette question l'a complètement « dérouté » (*sbilo s pantalyku*). Il admet bientôt qu'il n'y a pas de moyen terme. Lorsqu'il reçut mes thèses pour le Congrès de linguistique de La Haye (concept de corrélation, lois générales de solidarité, phonologie historique), il m'écrivit qu'il y joignait volontiers sa signature, tout en doutant que les questions posées puissent être comprises au Congrès. Il s'avéra pourtant à La Haye qu'une tentative indépendante en même temps que convergente se dessinait dans la linguistique récente de différents pays pour concevoir la synchronie et la diachronie linguistiques d'un point de vue structural ; cela l'encouragea beaucoup et, peu de mois après, il écrivit qu'il avait pendant les vacances d'été réfléchi particulièrement aux systèmes vocaliques, qu'il en avait examiné de mémoire environ quarante et qu'il avait ainsi découvert bien des choses inattendues. C'était *in nuce* la recherche intitulée « Vers la théorie générale des systèmes phonologiques des voyelles » (*Travaux du Cercle linguistique de Prague* I, 1929, 39 sqq.). Certes, on soupçonnait déjà que le système phonologique ne se réduit pas à une simple addition mécanique, mais qu'il est plutôt une *Gestalt* ordonnée selon des lois ; il fut cependant le premier à élaborer concrètement une partie importante de cette doctrine. Il montra que la multiplicité des systèmes vocaliques tend à se résoudre en un nombre limité de modèles déterminés par des lois simples, et il en établit la typologie. K. Bühler dit à juste titre que Trubetzkoy « a proposé sur les systèmes vocaliques une conception systématique que sa portée et son éclairante simplicité met à la hauteur de celle de son compatriote, le chimiste Mendeleev ».

L'engagement au sein de cette nouvelle discipline se développa ensuite dans un authentique esprit de création collective, un héritage typiquement russe, selon Trubetzkoy. Il avait l'habitude de comparer notre collaboration à une course de relais. Bientôt, d'ailleurs, ce travail se développa sur une base encore plus large — les efforts collectifs du Cercle linguistique de Prague. « Je me souviens des différentes étapes du développement du Cercle que j'ai personnellement vécues, écrit Trubetzkoy, d'abord les modestes réunions chez notre président (V. Mathesius), puis l'époque héroïque des préparatifs au premier Congrès des slavistes, les inoubliables journées vécues dans la société de mes amis pragois. Ces souvenirs sont liés pour moi à un sentiment très émouvant, car tout nouveau contact avec le Cercle de Prague provoquait chez moi un nouvel élan de joie créatrice, joie qui retombait toujours quand je reprenais, loin de Prague, mon travail solitaire. Cette animation et cette incitation à la création est, à mes yeux, une manifestation spirituelle propre à notre groupe, suscitée par le travail collectif de chercheurs rapprochés par des liens d'amitié et qui poursuivent leur travail dans une direction méthodologique commune sur la base d'un accord intellectuel et théorique ». Pourtant, ici, nous souhaitons rappeler, en quelques mots, quel fut l'apport personnel de Trubetzkoy.

Il sut relier avec pertinence le concept de corrélation avec la doctrine de Saussure sur l'opposition phonologique entre présence et absence et développa, ainsi que Martinet, le concept étroitement lié de neutralisation d'opposition (*TCLP* VI) ; il fit, en s'appuyant sur les très pertinentes remarques de Jakovlev, une analyse fine de toutes les corrélations consonantiques (*TCLP* IV) et construisit une solide systématique des démarcatifs (*Proceedings* II) ; il fit la première tentative, tâtonnante encore, d'analyse des oppositions phonologiques (*Journal de psychologie* XXXIII) ; il commenta de manière pénétrante la technique des descriptions phonologiques (*Anleitung zu phonologischen Beschreibungen,* 1935) et étudia quelques cas qui prirent valeur d'exemples : l'inventaire consonantique des langues caucasiennes de l'Est (*Caucasica* VIII), la morphophonologie du russe (*TCLP* V, 2) et les monographies exhaustives sur le polabe (Comptes rendus de séances de l'Académie des sciences de Vienne, *phil-hist. Kl.,* CCXI, étude 4) et le vieux-slave. Sur cette dernière langue, seules les études préparatoires sont parues, mais un manuel presque complet doit heureusement y être bien consacré (1). Il est intéressant de remarquer que les deux monographies en question traitent de langues mortes dont l'inventaire phonématique ne peut être établi que par l'intermédiaire d'une analyse soigneuse du système de l'écriture et, en ce sens également, les deux travaux sont de réels chefs-

---

(1) La *Altkirchenslavische Grammatik* de Trubetzkoy est parue dans les Comptes rendus de séances de l'Académie des sciences, Vienne, phil.-hist. Kl., CCXXVIII, paragraphe 4 (1954). On trouve la bibliographie de l'ensemble des œuvres publiées de Trubetzkoy dans *TCLP* VIII.

d'œuvre qui prolongent et couronnent dignement la tradition fortunatovienne ; le problème de la réciprocité de deux systèmes
autonomes — la norme écrite et la norme orale — avait toujours attiré l'attention de l'Ecole de Moscou ; la variante polabe
de ce problème passionnait déjà Porzezinski et Sčepkin, et Trubetzkoy avait d'ailleurs l'intention de dédier ses *Etudes polabes*
à la mémoire du premier ; quant aux plus fines observations de
Fortunatov, elles ont trait à l'écriture et à l'orthographe du
vieux-slave et, bien plus récemment, les considérations les
plus originales de Durnovo, auxquelles Trubetzkoy se réfère,
concernent les mêmes problèmes ; *Alphabet und Lautsystem*
devient le point de départ de sa recherche phonologique, et il
croit voir naître une étude autonome des graphèmes sur le
modèle de celle des phonèmes (*Slovo a slovesnost* I, 133).

La phonologie des deux langues mortes est, bien sûr, strictement synchronique, mais il est clair qu'à ses yeux la projection
de la coupe synchronique statique sur le passé représente une
étape vers la recherche diachronique. Par antithèse avec la phonétique historique qui domina la première étape de son œuvre,
l'étape suivante fut essentiellement consacrées à la phonologie
synchronique, la diachronie n'étant plus qu'effleurée dans deux
contributions épisodiques (*Mémoires Miletič*, 1933, 267 sv et
Księga referatow du deuxième Congrès de slavistique, 1934,
133 sv) et, pourtant, il semble que l'histoire des sons soit restée
le moteur caché de sa recherche ; en fait, il vise à une phonologie historique qui serait une synthèse dialectique de ses travaux
antérieurs. Il sait quelles tâches fondamentalement nouvelles attendent dans ce domaine le chercheur, combien le processus de
reconstruction doit s'amender, combien de surprises les progrès
de la géographie phonologique peuvent apporter, en particulier
l'établissement d'un atlas mondial, et il a conscience que le
problème d'une langue-mère, par exemple celui de l'indoeuropéen primitif, se présente sous une lumière foncièrement nouvelle (v. *Acta Ling.* I, 81 sv). Dans son manuel sur le
vieux-slave, Trubetzkoy essaie d'élargir l'expérience méthodologique de la phonologie au domaine de l'étude des formes
(à l'exception du chapitre consacré aux cas, il considérait même
que cette partie de son œuvre était pour l'essentiel achevée).
La construction systématique de la morphologie structurale et,
en particulier, d'une typologie des systèmes morphologiques est
pour lui à l'ordre du jour, de même que le sont les problèmes
parallèles de la syntaxe (esquissés dans les *Mélanges Bailly*,
75 sv). Au bout du compte, il avait aussi une idée de plus en
plus claire de la nécessité d'étudier la structure du vocabulaire
comme un système régi par des lois (voir *TCLP* I, 26 sv).

Mais il ne lui fut malheureusement pas accordé de réaliser toute cette œuvre et il en avait le pressentiment. Infatigable, il travailla, la mort au cœur, à ses *Principes de phonologie* (*TCLP* VII), son magnifique livre de synthèse, qu'il considérait comme une étape et comme une base destinée à encourager les descriptions phonologiques qui se multipliaient, ainsi qu'à stimuler une discussion théorique plus approfondie et fructueuse.

« La vie est déjà courte, écrivit un jour Sergej Trubetzkoy, et il faut se dépêcher de récolter tout ce qu'il est possible de récolter de la moisson intellectuelle — surtout, qu'il ne soit pas trop tard ». « Ce pressentiment, malheureusement, n'était pas trompeur, ajoute son frère, son cœur céda et il mourut en pleine possession de ses forces. C'est pour beaucoup à cause de la douleur et de l'indignation que suscitaient en lui les autres qu'il mourut ». Le destin tragique du père se répéta à la lettre. L'homme qui rendait gloire à l'époque où la science entière cherchait à remplacer par le structuralisme l'ancienne conception atomisante du monde, et qui comptait au nombre de ses combattants les plus grands et les plus hardis, n'eut peur, dans sa vie agitée, de rien d'autre que de l'anéantissement des valeurs intellectuelles et spirituelles.

Chapitre XVI

RECHERCHE D'UN MODÈLE DES MOYENS ET DES FINS
DU LANGAGE DANS LA LINGUISTIQUE EUROPÉENNE
DE L'ENTRE-DEUX-GUERRES *

Quelques linguistes liés au Cercle de Prague arrivèrent en
1928 au Congrès international de La Haye avec leurs projets de
réponse aux questions fondamentales proposées par le comité
du Congrès. Ils avaient tous l'impression que leurs déviations
à l'égard des dogmes traditionnels resteraient isolées et feraient
peut-être l'objet de fortes oppositions. Entre-temps, dans les
discussions officielles et plus encore dans les discussions privées
du 1er Congrès des linguistes, il s'avéra que de jeunes chercheurs
de différents pays partageaient les mêmes conceptions et les
mêmes tendances. Ces chercheurs, qui travaillaient en solitaires
et à leurs risques et périls, découvrirent à leur grande surprise
qu'ils combattaient pour une cause commune.

Jeune organisation informelle de chercheurs s'intéressant aux
problèmes théoriques, le Cercle linguistique de Prague devint le
noyau de la nouvelle tendance. Cette équipe présenta au 1er
Congrès international des slavistes (Prague, 1929) un programme
détaillé de propositions cruciales pour la théorie et la pratique
linguistiques et l'appuya des deux premiers volumes des *Travaux
du Cercle linguistique de Prague,* collection qui se poursuivra
jusqu'en 1939 et qui jouera un rôle considérable dans la recherche scientifique internationale. En 1930, le Cercle convoqua la
Réunion phonologique internationale, où les principes fonda-

---

* Publié en anglais, sous le titre « Efforts toward a Means-Ends Model
of Language in Interwar Continental Linguistics », dans *Trends in
Modern Linguistics* (Utrecht-Anvers, 1963). Traduit par Paul Hirschbühler.

mentaux de la nouvelle approche du langage, de la structure phonique en particulier, furent discutés avec ardeur et profondeur.

Depuis lors, la désignation d' « Ecole de Prague » est devenue courante dans le monde linguistique. Il ne fait pas de doute que le Cercle de Prague a pris une part importante dans les efforts internationaux en vue d'arriver à une méthodologie linguistique totalement scientifique ; la tradition culturelle tchèque ainsi que son développement au cours des années 20-30 favorisèrent à vrai dire une telle initiative. Lorsque nous examinons la période d'entre les deux guerres *sub specie historiae,* nous découvrons cependant que ce qui a souvent été pris pour la contribution spécifique de Prague au développement de la linguistique moderne apparaît dans une très large mesure avoir été le commun dénominateur de plusieurs courants convergents de la vie scientifique de divers pays européens à cette époque. Ce qui caractérisait l'ambiance de Prague dans les années 1920 et 1930, c'était sa réceptivité à l'égard des divers mouvements culturels de l'Est et de l'Ouest. Le Cercle linguistique de Prague, fondé en 1926 par le clairvoyant savant tchèque Vilem Mathesius, prit pour modèle une précédente organisation d'avant-garde composée de jeunes chercheurs russes, le Cercle linguistique de Moscou, ainsi que la Société de linguistique des Etats-Unis nouvellement créée. La coopération entre savants de divers pays constituait le pivot des activités du Cercle. Ainsi par exemple, en 1928, l'année de sa consolidation, parmi les treize rapports faits au Cercle, cinq étaient tchèques, un français et sept russes ; trois de ces derniers avaient pour auteurs des visiteurs en provenance de l'Union soviétique : B.V. Tomaševskij, J.N. Tynjanov et G.T. Vinokur.

Si l'on compare les conceptions linguistiques des collaborateurs tchèques, allemands, ou russes, du Cercle linguistique de Prague — par exemple les vues de V. Mathesius, F. Slotty ou N.S. Trubetzkoy — à celles que professaient à la même époque par exemple A.W. de Groot et H. Pos en Hollande, E. Benvèniste et L. Tesnière en France, A. Sommerfelt en Norvège, V. Bröndal et L. Hjelmslev au Danemark, J. Kuryłowicz en Pologne, A. Rosetti en Roumanie, Z. Gombocz et G.Y. Laziczius en Hongrie, E.D. Polivanov et D.V. Bubrix en Russie, ou, dans l'autre hémisphère, E. Sapir et B.L. Whorf, il est aisé de trouver des traits individuels caractérisant la contribution de chacun de ces innovateurs remarquables, mais l'on ne peut guère découvrir pour le groupe de Prague de caractéristique unificatrice qui le distinguerait, en tant qu'ensemble, des chercheurs que nous venons de citer. En même temps, un courant typique unit le travail

de tous ces chercheurs et le distingue nettement à la fois de la
tradition plus ancienne et de quelques doctrines différentes qui
trouvèrent cependant leur pleine expression dans les années
1930.

Le titre de ce chapitre définit ce courant commun comme
visant à la réalisation d'un modèle des moyens et des fins dans
le langage. Ces efforts proviennent d'une conception universellement admise du langage comme moyen de pensée et de communication. On peut trouver dans n'importe quel manuel des
déclarations sur le langage en tant qu'outil, instrument, véhicule,
etc., mais, aussi étrange que cela puisse paraître, la tradition
linguistique du siècle dernier n'a pas tiré la conclusion apparemment évidente découlant de ce truisme. Ainsi, le besoin élémen-
taire d'analyser tous les ressorts du langage du point de vue des
tâches qu'ils accomplissent a émergé comme une innovation
audacieuse. L'absence prolongée de toute étude des relations
entre les moyens et les fins dans le langage — absence qui marque encore quelques préjugés universitaires — trouve son explication historique dans une crainte invétérée à l'égard des problèmes liés à la finalité. Dès lors, les problèmes de genèse l'ont
emporté sur ceux d'orientation, la recherche des conditions préalables a supplanté l'examen des buts.

L'étude des effets physico- et psycho-acoustiques de la production des sons ainsi que l'analyse des sons de la parole avec
une attention systématique pour les diverses tâches qu'ils remplissent dans le langage furent parmi les premières réalisations
dans la construction systématique d'un modèle des moyens et
des fins du langage. Ce serait se méprendre évidemment que de
nier l'existence de suggestions anticipatrices sur ces problèmes
dans la pensée de certains linguistes des périodes précédentes,
et l'on peut faire remonter une attitude finaliste dans l'analyse
des sons, comme cela a été démontré, jusqu'à Baudouin de Courtenay, M. Kruszewski, J. Winteler et H. Sweet ; mais aucun de
ces savants n'a véritablement développé les principes et la technique d'une telle analyse, parce que tous étaient encore dominés
par la formation génétique de leur siècle.

C'est précisément la référence aux tâches accomplies par les
éléments phoniques du langage qui a permis aux chercheurs de
remplacer peu à peu la description grossièrement matérielle et
quantitative des sons du langage par une analyse relationnelle,
et de décomposer le continuum du flux sonore en constituants
discrets. On appliqua la même attitude strictement relationnelle
à l'examen de la morphologie et de la syntaxe ; cela changea
et simplifia de façon fondamentale notre représentation du système grammatical, et révéla sa logique interne. Etant donné

que la relativité, c'est bien connu, est indissolublement liée au principe d'invariance, la recherche systématique des invariants phonologiques et grammaticaux devint la démarche fondamentale de l'analyse linguistique. L'insistance toujours plus grande sur les tâches remplies par les éléments phoniques révéla une étroite liaison entre la différenciation des constituants et des catégories grammaticales et la stratification de la structure phonique utilisée pour les exprimer.

L'emphase mise sur la dualité de tout signe verbal, reprise par Saussure à la tradition stoïcienne et scholastique, aboutit nécessairement à de nouvelles conclusions quand la relation entre les deux aspects du signe, son *signans* et son *signatum,* fut revue systématiquement du point de vue des moyens et des fins et que les deux « principes » saussuriens « de base » — l'arbitraire du signe et la *linéarité* du signifiant — se révélèrent illusoires.

Des deux opérations linguistiques de base — la sélection et la combinaison, ou, en d'autres termes, les aspects paradigmatique et syntagmatique du langage —, c'est l'aspect paradigmatique qui a été particulièrement élucidé dans le travail sur le modèle orienté. Le choix des unités ou celui de leurs combinaisons est une opération finalisée, au contraire des combinaisons purement redondantes qui n'admettent pas de choix. Le problème de la distinction pendante entre variantes autonomes et combinatoires contextuelles fut attaqué avec succès à la fois au niveau phonologique et au niveau grammatical. L'un des systèmes les plus compliqués, la construction hiérarchique frappante de la structure paradigmatique, fut l'objet d'examens minutieux, en particulier dans les recherches de Kuryłowicz. L'intérêt systématique pour le sens, l'essence même de toute la tendance, et l'analyse systématique des significations grammaticales, distinguant rigoureusement entre significations générales et contextuelles, exigèrent une exploration analogue des significations lexicales ; et la nécessité impérative de traiter le vocabulaire comme « un système complexe de mots mutuellement coordonnés et opposés l'un à l'autre » fut longuement défendues par Trubetzkoy au 1ᵉʳ Congrès des slavistes.

Dans les « Thèses » inaugurant le premier volume des *Travaux* et lors de délibérations ultérieures, le Cercle de Prague, insistant sur les fins dans le langage, entreprit une étude des langages à fonctions différentes et accorda une juste attention à leur structuration différente. Dans cette étude des différents objectifs linguistiques, la fonction poétique reçut le traitement le plus fructueux. La conscience du caractère divers du langage sauva le groupe de Prague d'une vue du langage simpliste, grossièrement unitaire ; le langage était considéré comme un *système de systèmes* ; ce sont surtout les travaux de Mathesius sur la coexistence à l'intérieur d'une langue de structures phonologiques distinctes qui ont ouvert de nouvelles perspectives.

La prise en considération des divers « dialectes fonctionnels » ou, en d'autres termes, des différents styles de langue, modifia radicalement la conception du changement linguistique. Les deux stades d'un changement en cours furent réinterprétés comme deux styles de langue coexistants ; le changement fut conçu comme un fait de synchronie linguistique, et, comme tout fait de synchronie, il exigeait un test permettant de déterminer l'objectif du changement par rapport à l'ensemble du système de la langue. Ainsi, la linguistique historique connaissait une complète métamorphose. Si au stade antérieur des études indo-européennes, comme l'a dit Benvéniste en 1935, « l'effort considérable et méritoire qui a été employé à la description des formes n'a été suivi d'aucune tentative sérieuse pour les interpréter », désormais, fit-il remarquer, il serait nécessaire de considérer la langue reconstruite non plus comme un répertoire de symboles immuables mais « comme une langue en devenir », et, de plus, d'envisager les fonctions des éléments en jeu.

Le rôle de la comparaison en linguistique prit de l'expansion et se diversifia largement quand, à la préoccupation traditionnelle pour les familles de langues (*Sprachfamilien*), s'ajouta un vif intérêt pour les affinités acquises (*Sprachbünde,* selon le mot de Trubetzkoy), et ainsi le temps et l'espace trouvèrent leur place intrinsèque dans le modèle orienté du langage. Finalement, la troisième forme de comparaison, celle qui a la plus grande portée, la comparaison typologique, qui conduit à l'introduction d'universaux dans le modèle du langage, fut présentée dans les années vingt comme l'objectif final de la tendance internationale en linguistique que le Cercle de Prague baptisa en 1929, « analyse structurale et fonctionnelle ».

Si nous évitons cependant d'employer cette expression ici, c'est uniquement parce que durant les dernières décennies les termes « structure » et « fonction » sont devenus les plus équivoques et les plus stéréotypés de la science du langage. En particulier, les homonymes *fonction*, « rôle », « tâche » — au point de vue des moyens et des fins — et *fonction* comme correspondance entre deux variables mathématiques, sont souvent utilisés de manière confuse, et, comme nous en avertit le *Dictionnaire philosophique* de Lalande, « il y a ici une source de confusion qui rend certaines pages d'aujourd'hui difficilement intelligibles ».

Le *Sturm und Drang* à travers lequel la linguistique, comme tant d'autres domaines de connaissances, est passé dans les années d'entre les deux guerres, a fait place au travail entrepris à une vaste échelle par notre époque sur les fondements d'une science du langage exacte et approfondie. Il s'agit d'un travail collectif et responsable où les anciennes différences entre écoles de chaque pays ou même de chaque continent perdent petit à petit leur particularité. De même, de nombreuses discussions sectaires récentes entre écoles différentes donnent soudain l'impression d'appartenir à un lointain passé. Parmi les modèles de langage qui jouent un rôle toujours plus grand dans la linguistique contemporaine, pure ou appliquée, les questions posées par un modèle orienté atteignent un niveau inégalé et une nouvelle pertinence.

TABLE DES MATIERES

« ARGUMENTS »

CET OUVRAGE A ÉTÉ ACHEVÉ D'IMPRIMER
LE DIX-SEPT DÉCEMBRE MIL NEUF CENT
SOIXANTE-DIX-NEUF SUR LES PRESSES DE
L'IMPRIMERIE CORBIÈRE ET JUGAIN A ALEN-
ÇON ET INSCRIT DANS LES REGISTRES DE
L'ÉDITEUR SOUS LE NUMÉRO 1522

Imprimé en France